★★★★★ 絶対合格 ★★★★★

日本語能力試験
徹底トレーニング
N1 文字・語彙

N1 Vocabulary

松岡 龍美

まえがき

2010年7月より、日本語能力試験が新しく生まれ変わりました。

N1の科目は、「言語知識（文字・語彙・文法）・読解」（合計110分）と「聴解」（60分）で、以前と同じように見えますが、内容は大きく進化しています。

文字・語彙の問題では、問題数が大幅に減り、「言い換え類義」の問題が新しく出題されるようになりましたが、これは旧試験の2級でも出題されていたものです。確かに、文字・語彙のウェイトは軽くなりましたが、しかし、以前準拠していた『日本語能力試験 出題基準』（独立行政法人国際交流基金・公益財団法人日本国際教育支援協会）以外の語彙も多く出題されるようになりました。

この問題集では、独自に選定した18,000語のデータベースをもとに、できるだけ多くの語彙が提示されています。これだけの語彙を活用できれば、皆さんはもう、日本の大学生や、新聞を読む一般の日本人とほぼ同じレベルだと言えるでしょう。N1というのは、それぐらいのレベルだと考えられます。

この本を利用することで、学習者のみなさんの日本語能力が向上し、試験において1点でも多く得点されますよう、心から祈っております。

2012年3月
著者

日本語能力試験N1 文字・語彙

　日本語能力試験N1は、「言語知識（文字・語彙・文法）・読解」（合計110分）と「聴解」（60分）から成ります。文字・語彙の問題は、「言語知識」の一部で出題され、全部で25問あります。そのうち、問題1（6問）が文字（漢字）、問題2〜4（19問）が語彙の問題です。形式は以下の通りです。

問題1　漢字読み（6問）
　漢字の正しい読み方を選ぶ問題です。

例題　＿＿＿の言葉の読み方として最もよいものを、1・2・3・4から一つ選びなさい。

この試合は後半が勝負になるだろう。
　　1　ごはん　　　　2　ごばん　　　　**3　こうはん**　　　　4　こうばん

問題2　文脈規定（7問）
　文の中の（　　）に適当な言葉を入れる問題です。

例題　（　　）に入れるのに最もよいものを、1・2・3・4から一つ選びなさい。

彼の話をしているとき、（　　）のタイミングで彼から電話がかかってきた。
　　1　ナイス　　　　2　イエス　　　　**3　ジャスト**　　　　4　グッド

問題3　言い換え類義（6問）
　最も近い意味の言葉を選ぶ問題です。

例題　＿＿＿の言葉に意味が最も近いものを、1・2・3・4から一つ選びなさい。

企画の内容をざっと説明した。
　　1　すばやく　　　2　ていねいに　　　3　いちいち　　　**4　おおまかに**

問題4　用法（6問）

言葉の正しい使い方を選ぶ問題です。

例題　次の言葉の使い方として最もよいものを、1・2・3・4から一つ選びなさい。

引き継ぐ
1　社長がビールを飲み干すと、すぐに部長がグラスに引き継いだ。
2　課長の担当していた仕事を引き継ぐことになった。
3　転勤のため彼は福岡に引き継いだ。
4　あまりに疲れていて、重い足を引き継いで歩いた。

　問題1は、「漢字読み」となっていますが、下線部はすべて「漢字で書かれた語」です。語彙の読み方を問う問題ということです。また、日本語は漢字のみの語彙（本書では漢字語彙と呼びます）が最も多く、出題されるのも漢字2字の語彙が主ですが、問題2、3、4の例題のように、カタカナ語やひらがなの副詞、複合動詞が出される場合もあります。特にカタカナ語は1回の試験に最低1回は出題されると考えられます。

※問題数や形式については、『新しい「日本語能力試験」ガイドブック　概要版と問題例集N1,N2,N3編』（独立行政法人国際交流基金・公益財団法人日本国際教育支援協会）の情報をもとにしました。その他、日本語能力試験関連書籍等を参考に試験の出題傾向を予測しています。

この本の特長と構成

18,000語のデータベースにもとづく豊富な語彙数

　新しい日本語能力試験では、出題範囲となる語数が旧試験の約10,000語から約18,000語に増えました。さらに、どんな語彙が出るかも非公開となりました。つまり、どんな語彙が出るのか、以前と比べてほとんどわからないということでもあります。

　しかし、日常生活はもちろん、新聞や論文を読むにあたっても、専門用語や固有名詞を除いて、どんな環境にある人も共通して知っておくべき語彙はそれほど多くはありません。本書は、主に以下の文献から使用頻度の高い語彙、N1レベルなら知っておくべきと思われる語彙を選定して作成された18,000語のデータベースをもとにしています。

〈語彙調査資料〉
・国立国語研究所編『分類語彙表』（大日本図書）
・国立国語研究所編『日本語教育のための基本語彙調査』（秀英出版）

〈辞書・辞典〉
・小学館国語辞典編集部編『日本国語大辞典』（小学館）
・松村明編『大辞林』（三省堂）
・中道真木男編『ベネッセ新修国語辞典』（ベネッセコーポレーション）

　さらに、本書の制作にあたっては、このデータベースの中でも**使用頻度の高く、試験に出る可能性の高い語彙約4,000語を厳選**しました。本書で学習すれば、日本語能力試験N1の合格に近づくだけでなく、新聞や論文を読みこなすための基礎語彙力をつけることができるでしょう。

覚えるべき順で学習する

　重要な語彙を厳選したとはいえ、約4,000語を暗記するのは大変です。ただやみくもに暗記するのではなく、ポイントを絞り、効率よく覚えることが非常に大切です。

　本書は、**漢字のみの語（漢字語彙）か、ひらがなを含む語か、漢字語彙の場合、何字から成るか、漢字2字の場合、1文字目の発音は何か、共通する漢字はどれかといった観点から語彙を分類**しています。なぜかというと、試験の問題では、よく似た選択肢が並ぶ可能性が高いからです。例えば問題1「株式の相場」という問題の場合、「1　あいば　2　そうば　3　あいじょう　4　そうじょう」のように、複数の読み方を組み合わせた選択肢が考えられます。また、問題2「集中力を（　　）する」という問題の場合、「1　支持　2　所持　3　継続　4　持続」

といった、同じ漢字を含む選択肢が考えられるでしょう。

　そして、分類した語彙が多い場合には、**重要度でランク分けし、どれを優先的に覚えるのがいいかを示しました。**

★★★　過去に出題された語彙
　　　　過去20年以上の間に出題された語彙は、重要度が高く、優先的に覚えるべきと考えます。形式を変えて、2回以上出題されているものもあります。

★★　　1級レベルの語彙
　　　　旧試験の『出題基準』に掲載されている語彙です。出題範囲が示されないとはいっても、よく使われる重要な語彙であることには変わりありません。ただし、現代日本語ではあまり使われていないと判断し、ここに入れていない場合もあります。

★　　　N1レベルの語彙
　　　　データベースをもとに、N1レベルなら知っておくべき語彙と判断したものです。

この本の構成

　問題形式ごとに、どんな語彙が出るかを予想し、全体を構成しました。それぞれ問題形式の例題とポイントを示してあります。必ず読んでから各課に進むようにしましょう。

　特に漢字2字の語彙は、問題1から4までどの問題にも出る可能性があるので、重なっているものも多くあります。どの問題に出てきても正解を選べるように、読み方、意味、用法をくり返し確認しましょう。

　各課は、左側に学習する語彙が、右側に練習問題があります。❶マークは、特別な読み方をする語彙です。特に問題1の対策で気をつけましょう。各問題形式に復習問題を用意したので、解けなかった問題は必ず確認しましょう。

　また、文字・語彙の模擬試験を5回分用意しました。力試しとして、試験対策の仕上げとして、自由に使ってください。

もくじ

日本語能力試験N1文字・語彙 3
この本の特長と構成 5

問題1 漢字読み 9

漢字2字の語彙 10

2音の語彙 .....10　3音の語彙 .....12　「○ん」で始まる語彙 16

「○い」で始まる語彙 .....20　「○う」で始まる語彙 24

「○ゅう」「○ょう」で始まる語彙 .....26　「○き」「○く」で始まる語彙 28

「○ち」「○つ」で始まる語彙 .....30　「○っ」で始まる語彙 32

読み方が2つ以上ある漢字 .....34　な形容詞 .....36　「的」がつく形容詞・副詞 38

訓読みの語彙 40

その他の語彙 44

漢字3字の語彙 .....44　動詞 .....48　動詞が名詞化した語彙 .....54　い形容詞 56

問題1 復習問題 58

問題2 文脈規定 63

漢字語彙 64

1音の漢字による分類 .....64　2音の漢字「○ん」による分類 74

2音の漢字「○い」による分類 .....86　2音の漢字「○う」による分類 94

2音の漢字「○ゅう」による分類 .....100　2音の漢字「○ょう」による分類 102

2音の漢字「○き」「○く」による分類 .....104　2音の漢字「○ち」「○つ」による分類 108

その他の語彙 110

動詞 .....110　形容詞 .....124　副詞 .....132　カタカナ語 .....138　名詞・接頭語・接尾語 144

問題2 復習問題 148

問題3 言い換え類義 153

ひらがなの語彙 154
動詞 ....154　な形容詞 ....160　い形容詞 ....164　副詞 168

その他の語彙 172
カタカナ語 ....172　漢字語彙 ....176　和語・訓読みの名詞 ....182　複合動詞 184

問題3 復習問題 186

問題4 用法 189

漢字2字の語彙 192
する動詞 ....192　名詞 196

その他の語彙 200
ひらがな動詞 ....200　複合動詞 ....202　ひらがな副詞 ....206　形容詞 208
和語・訓読みの語彙 210

問題4 復習問題 212

実戦模試 225
第1回 ....226　第2回 ....229　第3回 ....232　第4回 ....235　第5回 238

解答 241

問題1
漢字読み

> 例題　＿＿の言葉の読み方として最もよいものを、1・2・3・4から一つ選びなさい。
>
> 1　彼の願いがやっと成就した。
> 　　1　せいしゅう　　2　せいじゅ　　3　じょうしゅう　　**4　じょうじゅ**
>
> 2　映画を見る前に粗筋を読んでおいた。
> 　　**1　あらすじ**　　2　そきん　　3　あらきん　　4　そすじ
>
> 3　この町は昔とても栄えていた。
> 　　1　そびえて　　2　たたえて　　**3　さかえて**　　4　かまえて

　日本語には、複数の漢字を組み合わせた語彙、中でも漢字２字の語彙が非常にたくさんあります。

　そのため、問題１では、漢字２字の語彙が６問中３問程度出題されます。選択肢は音が似ている場合が多いので、発音別に覚えていくと区別がしやすくなるでしょう。

　漢字の音読みは、ある程度パターンに分けることができます。特に多いのは「○ん」（安、金、先など）「○い」（相、計、水など）「○う」（王、休、小など）の３つです。○を入れ替えた選択肢が考えられます。

　漢字語彙の多くは、名詞としての用法のほか、「する」がついて動詞になるものも多く、使い分けを覚える必要があります。読み方を覚えると同時に、整理していきましょう。問題２以降の対策にもなります。

　その他、「携わる」「設ける」などの動詞、「尊い」「煩わしい」などの形容詞も出る可能性があります。Ｎ１レベルの語彙は、きちんと覚えておきましょう。

漢字2字の語彙

2音の語彙

まず最初に、1音の漢字からなる2音の語彙を覚えましょう。過去に出題された語彙から、ポイントがわかります。

〈問題〉	〈選択肢〉				〈正解〉
阻止	1 しょし	2 しょうし	3 そし	4 そうし	3
拒否	1 きょひ	2 きょうひ	3 こひ	4 こうひ	1
寄附	1 きふ	2 きぶ	3 きふう	4 きぶう	1

選択肢は、「しょ」と「そ」、「きょ」と「きょう」、「ふ」と「ぶ」など、似た音を入れ替えたものが並びます。①**長音「い」「う」があるかどうか**、②**「ゃ」「ゅ」「ょ」があるかどうか**、③**「゛」「゜」があるかどうか**に注意しましょう。

する動詞

重要度											
★★★	維持(いじ)	意図(いと)	寄附(きふ)	拒否(きょひ)	処置(しょち)	阻止(そし)	破棄(はき)	保護(ほご)	保守(ほしゅ)		
★★	加味(かみ)	寄与(きよ)	指揮(しき)	支持(しじ)	自首(じしゅ)	所持(しょじ)	補助(ほじょ)	麻痺(まひ)			
★	餓死(がし)	帰化(きか)	危惧(きぐ)	起訴(きそ)	忌避(きひ)	挙手(きょしゅ)	駆使(くし)	駆除(くじょ)	固辞(こじ)	誇示(こじ)	示唆(しさ)	自負(じふ)
	除去(じょきょ)	図示(ずし)	打破(だは)	治癒(ちゆ)	卑下(ひげ)	補佐(ほさ)	拉致(らち)	濾過(ろか)			

名詞

重要度											
★★★	意義(いぎ)	異議(いぎ)	意地(いじ)	過疎(かそ)	規模(きぼ)	義務(ぎむ)	個々(ここ)❶	誤差(ごさ)	磁気(じき)	時期(じき)	自己(じこ)	視野(しや)
	砂利(じゃり)❷	趣旨(しゅし)	種々(しゅじゅ)❶	措置(そち)	墓地(ぼち)	余地(よち)					
★★	危機(きき)	義理(ぎり)	下痢(げり)	語彙(ごい)	語句(ごく)	孤児(こじ)	詐欺(さぎ)	歯科(しか)	自我(じが)	磁器(じき)	時差(じさ)	自主(じしゅ)
	守備(しゅび)	助詞(じょし)	庶務(しょむ)	世辞(せじ)	著書(ちょしょ)	徒歩(とほ)	秘書(ひしょ)	不意(ふい)	部下(ぶか)	捕虜(ほりょ)	未知(みち)	余暇(よか)
	利子(りし)										
★	意気(いき)	囲碁(いご)	遺書(いしょ)	歌詞(かし)	過度(かど)	可否(かひ)	飢餓(きが)	機器(きき)	季語(きご)	機種(きしゅ)	旗手(きしゅ)	既知(きち)
	虚偽(きょぎ)	虚無(きょむ)	呼気(こき)	誤字(ごじ)	語尾(ごび)	差異(さい)	時価(じか)	時下(じか)	時機(じき)	次期(じき)	私語(しご)	死語(しご)
	事後(じご)	私費(しひ)	自費(じひ)	首位(しゅい)	主旨(しゅし)	種子(しゅし)	手話(しゅわ)	書記(しょき)	齟齬(そご)	地価(ちか)	致死(ちし)	覇者(はしゃ)
	馬車(ばしゃ)	避暑(ひしょ)	比喩(ひゆ)	部署(ぶしょ)	不和(ふわ)	簿記(ぼき)	母語(ぼご)	無期(むき)	路地(ろじ)	和語(わご)		

第1回 練習問題　　　　　　　　　　　（解答 p242）

___の言葉の読み方として最もよいものを、1・2・3・4から一つ選びなさい。

1　彼には補助が必要だ。
　　1　ほじょ　　　2　ほうじょ　　　3　ぽじょ　　　4　ぽうじょ

2　あの政治家は金銭感覚が麻痺している。
　　1　まひ　　　　2　まふ　　　　　3　まび　　　　4　まぶ

3　社長は経営の悪化を危惧していた。
　　1　きく　　　　2　きくう　　　　3　きぐ　　　　4　きぐう

4　大物政治家が検察により起訴された。
　　1　きしょ　　　2　きしょう　　　3　きそ　　　　4　きそう

5　質問のある方は挙手をお願いします。
　　1　きょしゅ　　2　きょじゅ　　　3　きょうしゅ　4　きょうじゅ

6　彼は自らの才能を自負している。
　　1　じふ　　　　2　じふう　　　　3　じぶ　　　　4　じぶう

7　彼の病気は自然に治癒した。
　　1　じゆ　　　　2　じゅう　　　　3　ちゆ　　　　4　ちゅう

8　彼は自らの才能を誇示した。
　　1　こし　　　　2　こうし　　　　3　ごうじ　　　4　こじ

9　彼は見知らぬ女性に声をかけられ、詐欺にあった。
　　1　さくき　　　2　さくぎ　　　　3　さき　　　　4　さぎ

10　教授は自らの著書を図書館に寄贈した。
　　1　ちゃしょ　　2　ちょしょ　　　3　ちゅうしょ　4　ちょうしょ

11　彼の証言は虚偽であった。
　　1　きょい　　　2　きょうい　　　3　きょぎ　　　4　きょうぎ

12　彼の家は、入り組んだ路地の奥にあった。
　　1　ろち　　　　2　ろじ　　　　　3　ろうち　　　4　ろうじ

漢字2字の語彙

3音の語彙 ①

次に、3音の語彙、中でも前の漢字が1音で、後の漢字が2音の語彙を覚えましょう。①**長音「う」があるかどうか**、②**「ゃ」「ゅ」「ょ」があるかどうか**、③**「゛」「゜」があるかどうか**に加え、④**「っ」があるかどうか**にも注意しましょう。

〈問題〉	〈選択肢〉				〈正解〉
派遣	1 はけん	2 は<u>っ</u>けん	3 はげん	4 は<u>っ</u>げん	1
普及	1 ふきょう	2 ふっきょう	3 ふきゅう	4 ふっきゅう	3

ここで覚える語彙の前の漢字は1音なので、「っ」はありません。（「○っ」で始まる語彙はp32を参照）

する動詞

重要度													
★★★	移行 いこう	委託 いたく	違反 いはん	依頼 いらい	汚染 おせん	加減 かげん	企画 きかく	棄権 きけん	記載 きさい	規制 きせい	偽造 ぎぞう	誤解 ごかい
	故障 こしょう	誇張 こちょう	雇用 こよう	孤立 こりつ	作用❼ さよう	飼育 しいく	自覚 じかく	志向 しこう	思考 しこう	施行 しこう	試行 しこう	視察 しさつ
	辞退 じたい	指摘 してき	自慢 じまん	謝罪 しゃざい	謝絶 しゃぜつ	修行❼ しゅぎょう	主張 しゅちょう	主導 しゅどう	樹立 じゅりつ	助言 じょげん	処罰 しょばつ	署名 しょめい
	所有 しょゆう	是正 ぜせい	訴訟 そしょう	打開 だかい	妥協 だきょう	把握 はあく	派遣 はけん	避難 ひなん	非難 ひなん	披露❼ ひろう	疲労 ひろう	普及 ふきゅう
	負傷 ふしょう	侮辱 ぶじょく	負担 ふたん	赴任 ふにん	腐敗 ふはい	扶養 ふよう	保管 ほかん	補充 ほじゅう	募集 ぼしゅう	保障 ほしょう	補償 ほしょう	摩擦 まさつ
	矛盾 むじゅん	模索 もさく										
★★	移住 いじゅう	依存 いぞん	異動 いどう	化合 かごう	加入 かにゅう	議決 ぎけつ	記述 きじゅつ	寄贈 きぞう	規定 きてい	居住 きょじゅう	拒絶 きょぜつ	許容 きょよう
	区画 くかく	護衛 ごえい	死刑 しけい	辞職 じしょく	持続 じぞく	志望 しぼう	始末 しまつ	主催 しゅさい	取材 しゅざい	所属 しょぞく	除外 じょがい	徐行 じょこう
	処分 しょぶん	自立 じりつ	指令 しれい	妥結 だけつ	貯蓄 ちょちく	治療 ちりょう	破壊 はかい	破損 はそん	破裂 はれつ	悲観 ひかん	否決 ひけつ	微笑 びしょう
	比例 ひれい	布告 ふこく	武装 ぶそう	捕獲 ほかく	補給 ほきゅう	募金 ぼきん	舗装 ほそう	補足 ほそく	保養 ほよう	模倣 もほう	預金 よきん	予言 よげん
★	移植 いしょく	遺伝 いでん	会釈 えしゃく	祈願 きがん	棄却 ききゃく	偽装 ぎそう	解毒 げどく	懸念❼ けねん	下落❼ げらく	固執 こしつ	挫折 ざせつ	左遷 させん
	作動❼ さどう	自炊 じすい	自重 じちょう	遮断 しゃだん	授与 じゅよ	受領 じゅりょう	是認 ぜにん	疎外 そがい	阻害 そがい	遅延 ちえん	波及 はきゅう	破綻 はたん
	破滅 はめつ	批准 ひじゅん	浮上 ふじょう	魅惑 みわく	癒着 ゆちゃく	由来❼ ゆらい						

第2回 練習問題　　(解答p242)

___の言葉の読み方として最もよいものを、1・2・3・4から一つ選びなさい。

1 家電メーカーは被災地の施設にラジオを寄贈した。
　　1　きそ　　　2　きしょう　　　3　きぞう　　　4　きじょう

2 彼女は彼の申し入れを拒絶した。
　　1　こぜつ　　2　こうぜつ　　　3　きょぜつ　　4　きょうぜつ

3 彼は大学の映画研究部に所属している。
　　1　しょそく　2　しょぞく　　　3　じょそく　　4　じょぞく

4 ようやく労使交渉は妥結に至った。
　　1　たけつ　　2　だけつ　　　　3　たっけつ　　4　だっけつ

5 彼の表情に微笑が浮かんだ。
　　1　びそう　　2　びしょう　　　3　ちょうそう　4　ちょうしょう

6 鯨の捕獲は制限されている。
　　1　ほかく　　2　ほうかく　　　3　ほがく　　　4　ほうがく

7 道路の舗装工事が始まった。
　　1　ほそう　　2　ほうそう　　　3　ほしょう　　4　ほうしょう

8 彼の訴えは棄却された。
　　1　きかく　　2　ききゃく　　　3　きこう　　　4　きごう

9 一つの考えに固執するのはよくない。
　　1　こしつ　　2　こちつ　　　　3　こじつ　　　4　こじゅう

10 地震により首都圏の交通が一時的に遮断された。
　　1　しょたん　2　しゃたん　　　3　しょだん　　4　しゃだん

11 二国間で条約が批准された。
　　1　はしゅん　2　はじゅん　　　3　ひしゅん　　4　ひじゅん

12 景気の低迷が懸念される。
　　1　けねん　　2　けいねん　　　3　けんねん　　4　げんねん

漢字2字の語彙

3音の語彙 ②

名詞

重要度												
★★★	意向(いこう)	衣装(いしょう)	遺跡(いせき)	意欲(いよく)	威力(いりょく)	架空(かくう)	仮説(かせつ)	化繊(かせん)	河川(かせん)	課題(かだい)	花壇(かだん)	過労(かろう)
	危害(きがい)	規格(きかく)	企業(きぎょう)	戯曲(ぎきょく)	起源(きげん)	既婚(きこん)	儀式(ぎしき)	気象(きしょう)	軌道(きどう)	規範(きはん)	起伏(きふく)	疑惑(ぎわく)
	固有(こゆう)	砂漠(さばく)	事項(じこう)	事情(じじょう)	姿勢(しせい)	事態(じたい)	視点(してん)	紙幣(しへい)	脂肪(しぼう)	使命(しめい)	斜面(しゃめん)	修業(しゅぎょう)
	首相(しゅしょう)	主導(しゅどう)	樹木(じゅもく)	庶民(しょみん)	資料(しりょう)	視力(しりょく)	素材(そざい)	肥料(ひりょう)	富豪(ふごう)	負債(ふさい)	不順(ふじゅん)	不振(ふしん)
	不調(ふちょう)	不良(ふりょう)	付録(ふろく)	魅力(みりょく)	未練(みれん)	無言(むごん)	無断(むだん)	無念(むねん)	模型(もけい)	模様(もよう)	野心(やしん)	与党(よとう)
★★	花粉(かふん)	貨幣(かへい)	器官(きかん)	基金(ききん)	喜劇(きげき)	機構(きこう)	犠牲(ぎせい)	貴族(きぞく)	起点(きてん)	技能(ぎのう)	語源(ごげん)	故人(こじん)
	戸籍(こせき)	碁盤(ごばん)	差額(さがく)	座標(ざひょう)	視覚(しかく)	嗜好(しこう)	施設(しせつ)	司法(しほう)	守衛(しゅえい)	主権(しゅけん)	首脳(しゅのう)	諸君(しょくん)
	所得(しょとく)	世帯(せたい)	打撃(だげき)	治安(ちあん)	途上(とじょう)	悲鳴(ひめい)	微量(びりょう)	不況(ふきょう)	普遍(ふへん)	浮力(ふりょく)	武力(ぶりょく)	麻酔(ますい)
	微塵(みじん)	模範(もはん)	野党(やとう)	世論(よろん)	利潤(りじゅん)	旅客(りょかく)	履歴(りれき)					
★	威厳(いげん)	遺産(いさん)	汚職(おしょく)	瓦礫(がれき)	奇跡(きせき)	偽善(ぎぜん)	既存(きそん)	気迫(きはく)	拠点(きょてん)	苦渋(くじゅう)	顧客(こきゃく)	誤算(ごさん)
	後日(ごじつ)	鼓動(こどう)	古墳(こふん)	査証(さしょう)	師匠(ししょう)	指針(ししん)	指紋(しもん)	主審(しゅしん)	樹齢(じゅれい)	序盤(じょばん)	地勢(ちせい)	地層(ちそう)
	著作(ちょさく)	土壌(どじょう)	派閥(はばつ)	秘訣(ひけつ)	被告(ひこく)	補欠(ほけつ)	魔法(まほう)	麻薬(まやく)	未遂(みすい)	無縁(むえん)	無実(むじつ)	無償(むしょう)
	夜分(やぶん)	余剰(よじょう)										

+α 「世論」は「せろん」と読むこともある。
「旅客」は「旅客機」として使われることが多い。

第3回 練習問題　　（解答p242）

___の言葉の読み方として最もよいものを、1・2・3・4から一つ選びなさい。

1 秋になり、樹木の葉が赤く染まった。
　　1　じゅもく　　2　じゅぼく　　3　じゅうもく　　4　じゅうぼく

2 いったん帰宅して衣装を着替えた。
　　1　いそう　　2　いしょう　　3　いぞう　　4　いじょう

3 二人は無言のまま見つめ合った。
　　1　むげん　　2　むごん　　3　ぶげん　　4　ぶごん

4 お年寄りの嗜好を調査した。
　　1　しゃこう　　2　しこう　　3　じゃこう　　4　じこう

5 工場の入り口には守衛が立っていた。
　　1　しゅえい　　2　すえい　　3　しゅうえい　　4　すうえい

6 顧客のニーズを調査した。
　　1　かんきゃく　　2　こきゃく　　3　かんかく　　4　こかく

7 応募者の履歴を調べた。
　　1　ふくれき　　2　ふれき　　3　られき　　4　りれき

8 この地域は治安がいい。
　　1　じあん　　2　しあん　　3　ちあん　　4　じいあん

9 彼は模範となる優秀な学生だ。
　　1　ぽはん　　2　ぼうはん　　3　もはん　　4　もうはん

10 ビルは破壊され、瓦礫の山となった。
　　1　がらく　　2　がれき　　3　きらく　　4　きれき

11 我が社は中国進出に際し、まず上海に拠点を築いた。
　　1　しょてん　　2　ちょてん　　3　じょてん　　4　きょてん

12 彼の料理の師匠はよくテレビに出る有名人だ。
　　1　しせき　　2　しきん　　3　しそう　　4　ししょう

漢字2字の語彙

「○ん」で始まる語彙 ①

2番目の音が「ん」の語彙を押さえましょう。気をつけなければならないのは、**「ん」のあとで、発音が変わる場合**です。

暗(あん)＋算(さん)→暗算（あん**ざ**ん）

分(ぶん)＋配(はい)→分配（ぶん**ぱ**い）

反(はん)＋応(おう)→反応（はん**の**う）

ただし、「換算(かんさん)する」などは「ん」のあとでも「さん」のままです。例外もあるので、気をつけましょう。

する動詞

重要度												
★★★	あんざん 暗算❼	あんじ 暗示❼	いんきょ 隠居	うんえい 運営	うんぱん 運搬	うんよう 運用	えんそう 演奏	かんけつ 完結	かんご 看護	かんしょう 干渉	かんせん 感染	かんとく 監督
	かんべん 勘弁	かんよ 関与	かんわ 緩和	きんこう 均衡	ぎんみ 吟味	げんぞう 現像	けんとう 検討	こんらん 混乱	さんか 酸化	さんしょう 参照	しんか 進化	しんぎ 審議
	しんこう 信仰	しんこう 進行	しんこう 振興	しんこく 申告	しんさ 審査	しんちく 新築	しんてい 進呈	しんどう 振動	しんにゅう 侵入	しんぼう 辛抱	せんげん 宣言	せんこう 選考
	せんでん 宣伝	ぜんめつ 全滅	そんぞく 存続	たんけん 探検	だんげん 断言	たんしゅく 短縮	ちんもく 沈黙	ちんれつ 陳列	てんかん 転換	てんきん 転勤	てんじ 展示	にんしき 認識
	ねんしょう 燃焼	はんえい 繁栄	はんしゃ 反射	はんじょう 繁盛	はんしょく 繁殖	はんのう 反応❼	はんぱつ 反発	ふんがい 憤慨	ぶんせき 分析	ふんそう 紛争	ぶんり 分離	へんかん 返還
	へんきゃく 返却	へんさい 返済	へんせん 変遷	へんとう 返答	らんよう 濫用	れんたい 連帯						
★★	あんさつ 暗殺	えんしゅつ 演出	かんげん 還元	かんさん 換算	かんし 監視	かんゆう 勧誘	かんらん 観覧	きんむ 勤務	けんぎょう 兼業	げんしょう 減少	げんてい 限定	けんやく 倹約
	こんどう 混同	さんび 賛美	しんりゃく 侵略	しんりょう 診療	せんきょ 選挙	せんとう 戦闘	せんにゅう 潜入	せんりょう 占領	そんしつ 損失	だんけつ 団結	ちんでん 沈殿	ちんぼつ 沈没
	てんきょ 転居	てんけん 点検	でんごん 伝言	でんたつ 伝達	てんぼう 展望	ねんがん 念願	はんきょう 反響	はんげき 反撃	はんてい 判定	はんらん 氾濫	ふんしつ 紛失	ふんしゅつ 噴出
	ぶんたん 分担	ふんとう 奮闘	ぶんぱい 分配	ぶんれつ 分裂	へんかく 変革	べんご 弁護	べんしょう 弁償	めんじょ 免除	ろんぎ 論議			
★	いんそつ 引率	いんぺい 隠蔽❼	えんたい 延滞	かんかつ 管轄	きんぱく 緊迫	けんいん 牽引	けんお 嫌悪	けんさく 検索	こんぽう 梱包	さんせき 山積	じゅんのう 順応	じんもん 尋問
	じんりょく 尽力	せんきょ 占拠	そんしょう 損傷	たんぽ 担保	ちんたい 賃貸	てんさく 添削	てんぷ 添付	てんぷく 転覆	なんこう 難航	にんたい 忍耐	はんぷ 頒布	びんじょう 便乗❼
	ひんぱつ 頻発	ぶんき 分岐	ふんきゅう 紛糾	ふんしゃ 噴射	ふんぱつ 奮発	らんぱつ 乱発❼	れんけい 連携	れんぱ 連覇	れんぱい 連敗	れんぱつ 連発❼		

第4回 練習問題 (解答p242)

___の言葉の読み方として最もよいものを、1・2・3・4から一つ選びなさい。

1 あの店は繁盛している。
 1 ひんせい 2 はんしょう 3 ひんぜい 4 はんじょう

2 ドルを円に換算する。
 1 かんさん 2 かんざん 3 けんさん 4 けんざん

3 大雨で川が氾濫した。
 1 はんかん 2 はんらん 3 ほんかん 4 ほんらん

4 大事な書類を紛失した。
 1 ふんしつ 2 ふんじつ 3 ふんちつ 4 ふんしゅう

5 仕事を3人で分担した。
 1 ぶたん 2 ぶんたん 3 ぶだん 4 ぶんだん

6 川の底に毒物を含んだ泥が沈殿している。
 1 しんてん 2 しんでん 3 ちんてん 4 ちんでん

7 この件は町ではなく市が管轄している。
 1 かんがい 2 かんかい 3 かんがつ 4 かんかつ

8 彼は都会の生活を嫌悪していた。
 1 けんあく 2 げんあく 3 けんお 4 げんお

9 メールにファイルを添付した。
 1 てんふ 2 てんぷ 3 せんぷ 4 そえつけ

10 新しいキャプテンがチームを牽引した。
 1 さくいん 2 さくびき 3 けんいん 4 けんびき

11 難しい語彙はインターネットで検索した。
 1 けんけん 2 けんそう 3 けんしょう 4 けんさく

12 政府は都合の悪い事実を隠蔽した。
 1 いんへい 2 いんぺい 3 いんべい 4 いんめい

漢字2字の語彙

「○ん」で始まる語彙 ②

名詞

重要度												
★★★	いんかん 印鑑	いんしょう 印象	かんきゃく 観客	かんせい 歓声	かんぜい 関税	かんぶ 幹部	がんらい 元来❷	かんれい 慣例	かんれき 還暦	きんきゅう 緊急	きんこう 近郊	きんもつ 禁物❷
	けんい 権威	げんどう 言動	けんりょく 権力	こんきょ 根拠	こんちゅう 昆虫	こんてい 根底	さんがく 山岳	さんぷく 山腹	しんけい 神経	じんざい 人材	しんじゃ 信者	しんじゅ 真珠
	しんぜん 親善	しんそう 真相	しんぴ 神秘❷	せんい 繊維	ぜんせい 全盛	ぜんと 前途	せんぱく 船舶	たんいつ 単一	だんめん 断面	ちんぎん 賃金	てんけい 典型	はんざい 犯罪
	ばんにん 万人	ばんのう 万能❷	ひんしゅ 品種	びんぼう 貧乏	べんぎ 便宜	へんけん 偏見	ほんみょう 本名	まんせい 慢性	めんぼく 面目	れんじつ 連日		
★★	うんゆ 運輸	えんがん 沿岸	えんだん 縁談	かんしゅう 観衆	かんしょく 感触	がんせき 岩石	かんよう 慣用	かんりょう 官僚	かんろく 貫禄	きんろう 勤労	ぐんび 軍備	けんげん 権限
	けんざい 健在	げんし 原子	げんしゅ 元首	けんしょう 懸賞	げんそ 元素	げんてん 原典	こんぽん 根本	さんちょう 山頂	さんみゃく 山脈	じんかく 人格	しんこう 新興	しんし 紳士
	じんたい 人体	しんでん 神殿	しんねん 信念	ぜんてい 前提	たんか 担架	たんそ 炭素	たんどく 単独	だんりょく 弾力	にんじょう 人情	にんむ 任務	ねんりょう 燃料	ばんねん 晩年
	ひんけつ 貧血	ひんしつ 品質	ぶんぼ 分母	ふんまつ 粉末	べんろん 弁論	みんぞく 民俗	れんあい 恋愛					
★	あんもく 暗黙	いんねん 因縁❷	いんぼう 陰謀	うんせい 運勢	えんかく 沿革	えんかく 遠隔	えんざい 冤罪	えんしょう 炎症	おんきょう 音響	かんき 寒気❷	かんきゅう 緩急	かんげき 間隙
	かんてい 鑑定	くんしょう 勲章	けんがい 圏外	けんしき 見識	けんじゅう 拳銃	こんじょう 根性❷	こんせき 痕跡	ざんてい 暫定	しゅんじ 瞬時	しんえい 新鋭	しんさい 震災	しんぼく 親睦
	しんまい 新米	しんりょく 新緑	すんぜん 寸前	ぜんちょう 前兆	そんげん 尊厳	たんしょ 端緒	だんとう 暖冬	てんこ 点呼	てんびん 天秤	なんかん 難関	ひんど 頻度	ひんぱん 頻繁❷
	ひんぷ 貧富❷	めんえき 免疫	めんしき 面識	らんがい 欄外	りんり 倫理	わんがん 湾岸						

+α 「端緒」は「たんちょ」と読むこともある。

同じ漢字でも、読みと意味が異なる場合に注意！
例　大陸から寒気（かんき）が押し寄せた。
　　寒気（さむけ）がする。

「人」の音読みは、「じん」と「にん」の2通りある。ひとつひとつ覚えていこう。
例　じん：人員（じんいん）　人家（じんか）　人権（じんけん）　人脈（じんみゃく）　人名（じんめい）　恩人（おんじん）　賢人（けんじん）　変人（へんじん）　凡人（ぼんじん）　隣人（りんじん）
　　にん：人称（にんしょう）　人数（にんずう）　人相（にんそう）　善人（ぜんにん）

第5回 練習問題　　　（解答p242）

___の言葉の読み方として最もよいものを、1・2・3・4から一つ選びなさい。

1　最近、貧血ぎみで元気が出ない。
　　1　ひんち　　　2　びんぢ　　　3　ひんけつ　　　4　びんげつ

2　駅から30分のところに新興の住宅地ができた。
　　1　しんきょう　2　しんこう　　3　しんぎょう　　4　しんごう

3　会社の経営を根本から立て直す。
　　1　こんほん　　2　こんぽん　　3　こんぼん　　　4　こんもと

4　攻撃に緩急をつける。
　　1　えんきゅう　2　だんきゅう　3　おんきゅう　　4　かんきゅう

5　敵の守備の間隙を突いた。
　　1　かんりょう　2　かんげき　　3　けんりょう　　4　けんげき

6　有名画家に文化勲章が授与された。
　　1　くんしょう　2　ふんしょう　3　どうしょう　　4　しょうしょう

7　引っ越しの荷物を梱包した。
　　1　こんほう　　2　こんぽう　　3　こんふう　　　4　こんぷう

8　とりあえず暫定の予算を組んだ。
　　1　さんてい　　2　ざんてい　　3　せんてい　　　4　ぜんてい

9　病原菌に対する免疫ができた。
　　1　めんやく　　2　めんとう　　3　めんえき　　　4　めんどう

10　その会社の沿革を調べた。
　　1　せんかく　　2　えんかく　　3　よくかく　　　4　よっかく

11　彼には根性がある。
　　1　こんせい　　2　こんぜい　　3　こんしょう　　4　こんじょう

12　パーティーを開き会の親睦を深めた。
　　1　しんりく　　2　しんにく　　3　しんもく　　　4　しんぼく

漢字2字の語彙

「○い」で始まる語彙 ①

2番目の音が「い」の漢字を覚えましょう。「い」の後の漢字は発音が変わることは基本的にないので、覚えやすいです。

する動詞

重要度												
★★★	えいきょう 影響 / けいさい 掲載 / せいさん 精算 / へいさ 閉鎖	かいご 介護 / けいぞく 継続 / せいそう 盛装 / るいじ 類似	かいしゅう 回収 / けいたい 携帯 / たいしょ 対処 / るいすい 類推	かいしゅう 改修 / けいやく 契約 / ついほう 追放	かいしょう 解消 / さいく 細工❷ / ていあん 提案	がいせつ 概説 / さいたく 採択 / ていぎ 定義	かいぜん 改善 / さいばい 栽培 / ていきょう 提供	かいたく 開拓 / さいはつ 再発 / ていけい 提携	がいとう 該当 / すいしん 推進 / ていこう 抵抗	かいにゅう 介入 / すいたい 衰退 / ていたい 停滞	かいほう 介抱 / すいり 推理 / はいき 廃棄	けいかい 警戒 / せいげん 制限 / はいりょ 配慮
★★	かいかく 改革 / すいそう 吹奏 / たいのう 滞納 / はいじょ 排除	かいさい 開催 / すいそく 推測 / たいひ 対比 / ばいしょう 賠償	かいじょ 解除 / せいし 静止 / だいべん 代弁 / はいすい 排水	かいぼう 解剖 / せいじゅく 成熟 / たいぼう 待望 / はいち 配置	かいらん 回覧 / せいてい 制定 / ついきゅう 追及 / はいふ 配布	けいか 経過 / せいふく 征服 / ついせき 追跡 / はいぼく 敗北❷	けいげん 軽減 / せいれつ 整列 / ついらく 墜落 / はいれつ 配列	けいしゃ 傾斜 / たいか 退化 / ていじ 提示 / へいこう 閉口	けいべつ 軽蔑 / たいけん 体験 / ていせい 訂正 / へいれつ 並列	さいくつ 採掘 / たいこう 対抗 / はいきゅう 配給 / まいぞう 埋蔵	さいけつ 採決 / たいじ 退治 / はいし 廃止 / めいちゅう 命中	さいけん 再建 / たいしょく 退職 / はいしゃく 拝借
★	かいこ 解雇 / さいけつ 裁決 / たいきゃく 退却 / ばいかい 媒介	かいこ 回顧 / さいしゅ 採取 / たいしょう 対称 / ばいきゃく 売却	がいさん 概算 / さいはい 采配 / たいせき 堆積 / ばいしゅう 買収	かいしょう 解消 / すいこう 推敲 / たいはい 退廃 / はいしゅつ 排出	かいちく 改築 / すいこう 遂行 / ついおく 追憶 / はいぜつ 廃絶	かいひ 回避 / すいじゃく 衰弱 / ついとつ 追突 / ばいぞう 倍増	かいふう 開封 / すいしょう 推奨 / ていけつ 締結 / はいぞく 配属	かいまく 開幕 / せいぎょ 制御 / ていしょく 抵触 / はいちょう 拝聴	げいごう 迎合 / せいとん 整頓 / ていそ 提訴 / ばいよう 培養	けいしょう 継承 / せいは 制覇 / ていちゃく 定着 / へいき 併記	けいとう 傾倒 / せいやく 誓約 / ていめい 低迷 / るいせき 累積	けいよう 掲揚 / たいき 待機 / ないぞう 内蔵 / れいきゃく 冷却

第6回 練習問題　　（解答p242)

___の言葉の読み方として最もよいものを、1・2・3・4から一つ選びなさい。

1　この坂は傾斜がきつい。
　　1　かいさ　　2　かいしゃ　　3　けいさ　　4　けいしゃ

2　大量のゴミが空き地に廃棄されていた。
　　1　はっき　　2　はつぎ　　3　はいき　　4　ばいぎ

3　死体を解剖して死因を調べた。
　　1　かいはい　　2　かいばい　　3　かいほう　　4　かいぼう

4　彼女は彼を軽蔑した。
　　1　けいぶ　　2　けいべつ　　3　けいべい　　4　けいぼ

5　自己の原因を推測してみた。
　　1　すうそく　　2　たいそく　　3　すいそく　　4　せいそく

6　社長の責任を追及した。
　　1　ついきゅう　　2　ついくう　　3　おいきゅう　　4　おいくう

7　飛行機が墜落した。
　　1　たいらく　　2　ついらく　　3　すいらく　　4　ていらく

8　お知恵を拝借したいのですが。
　　1　はいせき　　2　はいしゃく　　3　ばいせき　　4　ばいしゃく

9　国家の賠償責任を問う裁判を起こした。
　　1　はいしょう　　2　ばいしょう　　3　ほうしょう　　4　ぼうしょう

10　試合では惜しくも敗北した。
　　1　はいほく　　2　ばいほく　　3　はいぼく　　4　ばいぼく

11　その宝石は墓の奥深くに埋蔵されていた。
　　1　めいそう　　2　めいぞう　　3　まいそう　　4　まいぞう

12　原稿を何度も推敲した。
　　1　たいこう　　2　たいごう　　3　すいこう　　4　すいごう

問題1　漢字読み

漢字2字の語彙

「○い」で始まる語彙 ②

名詞

重要度												
★★★	愛想(あいそ)❶	栄養(えいよう)	海峡(かいきょう)	怪獣(かいじゅう)	街頭(がいとう)	概念(がいねん)	経緯(けいい)	形勢(けいせい)	形態(けいたい)	刑罰(けいばつ)	災害(さいがい)	細菌(さいきん)
	採算(さいさん)	細胞(さいぼう)	睡眠(すいみん)	誠意(せいい)	正規(せいき)	政策(せいさく)	正常(せいじょう)	制服(せいふく)	待遇(たいぐう)	態勢(たいせい)	邸宅(ていたく)	内臓(ないぞう)
	拝啓(はいけい)	背景(はいけい)	俳優(はいゆう)	迷信(めいしん)	名簿(めいぼ)	名誉(めいよ)						
★★	映写(えいしゃ)	衛星(えいせい)	映像(えいぞう)	英雄(えいゆう)	階層(かいそう)	街道(かいどう)❶	海抜(かいばつ)	概要(がいよう)	概略(がいりゃく)	契機(けいき)	経費(けいひ)	警部(けいぶ)
	経歴(けいれき)	財源(ざいげん)	在庫(ざいこ)	財政(ざいせい)	最善(さいぜん)	水源(すいげん)	政権(せいけん)	制裁(せいさい)	青春(せいしゅん)	製鉄(せいてつ)	勢力(せいりょく)	大家(たいか)❶
	大衆(たいしゅう)❶	対等(たいとう)	体裁(ていさい)	堤防(ていぼう)	内閣(ないかく)	内緒(ないしょ)	内陸(ないりく)	黴菌(ばいきん)	倍率(ばいりつ)	兵器(へいき)	平常(へいじょう)	名称(めいしょう)
★	栄誉(えいよ)	街灯(がいとう)	怪物(かいぶつ)	渓谷(けいこく)	警報(けいほう)	債権(さいけん)	際限(さいげん)	妻子(さいし)	在籍(ざいせき)	罪人(ざいにん)	財閥(ざいばつ)	歳末(さいまつ)
	債務(さいむ)	裁量(さいりょう)	随一(ずいいち)	随処(ずいしょ)	聖域(せいいき)	精鋭(せいえい)	声援(せいえん)	税収(ぜいしゅう)	生態(せいたい)	歳暮(せいぼ)❶	代案(だいあん)	耐久(たいきゅう)
	胎児(たいじ)	耐熱(たいねつ)	大仏(だいぶつ)	追伸(ついしん)	廃墟(はいきょ)	媒体(ばいたい)	弊害(へいがい)	弊社(へいしゃ)	明細(めいさい)	命日(めいにち)	迷路(めいろ)	雷雨(らいう)
	霊魂(れいこん)	賄賂(わいろ)										

+α 「愛想」は「あいそう」と読んでも間違いではない。
例　愛想(あいそ)がいい。
　　無愛想(ぶあいそう)な態度。

「大家」は「おおや」と読むと、別の意味になる。
例　アパートの大家(おおや)

第7回 練習問題　　　　　　　　　　　　　（解答p242）

____の言葉の読み方として最もよいものを、1・2・3・4から一つ選びなさい。

1 彼には愛想がつきた。
　　1　あいそ　　　2　あいぞう　　　3　あいしょう　　　4　あいじょう

2 身体は細胞からできている。
　　1　さいぼ　　　2　さいほう　　　3　さいぽう　　　4　さいぼう

3 企画の概略を説明いたします。
　　1　ききゃく　　2　きりゃく　　　3　がいかく　　　4　がいりゃく

4 山奥の渓谷へハイキングに出かけた。
　　1　けいや　　　2　けいこく　　　3　かいや　　　　4　かいこく

5 彼は自ら債権を放棄した。
　　1　せきけん　　2　せっけん　　　3　さいけん　　　4　ざいけん

6 彼は罪人として扱われた。
　　1　ひじん　　　2　ひにん　　　　3　ざいじん　　　4　ざいにん

7 この系列会社は日本有数の財閥として有名である。
　　1　さいはつ　　2　ざいはつ　　　3　さいばつ　　　4　ざいばつ

8 国内では随一の山岳風景に見とれた。
　　1　たいいち　　2　たいいつ　　　3　ずいいち　　　4　ずいいつ

9 タバコは胎児にも影響を与えるという。
　　1　たいじ　　　2　だいじ　　　　3　たいに　　　　4　だいに

10 この容器は耐熱ガラスでできている。
　　1　ちゅうねつ　2　とうねつ　　　3　ていねつ　　　4　たいねつ

11 この寺には有名な大仏がある。
　　1　だいぶつ　　2　だいふつ　　　3　たいぶつ　　　4　たいふつ

12 お引っ越しは弊社にお任せください。
　　1　へいしゃ　　2　はいしゃ　　　3　せいしゃ　　　4　ないしゃ

漢字2字の語彙

「○う」で始まる語彙

2番目の音が「う」の語彙です。気をつけなければならないのは、以下のような問題です。

〈問題〉　〈選択肢〉　　　　　　　　　　　　　　　　　　　　　　　　　〈正解〉
崇拝　　1　すうはい　2　しゅうはい　3　そうはい　4　しょうはい　　　　1

①「ゅ」「ょ」の音の違い、②濁音（すーず）の違いを組み合わせて、選択肢が作られています。日本語には、「○う」「○ゅう」「○ょう」と読む漢字が非常にたくさんありますが、一つ一つ覚えなければなりません。ここでは、「ゅ」「ょ」のない「○う」から覚えていきましょう。

する動詞

重要度												
★★★	おうぼ 応募	こうい 行為	こうかい 後悔	こうかい 航海	こうぎ 抗議	こうけん 貢献	こうしょう 交渉	こうじょう 向上	こうそく 拘束	こうどく 購読	こうふ 交付	こうふん 興奮
	こうりょ 考慮	すうはい 崇拝	そうさ 捜査	そうさく 創作	そうさく 捜索	そうしょく 装飾	そうてい 想定	そうなん 遭難	つうかん 痛感	どうい 同意	とうごう 統合	とうさん 倒産
	とうし 投資	とうせい 統制	とうそつ 統率	とうたつ 到達	とうにゅう 投入	どうにゅう 導入	とうぼう 逃亡	どうよう 動揺	とうろく 登録	ほうし 奉仕	ぼうし 防止	ほうどう 報道
	ほうわ 飽和	ゆうせん 優先	ゆうずう 融通	ゆうどう 誘導	ゆうわく 誘惑	ようせい 要請	ようせい 養成	ろうすい 老衰	ろうどく 朗読	ろうひ 浪費		
★★	こうえき 交易	こうさく 耕作	こうじょ 控除	こうそう 抗争	こうそう 構想	こうたい 後退	こうにん 公認	こうはい 荒廃	こうばい 購買	ぞうきょう 増強	そうしつ 喪失	そうじゅう 操縦
	そうぞう 創造	そうび 装備	とうみん 冬眠	どうふう 同封	とうめい 同盟	とうろん 討論	のうにゅう 納入	ふうさ 封鎖	ぼうえい 防衛	ほうかい 崩壊	ぼうがい 妨害	
	ほうき 放棄	ほうしゃ 放射	ほうしゅつ 放出	ほうち 放置	ぼうちょう 膨張	ゆうえつ 優越	ゆうし 融資	ようご 養護	ようぼう 要望			
★	おういん 押印	おうしゅう 押収	こうぎょう 興行	こうさん 降参	こうしん 更新	こうそ 控訴	こうてつ 更迭	こうとう 高騰	こうりゃく 攻略	そうぐう 遭遇	ぞうてい 贈呈	そうにゅう 挿入
	ぞうよ 贈与	おうしゅう 投函	とうき 投棄	とうき 騰貴	とうけつ 凍結	とうしゅう 踏襲	とうじょう 搭乗	とうびょう 闘病	とうわく 当惑	ぼうぎょ 防御	ぼうちょう 傍聴	ぼうとう 暴騰
	もうら 網羅	ゆうかい 誘拐	ゆうぐう 優遇	ゆうごう 融合	ゆうち 誘致	ゆうよ 猶予	ゆうりょ 憂慮	ようしょく 養殖	ろうえい 漏洩	ろうきゅう 老朽		

+α　「膨張」は「膨脹」と書くこともある。

名詞

重要度												
★★★	おうきゅう 応急	こうい 行為	こうずい 洪水	こうせき 功績	こうとう 口頭	こうひょう 好評	こうらく 行楽	こうりつ 効率	こうれい 高齢	そうおう 相応	そうおん 騒音	そうご 相互
	つうじょう 通常	とうき 陶器	のうど 濃度	ぼうさい 防災	ぼうとう 冒頭	ゆうい 優位	ゆうせい 優勢	ゆうれい 幽霊	ようそう 様相	ろうか 廊下		
★★	おうごん 黄金	こうきょう 好況	こうぎょう 興業	こうざん 鉱山	こうはん 後半	そうごう 総合	そうどう 騒動	どうこう 動向	のうこう 農耕	ふうぞく 風俗	ほうあん 法案	ほうけん 封建
	ほうさく 方策	ほうさく 豊作	ほうしゅう 報酬	ぼうせき 紡績	ほうてい 法廷	ぼうどう 暴動	ほうび 褒美	もうてん 盲点	ゆうぼく 遊牧	よういん 要因	ようえき 溶液	ろうりょく 労力
★	ぐうぞう 偶像	こうい 厚意	ごうう 豪雨	こうほう 広報	とうほん 謄本	どうみゃく 動脈	のうり 脳裏	ほうふ 抱負	もうしょ 猛暑	ようぎ 容疑		

第8回 練習問題　（解答p242）

___の言葉の読み方として最もよいものを、1・2・3・4から一つ選びなさい。

1　医療費は税金から控除される。
　　1　くうじょ　　2　くうじょう　　3　こうじょ　　4　こうじょう

2　国を統治する権力はいわゆる三権に分立している。
　　1　とうじ　　2　とうじい　　3　とうち　　4　とうちい

3　銀行から融資を受けた。
　　1　ちゅうし　　2　ちょうし　　3　ゆうし　　4　ようし

4　優勝者には黄金のトロフィーが授与された。
　　1　こうきん　　2　おうきん　　3　こうごん　　4　おうごん

5　彼は働く意志を喪失してしまった。
　　1　すうしつ　　2　そうしつ　　3　ちゅうしつ　　4　ちょうしつ

6　飛行機を操縦してみたいものだ。
　　1　そうじゅう　　2　しょうじゅう　　3　そうしょう　　4　しょうじょう

7　領収書を同封いたしました。
　　1　どうほう　　2　どうふう　　3　どうぽう　　4　どうぶう

8　犯人が逃亡した。
　　1　ちょうもう　　2　とうもう　　3　ちょうぼう　　4　とうぼう

9　城は一夜にして崩壊した。
　　1　ほうかい　　2　ほうけい　　3　ほうがい　　4　ほうげい

10　電波が妨害された。
　　1　ほうがい　　2　ぼうがい　　3　へいがい　　4　べいがい

11　熱により空気が膨張した。
　　1　ほうちょう　　2　ぼうちょう　　3　ふうちょう　　4　ぶうちょう

12　この会社は音楽コンサートの興行を請け負っている。
　　1　きょうこう　　2　きょうぎょう　　3　こうこう　　4　こうぎょう

問題1　漢字読み

漢字2字の語彙

「○ゅう」「○ょう」で始まる語彙

「○ゅう」する動詞

重要度												
★★★	きゅうえん 救援	きゅうさい 救済	きゅうよう 休養	しゅうかく 収穫	しゅうし 終始	じゅうし 重視	じゅうじ 従事	じゅうじつ 充実	しゅうしょく 修飾	じゅうたい 渋滞	しゅうちゃく 執着	しゅうよう 収容
	ちゅうこく 忠告	ちゅうしょう 中傷	ちゅうせん 抽選									
★★	きゅうじ 給仕	きゅうぼう 窮乏	しゅうぎょう 就業	しゅうげき 襲撃	しゅうしゅう 収集	じゅうふく 重複	しゅうりょう 修了	ちゅうけい 中継	にゅうしゅ 入手	りゅうつう 流通		
★	きゅうけい 求刑	きゅうしゅつ 救出	きゅうだい 及第	きゅうだん 糾弾	きゅうとう 急騰	きゅうふ 給付	きゅうめい 究明	しゅうえん 終焉	じゅうげき 銃撃	しゅうしゅう 収拾	しゅうしゅく 収縮	しゅうしん 就寝
	じゅうぞく 従属	しゅうとく 習得	しゅうのう 収納	じゅうまん 充満	しゅうろう 就労	ちゅうかい 仲介	ちゅうさい 仲裁	ちゅうしゃく 注釈	ちゅうしゅつ 抽出	ちゅうちょ 躊躇	にゅうさつ 入札	

+α 「重複」は「ちょうふく」と読むこともある。

「○ゅう」名詞

重要度										
★★★	きゅうでん 宮殿	きゅうりょう 丘陵	しゅうい 周囲	しゅうえき 収益	しゅうし 収支	しゅうじつ 終日	じゅうらい 従来	ちゅうじゅん 中旬	ちゅうどく 中毒	ちゅうふく 中腹
★★	きゅうきょく 究極	ちゅうすう 中枢								
★	きゅうかく 嗅覚	きゅうにゅう 吸入	きゅうれき 旧暦	じゅうざい 重罪	じゅうしょう 重傷	じゅうしょう 重症	しゅうじん 囚人	しゅうたい 醜態	しゅうねん 執念	ちゅうかく 中核	ちゅうじく 中軸

「○ょう」する動詞

重要度												
★★★	きょうじゅ 享受	きょうせい 強制	きょうちょう 強調	きょうめい 共鳴	しょうきょ 消去	しょうごう 照合	じょうしょう 上昇	しょうしん 昇進	しょうとつ 衝突	じょうほ 譲歩	しょうめい 証明	じょうりゅう 蒸留
	しょうれい 奨励	ちょうこく 彫刻	ちょうしゅう 徴収	ちょうり 調理	りょうしょう 了承	りょうりつ 両立						
★★	きょうぞん 共存	きょうちょう 協調	きょうはく 脅迫	しょうだく 承諾	しょうちょう 象徴	しょうり 勝利	じょうりく 上陸	ちょうこう 聴講	ちょうせん 挑戦	ちょうてい 調停	びょうしゃ 描写	りょうかい 了解
★	ぎょうしゅく 凝縮	きょうじゅつ 供述	きょうぼう 共謀	しょうあく 掌握	しょうかい 照会	しょうきゅう 昇給	しょうしゅう 招集	じょうと 譲渡	しょうめつ 消滅	ちょうえつ 超越	ちょうしゅ 聴取	ひょうしょう 表彰

「○ょう」名詞

重要度											
★★★	きょうぐう 境遇	きょうくん 教訓	ぎょうせき 業績	きょうち 境地	きょうてい 協定	きょうり 郷里	しょうがい 障害	しょうがい 生涯	しょうげき 衝撃	しょうこ 証拠	しょうさい 詳細	しょうじょう 症状
	しょうたい 正体	じょうたい 状態	しょうてん 焦点	しょうにん 証人	ひょうご 標語	りょういき 領域	りょうしき 良識					
★★	きょうい 驚異	きょうさく 凶作	きょうしゅう 郷愁	ぎょうせい 行政	きょうど 郷土	じょうか 城下	じょうせい 情勢	しょうそく 消息	じょうちょ 情緒	じょうねつ 情熱	しょうめい 照明	じょうやく 条約
	ちょうかく 聴覚	りょうきょく 両極	りょうど 領土									
★	きょうい 脅威	きょうき 凶器	きょうこう 恐慌	きょうごう 強豪	きょうばい 競売	しょうけん 証券	しょうどう 衝動	しょうひょう 商標	しょうほん 抄本	じょうみゃく 静脈	しょうよ 賞与	じょうよ 剰余
	じょうれい 条例	じょうれん 常連	ちょうこう 兆候	ちょうじゅ 長寿	ちょうしゅう 聴衆	ちょうぼ 帳簿	ちょうりゅう 潮流	ひょうが 氷河	ひょうてき 標的	ひょうり 表裏		

第9回 練習問題　　　　　　　　　　（解答p242）

___の言葉の読み方として最もよいものを、1・2・3・4から一つ選びなさい。

1　日本の中枢は崩壊しているそうだ。
　　1　ちゅうく　　2　ちゅうきょう　　3　ちゅうしょう　　4　ちゅうすう

2　現場には記者が殺到し、収拾がつかなくなった。
　　1　しゅうじゅう　　2　しゅうごう　　3　しゅうしゅう　　4　しゅうこう

3　いざ結婚となると躊躇する若者もいる。
　　1　じゅちょ　　2　ちゅちょ　　3　じゅうちょ　　4　ちゅうちょ

4　彼は復讐に執念を燃やした。
　　1　しつねん　　2　しっねん　　3　しゅうねん　　4　じゅうねん

5　交渉して相手の承諾を得た。
　　1　そうじゃく　　2　しょうじゃく　　3　そうだく　　4　しょうだく

6　彼の記録は驚異的なものだった。
　　1　けいい　　2　げいい　　3　こうい　　4　きょうい

7　この事件には現代社会の問題点が凝縮されている。
　　1　ぎしゅく　　2　ぎじゅく　　3　ぎょうしゅく　　4　ぎょうじゅく

8　この件は部長が全て掌握している。
　　1　しゅあく　　2　しゅやく　　3　しょうあく　　4　しょうやく

9　建物のカギが新しい所有者に譲渡された。
　　1　しょうと　　2　じょうと　　3　しょうど　　4　じょうど

10　この小説は心理の描写が優れている。
　　1　ひゅうしゃ　　2　ひょうしゃ　　3　びゅうしゃ　　4　びょうしゃ

11　彼は衝動を抑えられなかった。
　　1　どうどう　　2　こうどう　　3　しょうどう　　4　ちょうどう

12　ＣＴ検査のため、静脈に造影剤が注入された。
　　1　せいみゃく　　2　ぜいみゃく　　3　そうみゃく　　4　じょうみゃく

問題1　漢字読み　27

「○き」「○く」で始まる語彙

2番目の音が「き」の語彙と「く」の語彙です。

後ろの漢字の最初の音が「か・き・く・け・こ」の場合、注意しましょう。多くの場合、次のように「○く」が「○っ」に変化します。(p32参照)

悪+化→悪化（あっか）　　　復+帰→復帰（ふっき）

ここでは、変化しないものから覚えましょう。

「○き」

重要度	する動詞	名詞
★★★	適応（てきおう）	色彩（しきさい）
★★	激励（げきれい）　辟易（へきえき）	劇団（げきだん）　式場（しきじょう）　責務（せきむ）　適性（てきせい）
★	激減（げきげん）　撃退（げきたい）　激怒（げきど）　激突（げきとつ）　識別（しきべつ）　惜敗（せきはい） 適合（てきごう）　溺死（できし）　摘出（てきしゅつ）　敵対（てきたい）　的中（てきちゅう）　摘発（てきはつ）	液晶（えきしょう）　式典（しきてん）　石碑（せきひ）　適法（てきほう）　摘要（てきよう）　壁画（へきが）

「○く」する動詞

重要度											
★★★	革新（かくしん）　確保（かくほ）　告白（こくはく）　克服（こくふく）　削減（さくげん）　錯誤（さくご）　祝賀（しゅくが）　縮小（しゅくしょう）　促進（そくしん）　束縛（そくばく）　蓄積（ちくせき）　拍手（はくしゅ） 抑制（よくせい）										
★★	育成（いくせい）　拡散（かくさん）　確定（かくてい）　獲得（かくとく）　革命（かくめい）　脚色（きゃくしょく）　逆転（ぎゃくてん）　局限（きょくげん）　着手（ちゃくしゅ）　着陸（ちゃくりく）　直面（ちょくめん）　独占（どくせん） 迫害（はくがい）　白状（はくじょう）　爆破（ばくは）　暴露（ばくろ）　複合（ふくごう）　抑圧（よくあつ）　略奪（りゃくだつ）										
★	憶測（おくそく）　格闘（かくとう）　虐待（ぎゃくたい）　酷使（こくし）　告訴（こくそ）　搾取（さくしゅ）　釈明（しゃくめい）　縮尺（しゅくしゃく）　祝福（しゅくふく）　熟練（じゅくれん）　触発（しょくはつ）　続出（ぞくしゅつ） 直撃（ちょくげき）　督促（とくそく）　爆撃（ばくげき）　白熱（はくねつ）　復讐（ふくしゅう）　服従（ふくじゅう）　撲滅（ぼくめつ）　目撃（もくげき）　黙秘（もくひ）　躍進（やくしん）　落札（らくさつ）　落胆（らくたん）										

「○く」名詞

重要度											
★★★	悪癖（あくへき）　格差（かくさ）　各種（かくしゅ）　脚本（きゃくほん）　極限（きょくげん）　独裁（どくさい）　特徴（とくちょう）　特派（とくは）　福祉（ふくし）　役職（やくしょく）　酪農（らくのう）										
★★	学芸（がくげい）　隔週（かくしゅう）　格別（かくべつ）　極楽（ごくらく）　宿命（しゅくめい）　職務（しょくむ）　側面（そくめん）　独創（どくそう）　爆弾（ばくだん）　覆面（ふくめん）　目録（もくろく）　欲望（よくぼう） 惑星（わくせい）										
★	屋内（おくない）　核心（かくしん）　逆説（ぎゃくせつ）　国益（こくえき）　国債（こくさい）　酷暑（こくしょ）　極上（ごくじょう）　国宝（こくほう）　策略（さくりゃく）　弱者（じゃくしゃ）　宿敵（しゅくてき）　即席（そくせき） 足跡（そくせき）　得策（とくさく）　毒物（どくぶつ）　匿名（とくめい）　薄命（はくめい）　服飾（ふくしょく）　脈絡（みゃくらく）										

+α　「祝賀」は「祝賀会」、「特派」は「特派員」という語で使われることが多い。

第10回 練習問題　　(解答p242)

___の言葉の読み方として最もよいものを、1・2・3・4から一つ選びなさい。

1　教師は受験勉強に熱心な生徒を激励した。
　　1　げきりょく　　2　げきりょう　　3　げきりき　　4　げきれい

2　彼の自慢話を聞かされて辟易した。
　　1　へきい　　2　べきい　　3　へきえき　　4　べきえき

3　会社は社員に残業代を支払わず搾取していた。
　　1　さくしゅ　　2　さしゅ　　3　ざっしゅ　　4　だっしゅ

4　目がかすんで微妙な色の差を識別できない。
　　1　しょくべつ　　2　じょくべつ　　3　しきべつ　　4　じきべつ

5　この川では去年子供が溺死したという。
　　1　じゃくし　　2　ちゃくし　　3　できし　　4　てきし

6　薄型の液晶テレビを購入した。
　　1　えきしょう　　2　えきしゅう　　3　やくしょう　　4　やくしゅう

7　城跡に記念の石碑が建っている。
　　1　せきひ　　2　せきび　　3　せっぴ　　4　せっび

8　妻は夫の秘密を暴露した。
　　1　ぼうろ　　2　ぼうろう　　3　ばくろ　　4　ばくろう

9　彼は20代で社長の地位を獲得した。
　　1　かくとく　　2　かくどく　　3　かっとく　　4　かっどく

10　彼は大きなテーブルを独占している。
　　1　とくせん　　2　どくせん　　3　とくてん　　4　どくてん

11　仕事に追われ、感情を抑圧するのはよくない。
　　1　りゅうあつ　　2　りょくあつ　　3　ようあつ　　4　よくあつ

12　子供を虐待する親が増えている。
　　1　がくたい　　2　がくだい　　3　ぎゃくたい　　4　ぎゃくだい

問題1　漢字読み　29

漢字2字の語彙

「○ち」「○つ」で始まる語彙

2番目の音が「ち」の語彙と「つ」の語彙です。「○ち」で始まる語彙の前の漢字はほぼ「一」「日」のみと言ってよいでしょう。「○つ」で始まる語彙は、「っ」に変化しないものをここで覚えましょう。

「○ち」

重要度	※名詞のみ
★★★	いちめん　いちもく　いちよう　いちれん 一面　一目　一様　一連
★★	いちどう 一同
★	いちいん　いちいん　いちらん　にちぼつ 一員　一因　一覧　日没

+α 同じ漢字でも、読みと意味が異なる場合に注意！
　　例　彼は社長に一目(いちもく)置かれている。
　　　　一目(ひとめ)で気に入った。

「○つ」する動詞

重要度											
★★★	えつらん 閲覧	かつやく 活躍	けつじょ 欠如	けつぼう 欠乏	せつりつ 設立	てつや 徹夜					
★★	けつごう 結合	けつだん 決断	しゅつえん 出演	しゅつどう 出動	ぜつぼう 絶望	はつが 発芽	はつびょう 発病	ぼつらく 没落	めつぼう 滅亡		
★	いつだつ 逸脱	かつあい 割愛	きつえん 喫煙	けつじつ 結実	けつじょう 欠場	けつれつ 決裂	さつがい 殺害	しつげん 失言	じつざい 実在	しゅつがん 出願	しゅつば 出馬	しゅつぼつ 出没
	せつえい 設営	ぜつえん 絶縁	せつだん 切断	せつでん 節電	だつぜい 脱税	だつぼう 脱帽	だつらく 脱落	なついん 捺印	ねつぞう 捏造	ねつぼう 熱望	はつねつ 発熱	みつゆ 密輸

「○つ」名詞

重要度											
★★★	いつざい 逸材	しつぎ 質疑	ちつじょ 秩序	ねつい 熱意	ねつりょう 熱量						
★★	あつりょく 圧力	さつじん 殺人	じつじょう 実情	てつぼう 鉄棒	ひつぜん 必然	ぶつぎ 物議	ぶつぞう 仏像	みつど 密度			
★	あつれき 軋轢	くつじょく 屈辱	じつえき 実益	じつぞう 実像	しつりょう 質量	せつど 節度	たつじん 達人	ばつぐん 抜群	ひつどく 必読	べつじょう 別状	ぼつご 没後	まつじつ 末日

第11回 練習問題

(解答p242)

___の言葉の読み方として最もよいものを、1・2・3・4から一つ選びなさい。

1 当図書館での閲覧は午後8時までとなります。
　　1　せつらん　　2　えつらん　　3　けつらん　　4　てつらん

2 種を植えて5日後に発芽した。
　　1　はつめ　　2　はつが　　3　はっき　　4　ほっき

3 この家には没落した貴族が住んでいたという。
　　1　べつらく　　2　めつらく　　3　ぼつらく　　4　もつらく

4 もうすぐ人類は滅亡すると予言する人がいる。
　　1　めつぼう　　2　めつもう　　3　げんぼう　　4　げんもう

5 本来の目的を逸脱したニュース番組が多い。
　　1　めんたつ　　2　めんだつ　　3　いったつ　　4　いつだつ

6 タバコの喫煙はあちらのコーナーでお願いします。
　　1　けいえん　　2　けつえん　　3　げいえん　　4　きつえん

7 彼の作品を目にしては脱帽するしかなかった。
　　1　だつぼう　　2　だつもう　　3　だっぽう　　4　だっもう

8 ここに署名して捺印してください。
　　1　ないん　　2　なついん　　3　らいん　　4　らついん

9 検察が犯罪を捏造するとは世も末だ。
　　1　てつぞう　　2　れつぞう　　3　ねつぞう　　4　めつぞう

10 彼はなるべく周囲との軋轢を避けるようにしていた。
　　1　きらく　　2　きれき　　3　あつらく　　4　あつれき

11 サッカーの試合で、10対0で負けるという屈辱を味わった。
　　1　くつぞく　　2　くつじょく　　3　くつしん　　4　くっしん

12 このナイフは抜群の切れ味だ。
　　1　ばつくん　　2　ばっくん　　3　ばつぐん　　4　ばっぐん

「○っ」で始まる語彙

漢字2字の語彙

漢字語彙では、**2番目の音が「く」「つ」のとき、「っ」に変化することが多い**です。他に、「ち」「う」「き」の漢字が「っ」になる場合もあります。

「○く→○っ」

重要度	する動詞	名詞
★★★	ふっこう 復興　らっかん 楽観	—
★★	あっか 悪化　さっかく 錯覚　ちゃっこう 着工　ちょっかん 直感　ふっかつ 復活　ふっきゅう 復旧　らっか 落下	きゃっかん 客観　こっこう 国交　じゃっかん 若干　とっきょ 特許　とっけん 特権
★	きゃっか 却下　そっけつ 即決　ちょっかん 直観　ちょっけつ 直結　どっきょ 独居　とっくん 特訓　ふっき 復帰	ぎゃっきょう 逆境　さっこん 昨今　しょっかく 触覚　しょっかん 触感

「○つ→○っ」 する動詞

重要度	
★★★	あっとう 圧倒　あっぱく 圧迫❶　けっしょう 結晶　けっそく 結束　しっぴつ 執筆　せっち 設置　せっちゅう 折衷　そっせん 率先　てってい 徹底　とっぱ 突破❶　はっかん 発刊　はっき 発揮　はっくつ 発掘　ぼっしゅう 没収　ほっそく 発足❶　みっしゅう 密集
★★	あっせん 斡旋　くっせつ 屈折　けっこう 決行　けっせい 結成　しっかく 失格　しっきゃく 失脚　じっせん 実践　しっと 嫉妬　しゅっけつ 出血　しゅっさん 出産　しゅっしょう 出生　しゅっせ 出世　せっかい 切開　せっしょく 接触　せってい 設定　せっとく 説得　だっしゅつ 脱出　たっせい 達成　だったい 脱退　ちっそく 窒息　はっせい 発生　ふっとう 沸騰　べっきょ 別居
★	あっしょう 圧勝　けっきん 欠勤　けっこう 欠航　けっさい 決済　けっちゃく 決着　さっきん 殺菌　さっとう 殺到　しっこう 執行　じっしょう 実証　しっしん 失神　しゅっか 出荷　しゅっこう 出航　せっきゃく 接客　せっきょう 説教　ぜっこう 絶交　ぜっさん 絶賛　せっしゅ 摂取　せっせん 接戦　せったい 接待　せっちゃく 接着　せっぱく 切迫　だっかい 奪回　てっかい 撤回　てっきょ 撤去　てったい 撤退　てっぱい 撤廃❶　ばっさい 伐採　はっさん 発散　ばっすい 抜粋　はっそう 発想　はっちゅう 発注　ふっしょく 払拭　ぼっとう 没頭　ぼっぱつ 勃発❶　まっしょう 抹消　れっきょ 列挙

「○つ→○っ」 名詞

重要度	
★★★	けっかん 欠陥　けっかん 血管　けっしょう 決勝　じったい 実態　じっぴ 実費❶　ひっし 必死　べっそう 別荘
★★	いったい 一帯　けっかく 結核　けっさん 決算　げっしゃ 月謝　じっか 実家　じっしつ 実質　てっこう 鉄鋼　とっきょ 特許　ねっとう 熱湯　ひっしゅう 必修　ぶっし 物資　まっき 末期
★	あっかん 圧巻　げっぷ 月賦❶　こっかく 骨格　ざっとう 雑踏　じっけい 実刑　じってい 実体　しゅっぴ 出費　ぜっこう 絶好　せってん 接点　てっそく 鉄則　とっか 特価　とっぷう 突風❶　ねっせん 熱戦　ばっきん 罰金　ばっそく 罰則　ひっけい 必携　ひっす 必須　ひっちゃく 必着　ぶっけん 物件　ぶっしょう 物証　べっこ 別個　ほっさ 発作❶　ほったん 発端　まったん 末端

その他

	する動詞	名詞
○う→○っ	がっさく 合作　がっしょう 合唱　がったい 合体　がっち 合致　がっぺい 合併❶	がっしゅく 合宿
○ち→○っ	いっかつ 一括　いっかん 一貫　いっそう 一掃　いってん 一転　いっぺん 一変	いっかん 一環　いっけん 一見　いっさい 一切　いっしん 一心　いっつい 一対❶　いっぱし 一端
○き→○っ	ひってき 匹敵	せっき 石器

第12回 練習問題

(解答p242)

____の言葉の読み方として最もよいものを、1・2・3・4から一つ選びなさい。

1 目の錯覚だろうか、友人と思って声をかけたら人違いだった。
　　1　せきかく　　2　せっかく　　3　しゃっかく　　4　さっかく

2 予定より若干遅れて到着した。
　　1　わっかん　　2　しゃっかん　　3　じゃっかん　　4　にゃっかん

3 発明品の特許を取った。
　　1　とくきょ　　2　とっきょ　　3　とくこ　　4　とっこ

4 A社とB社が合併した。
　　1　ごうへい　　2　ごうべい　　3　がっぺい　　4　がっべい

5 被災地の復興のため税金が投入された。
　　1　ふくきょう　　2　ふっきょう　　3　ふくこう　　4　ふっこう

6 求人に応募が殺到した。
　　1　さっとう　　2　せっとう　　3　ざっとう　　4　ぜっとう

7 差別を撤廃する運動を進めた。
　　1　てつはつ　　2　てっぱつ　　3　てつはい　　4　てっぱい

8 口で言うだけでなく実践するべきだ。
　　1　じっさん　　2　じっせん　　3　じっそん　　4　じっしん

9 駐車場が狭くて隣の車に接触してしまった。
　　1　せっしょく　　2　せっちょく　　3　せっしゃく　　4　せっちゃく

10 彼の料理の腕はプロにも匹敵する。
　　1　ひってき　　2　しってき　　3　ひっでき　　4　しっでき

11 伯父が仕事の斡旋をしてくれた。
　　1　かんし　　2　かんせん　　3　あっし　　4　あっせん

12 登録には、氏名と生年月日の入力が必須となっています。
　　1　ひつしゅう　　2　ひっしゅう　　3　ひっす　　4　ひっすう

漢字2字の語彙

読み方が2つ以上ある漢字

　読み方が2つ以上ある漢字が含まれていて、読み間違いやすいものが多くあります。以下は、過去に出題されたことがある語彙です。

★★★	衣装(いしょう) 企画(きかく) 工夫(くふう) 交代(こうたい) 強盗(ごうとう) 興奮(こうふん) 存続(そんぞく) 無言(むごん) 融通(ゆうずう) 証拠(しょうこ) 正体(しょうたい) 禁物(きんもつ)
	気配(けはい) 修行(しゅぎょう) 寿命(じゅみょう) 万能(ばんのう) 舞台(ぶたい) 磁石(じしゃく) 繁盛(はんじょう) 披露(ひろう)

　次のように、同じ漢字でも読み方が違うものをセットにして、語彙として覚えておくと、整理がしやすいでしょう。

N4・N5レベルの漢字

一致(いっち)－統一(とういつ)	左右(さゆう)－右折(うせつ)	会談(かいだん)－会釈(えしゃく)	気性(きしょう)－気配(けはい)	金銭(きんせん)－黄金(おうごん)	言動(げんどう)－無言(むごん)
口論(こうろん)－口調(くちょう)	出荷(しゅっか)－出納(すいとう)	女子(じょし)－女房(にょうぼう)	食物(しょくもつ)－断食(だんじき)	切実(せつじつ)－一切(いっさい)	樹木(じゅもく)－土木(どぼく)
万一(まんいち)－万能(ばんのう)	名人(めいじん)－本名(ほんみょう)	名目(めいもく)－面目(めんぼく)	善悪(ぜんあく)－嫌悪(けんお)	次元(じげん)－元来(がんらい)	作物(さくもつ)－作用(さよう)
性質(せいしつ)－人質(ひとじち)	白色(はくしょく)－色彩(しきさい)	発生(はっせい)－発作(ほっさ)	植物(しょくぶつ)－食物(しょくもつ)	文体(ぶんたい)－文句(もんく)	便宜(べんぎ)－便乗(びんじょう)
役者(やくしゃ)－現役(げんえき)	有用(ゆうよう)－有無(うむ)	体力(たいりょく)－怪力(かいりき)			

N2・N3レベルの漢字

貿易(ぼうえき)－安易(あんい)	漁業(ぎょぎょう)－漁師(りょうし)	競走(きょうそう)－競馬(けいば)	究極(きゅうきょく)－極楽(ごくらく)	恩恵(おんけい)－知恵(ちえ)	次元(じげん)－次第(しだい)
児童(じどう)－小児(しょうに)	政治(せいじ)－治療(ちりょう)	保守(ほしゅ)－留守(るす)	一緒(いっしょ)－情緒(じょうちょ)	反省(はんせい)－省略(しょうりゃく)	自然(しぜん)－天然(てんねん)
確率(かくりつ)－率先(そっせん)	現存(げんぞん)－存在(そんざい)	直接(ちょくせつ)－正直(しょうじき)	貧困(ひんこん)－貧乏(びんぼう)	負担(ふたん)－勝負(しょうぶ)	開封(かいふう)－封建(ほうけん)
水平(すいへい)－平等(びょうどう)	米国(べいこく)－新米(しんまい)	無理(むり)－無礼(ぶれい)	生命(せいめい)－寿命(じゅみょう)	理由(りゆう)－経由(けいゆ)	

N1レベルの漢字

遺跡(いせき)－遺言(ゆいごん)	根拠(こんきょ)－証拠(しょうこ)	仰天(ぎょうてん)－信仰(しんこう)	興味(きょうみ)－興奮(こうふん)	施設(しせつ)－施工(せこう)	執筆(しっぴつ)－執念(しゅうねん)
天井(てんじょう)－市井(しせい)	丁寧(ていねい)－丁度(ちょうど)	納入(のうにゅう)－納得(なっとく)	拍手(はくしゅ)－拍子(ひょうし)	凡人(ぼんじん)－凡例(はんれい)	模型(もけい)－規模(きぼ)

第13回 練習問題　　(解答p242)

____の言葉の読み方として最もよいものを、1・2・3・4から一つ選びなさい。

1 彼は世間を知らなさすぎる。
　1 せかん　　2 せいかん　　3 せけん　　4 せいけん

2 辞書を引く前に凡例を読んでおく。
　1 ぽんれい　　2 ぼんれい　　3 ぱんれい　　4 はんれい

3 あの山に夕陽が映えると、とても風情がある。
　1 ふうじょう　　2 ふじょう　　3 ふうぜい　　4 ふぜい

4 そんなに興奮しないで、冷静に。
　1 きょうだつ　　2 きょうふん　　3 こうだつ　　4 こうふん

5 社長の財産は遺言に基づいて分配された。
　1 いげん　　2 けんげん　　3 いいごん　　4 ゆいごん

6 駅で知り合いに会ったので会釈した。
　1 かいたく　　2 かいしゃく　　3 えたく　　4 えしゃく

7 これは何にでも効く万能の薬です。
　1 まんのう　　2 なんのう　　3 らんのう　　4 ばんのう

8 真っ暗な部屋の中に人の気配がした。
　1 きはい　　2 けはい　　3 きぱい　　4 けぱい

9 二人は無言のまま別れた。
　1 むげん　　2 ぶげん　　3 むごん　　4 ぶごん

10 彼は40歳を過ぎてもまだ現役の選手として活躍した。
　1 げんやく　　2 げんよく　　3 げんえき　　4 げんいき

11 彼は激しい口調で怒鳴り始めた。
　1 こうちょう　　2 こちょう　　3 くうちょう　　4 くちょう

12 講演者は、会場に質問の有無を問うた。
　1 ゆうむ　　2 ゆうぶ　　3 うむ　　4 うぶ

問題1　漢字読み　35

漢字2字の語彙

な形容詞

「な」がついて形容詞になるものを整理しておきましょう。問題2以降の対策にもなります。

2音・3音

重要度											
★★★	貴重（きちょう）	著名（ちょめい）	悲惨（ひさん）	微妙（びみょう）	不利（ふり）	無礼（ぶれい）					
★★	過密（かみつ）	孤独（こどく）	素朴（そぼく）	多忙（たぼう）	不吉（ふきつ）❶	不審（ふしん）	不調（ふちょう）	不評（ふひょう）	未熟（みじゅく）	無念（むねん）	無能（むのう）
★	遺憾（いかん）	過激（かげき）	過酷（かこく）	過敏（かびん）	寡黙（かもく）	希薄（きはく）	機敏（きびん）	邪悪（じゃあく）	疎遠（そえん）	稚拙（ちせつ）	緻密（ちみつ）卑劣（ひれつ）
	不遇（ふぐう）	不純（ふじゅん）	不備（ふび）	不滅（ふめつ）	無益（むえき）	無残（むざん）	無謀（むぼう）	無欲（むよく）	野蛮（やばん）		

○ん

重要度											
★★★	円滑（えんかつ）	温厚（おんこう）	簡潔（かんけつ）	頑丈（がんじょう）	肝心（かんじん）	寛容（かんよう）	謙虚（けんきょ）	賢明（けんめい）	迅速（じんそく）	慎重（しんちょう）	敏感（びんかん）貧弱（ひんじゃく）
★★	陰気（いんき）	婉曲（えんきょく）	簡易（かんい）	簡素（かんそ）	完璧（かんぺき）	勤勉（きんべん）	残酷（ざんこく）	単調（たんちょう）	鈍感（どんかん）	貧困（ひんこん）	貧乏（びんぼう）
★	閑静（かんせい）	寛大（かんだい）	緩慢（かんまん）	肝要（かんよう）	簡略（かんりゃく）	均等（きんとう）	厳格（げんかく）	堅実（けんじつ）	顕著（けんちょ）	斬新（ざんしん）	純潔（じゅんけつ）俊敏（しゅんびん）
	甚大（じんだい）	繊細（せんさい）	鮮明（せんめい）	存分（ぞんぶん）	端正（たんせい）	丹念（たんねん）	貪欲（どんよく）	難解（なんかい）	軟弱（なんじゃく）	煩雑（はんざつ）	敏捷（びんしょう）綿密（めんみつ）

○う ○ゅう ○ょう

重要度											
★★★	窮屈（きゅうくつ）	幸運（こううん）	巧妙（こうみょう）	柔軟（じゅうなん）	壮大（そうだい）	忠実（ちゅうじつ）	重宝（ちょうほう）	膨大（ぼうだい）	豊富（ほうふ）	猛烈（もうれつ）	勇敢（ゆうかん）有望（ゆうぼう）
	容易（ようい）										
★★	強硬（きょうこう）	強烈（きょうれつ）	好評（こうひょう）	詳細（しょうさい）	早急（そうきゅう）❷	痛切（つうせつ）	憂鬱（ゆううつ）	有益（ゆうえき）	優勢（ゆうせい）	有力（ゆうりょく）	良好（りょうこう）良質（りょうしつ）
★	旺盛（おうせい）	凶悪（きょうあく）	脅威（きょうい）	凶暴（きょうぼう）	空虚（くうきょ）	光栄（こうえい）	豪快（ごうかい）	狡猾（こうかつ）	強情（ごうじょう）❸	傲慢（ごうまん）	醜悪（しゅうあく）重厚（じゅうこう）
	従順（じゅうじゅん）	崇高（すうこう）	爽快（そうかい）	荘厳（そうごん）❹	早熟（そうじゅく）	聡明（そうめい）	痛烈（つうれつ）	唐突（とうとつ）	濃厚（のうこう）	優雅（ゆうが）	裕福（ゆうふく）雄弁（ゆうべん）

+α 「早急」は「さっきゅう」と読む場合もある。

○い ○く ○つ ○っ

重要度	○い					○く		○つ ○っ			
★★★	軽率（けいそつ）	精巧（せいこう）	正常（せいじょう）	盛大（せいだい）	正当（せいとう）	特殊（とくしゅ）		質素（しっそ）	切実（せつじつ）		
★★	誠実（せいじつ）	清純（せいじゅん）	精密（せいみつ）	明瞭（めいりょう）	冷酷（れいこく）	臆病（おくびょう）	格別（かくべつ）	絶妙（ぜつみょう）	熱烈（ねつれつ）	劣悪（れつあく）	
★	鋭敏（えいびん）	軽薄（けいはく）	最適（さいてき）	性急（せいきゅう）	脆弱（ぜいじゃく）	着実（ちゃくじつ）	薄情（はくじょう）	活発（かっぱつ）	潔白（けっぱく）	滑稽（こっけい）	達者（たっしゃ）
	静粛（せいしゅく）	怠惰（たいだ）	低俗（ていぞく）	丁重（ていちょう）	平穏（へいおん）			密接（みっせつ）			

第14回 練習問題　　（解答p242）

___の言葉の読み方として最もよいものを、1・2・3・4から一つ選びなさい。

1　携帯電話は本当に重宝な機械だと思う。
　　1　じゅうほう　　2　じゅうぼう　　3　ちょうほう　　4　ちょうぽう

2　彼は勇敢な男だ。
　　1　ゆうけん　　2　ゆうかん　　3　ゆうげん　　4　ゆうがん

3　なぜ世の中には男と女しかいないのかという素朴な疑問を覚えた。
　　1　そぼく　　2　そもく　　3　そうぼく　　4　そうもく

4　目を上げると不吉な黒い鳥が飛んでいた。
　　1　ふきち　　2　ぶきち　　3　ふきつ　　4　ぶきつ

5　寡黙な彼は滅多に口を利かない。
　　1　ちんもく　　2　ぽもく　　3　こもく　　4　かもく

6　失敗を恐れ、緻密な計画を立てた。
　　1　ちょうみつ　　2　ちゅうみつ　　3　ちみつ　　4　しみつ

7　彼の表現は分かりやすく、その意図も明瞭だ。
　　1　めいかく　　2　めいせき　　3　めいろう　　4　めいりょう

8　先方には丁重にお断り申し上げた。
　　1　ていじゅう　　2　ちょうじゅう　　3　ていちょう　　4　ちょうちょう

9　都市部では格差の拡大が顕著である。
　　1　けんしゃ　　2　けんちょ　　3　げんしゃ　　4　げんちょ

10　新製品には斬新なデザインを取り入れた。
　　1　きんしん　　2　せんしん　　3　ぜんしん　　4　ざんしん

11　津波は甚大な被害をもたらす。
　　1　かんだい　　2　がんだい　　3　しんだい　　4　じんだい

12　彼は繊細な感覚の持ち主だ。
　　1　しゅんさい　　2　さんさい　　3　ざんさい　　4　せんさい

漢字2字の語彙

「的」がつく形容詞・副詞

　まず、漢字2字の語彙の中でも「的」がついて形容詞になるものを整理しておきましょう。次に、「に」がついて副詞になるものなどを覚えましょう。副詞は問題1に出る可能性は高くないですが、読めるようにしておくとよいでしょう。

～的な

重要度	
★★★	たいしょうてき　でんとうてき 対照的　伝統的
★★	かっきてき　せんてんてき　そうたいてき　ほんかくてき　げきてき　せいてき　たんてき　どうてき 画期的　先天的　相対的　本格的　劇的　静的　端的　動的
★	あっとうてき　いとてき　いよくてき　かいぎてき　かくいつてき　かくしんてき　かんしょうてき　きせきてき　きょういてき 圧倒的　意図的　意欲的　懐疑的　画一的　革新的　感傷的　奇跡的　驚異的 ぐたいてき　けいとうてき　こんにちてき　こんぽんてき　さくいてき　しいてき　じゅどうてき　じょうしきてき　しょうちょうてき 具体的　系統的　今日的　根本的　作為的　恣意的　受動的　常識的　象徴的 じんどうてき　しんぽてき　そしきてき　だんぺんてき　たんらくてき　ちめいてき　ちゅうしょうてき　てっていてき　てんけいてき 人道的　進歩的　組織的　断片的　短絡的　致命的　抽象的　徹底的　典型的 どうとくてき　どくそうてき　とっぱつてき　ねっきょうてき　はいたてき　ばっぽんてき　へいさてき　ほしゅてき　らくてんてき 道徳的　独創的　突発的　熱狂的　排他的　抜本的　閉鎖的　保守的　楽天的 りゅうどうてき　るいけいてき 流動的　類型的

副詞

重要度	～に	～と	語のみ
★★★	いちがい　いっきょに 一概に　一挙に けんめいに　そくざに 懸命に　即座に	いぜんとして 依然として ばくぜんと 漠然と	いっけん　いっさい　とうてい　とつじょ 一見　一切　到底　突如
★★	いちりつに　いちように 一律に　一様に いっきに　いっしんに 一気に　一心に	せいぜんと　どうどうと 整然と　堂々と ぼうぜんと 呆然と	がんらい　だんぜん　てきぎ　にちや　むろん 元来　断然　適宜　日夜　無論
★	いっこうに　こいに 一向に　故意に	えんえんと　がくぜんと 延々と　愕然と かんさんと　そうぜんと 閑散と　騒然と	いちやく　きゅうきょ　きょくりょく　じゅうじゅう　しょせん 一躍　急遽　極力　重々　所詮 ずいじ　そっこく　だんこ　ちくいち　べっと 随時　即刻　断固　逐一　別途

第15回 練習問題 （解答p242)

___の言葉の読み方として最もよいものを、1・2・3・4から一つ選びなさい。

1 彼は突如大声で叫んだ。
   1 とつじょ   2 とつじょう   3 とっきょ   4 とっきょう

2 博物館を一巡した後は適宜解散することにした。
   1 てきせん   2 てきかつ   3 てきとう   4 てきぎ

3 情報通信技術は日夜進歩している。
   1 にちや   2 にちよ   3 じつや   4 じつよ

4 彼は状況がつかめず、呆然としていた。
   1 ほぜん   2 ほうぜん   3 ぽぜん   4 ぼうぜん

5 大会は急遽中止することになった。
   1 きゅうりょ   2 きゅうたい   3 きゅうこ   4 きゅうきょ

6 会員はこの施設を随時利用できる。
   1 だじ   2 たいじ   3 ずいじ   4 ずうじ

7 その話を聞いて愕然とした。
   1 ごうぜん   2 ごくぜん   3 がくぜん   4 がいぜん

8 進行状況を上司に逐一報告した。
   1 たいいち   2 すいいち   3 たくいち   4 ちくいち

9 手数料は別途お支払いいただきます。
   1 べっと   2 べっと   3 べつず   4 べっとう

10 店内は閑散としていた。
   1 もくさん   2 ぼくさん   3 せんさん   4 かんさん

11 彼は常に物事に対して懐疑的だ。
   1 かいき   2 かいぎ   3 けんき   4 けんぎ

12 致命的なミスを犯してしまった。
   1 ちめい   2 しめい   3 ちみょう   4 しみょう

訓読みの語彙 ①

漢字2字の語彙は、音読みが基本ですが、訓読みをする場合もあります。次の4つのパターンに分けて覚えましょう。

①両方の漢字が訓読みの場合	
②前の漢字が音読みの場合（重箱読み）	本場（ホンば） 残高（ザンだか） 心底（シンそこ） など
③後の漢字が音読みの場合（湯桶読み）	枠内（わくナイ） 手配（てハイ） 消印（けしイン） など
④特別な読み方をする場合	田舎（いなか） 裸足（はだし） 小雨（こさめ） など

両方の漢字が訓読みの場合

重要度											
★★★	合間（あいま）	獲物（えもの）	大幅（おおはば）	貝殻（かいがら）	垣根（かきね）	草花（くさばな）	心得（こころえ）	小銭（こぜに）	芝居（しばい）	手当（てあて）	手薄（てうす）	手際（てぎわ）
	泥沼（どろぬま）	浜辺（はまべ）	一息（ひといき）	人影（ひとかげ）	人柄（ひとがら）	街角（まちかど）	物事（ものごと）	夕闇（ゆうやみ）				
★★	間柄（あいだがら）	稲光（いなびかり）	内訳（うちわけ）	腕前（うでまえ）	大筋（おおすじ）	織物（おりもの）	勝手（かって）	小売（こうり）	下心（したごころ）	下火（したび）	建前（たてまえ）	津波（つなみ）
	手頃（てごろ）	手引（てびき）	時折（ときおり）	年頃（としごろ）	鳥居（とりい）	取引（とりひき）	中程（なかほど）	生身（なまみ）	音色（ねいろ）	初耳（はつみみ）	日陰（ひかげ）	一筋（ひとすじ）
	火花（ひばな）	真心（まごころ）	道端（みちばた）	屋敷（やしき）	横綱（よこづな）	悪者（わるもの）						
★	荒波（あらなみ）	石垣（いしがき）	命綱（いのちづな）	渦潮（うずしお）	内輪（うちわ）	裏表（うらおもて）	売値（うりね）	大粒（おおつぶ）	大手（おおて）	奥底（おくそこ）	面影（おもかげ）	親元（おやもと）
	陰口（かげぐち）	片隅（かたすみ）	株主（かぶぬし）	上手（かみて）	辛口（からくち）	生糸（きいと）	岸辺（きしべ）	傷跡（きずあと）	傷口（きずぐち）	口癖（くちぐせ）	口先（くちさき）	黒幕（くろまく）
	子守（こもり）	境目（さかいめ）	挿絵（さしえ）	里山（さとやま）	潮時（しおどき）	敷居（しきい）	代物（しろもの）	筋道（すじみち）	裾野（すその）	底値（そこね）	宝物（たからもの）	竜巻（たつまき）
	谷間（たにま）	田畑（たはた）	手形（てがた）	偽者（にせもの）	根元（ねもと）	軒先（のきさき）	墓場（はかば）	初恋（はつこい）	刃物（はもの）	一際（ひときわ）	節目（ふしめ）	二重（ふたえ）
	間際（まぎわ）	窓辺（まどべ）	身柄（みがら）	身元（みもと）	元手（もとで）	安物（やすもの）	闇夜（やみよ）	弓矢（ゆみや）	脇見（わきみ）	脇道（わきみち）		

第16回 練習問題　　　　　　　　　　　　　　　（解答 p242）

___の言葉の読み方として最もよいものを、1・2・3・4から一つ選びなさい。

1 彼とは従兄弟の間柄です。
　　1　まがら　　　2　あいだがら　　　3　まへい　　　4　あいだへい

2 領収書に内訳を書いてもらった。
　　1　ないやく　　2　ないわけ　　　3　うちやく　　4　うちわけ

3 この文章の中程にある表現に注意してほしい。
　　1　ちゅうてい　2　なかてい　　　3　ちゅうほど　4　なかほど

4 その話は初耳だな。
　　1　しょじ　　　2　はつじ　　　　3　はつみみ　　4　ういみみ

5 何とあの画家は偽者だった。
　　1　ぎしゃ　　　2　にもの　　　　3　にせもの　　4　いつわりもの

6 大人になった彼には子供のころの面影はなかった。
　　1　めんかげ　　2　おもてかげ　　3　つらかげ　　4　おもかげ

7 道端の草むらに寝転がって空を見上げた。
　　1　どうたん　　2　みちはし　　　3　みちばた　　4　みったん

8 彼は大きな屋敷に住んでいる。
　　1　おくふ　　　2　やふ　　　　　3　おくじき　　4　やしき

9 両親が忙しくて、兄が弟の子守をさせられた。
　　1　こまもり　　2　こしゅ　　　　3　こす　　　　4　こもり

10 窓辺に鉢植えの花を飾った。
　　1　そうへん　　2　まどへん　　　3　まどべ　　　4　まどなべ

11 死ぬ間際になって、彼の隠し子が発覚した。
　　1　あいきわ　　2　まぎわ　　　　3　あいわき　　4　まわき

12 あの先生は、すぐ話が脇道にそれる。
　　1　わきみち　　2　こしみち　　　3　むなみち　　4　ひじみち

訓読みの語彙 ②

漢字2字の語彙

重箱読み

重要度	
★★★	こんだて　ほんすじ　ほんね　ほんば 献立　本筋　本音　本場
★★	えんがわ　ざんだか　さんばし　じぬし　じもと 縁側　残高　桟橋　地主　地元
★	えんだか　えんやす　がくぶち　きゅうば　さつたば　じみち　しんそこ　すがお　ずがら　すで　ずぼし　ぞうき 円高　円安　額縁　急場　札束　地道　心底　素顔　図柄　素手　図星　雑木 そうば　そしな　とうどり　めいがら　よくあさ 相場　粗品　頭取　銘柄　翌朝

湯桶読み

重要度	
★★★	さしず　てじゅん　ひとじち　わくない 指図　手順　人質　枠内
★★	あかじ　あまぐ　うわき　かぶしき　くろじ　さむけ　てじょう　てすう　てはい　てほん　ねむけ　はちみつ 赤字　雨具　浮気　株式　黒字　寒気　手錠　手数　手配　手本　眠気　蜂蜜 ひとけ　みずけ　もふく 人気　水気　喪服
★	あたまきん　おやぶん　かかりいん　かぶか　けしいん　さらち　しききん　もちゅう　わるぎ 頭金　親分　係員　株価　消印　更地　敷金　喪中　悪気

特別な読み方

重要度	
★★★	いなか　とんや　なごり 田舎　問屋　名残
★★	うちわ　ここち　こなごな　なこうど　なだれ　はだし　ひなた 団扇　心地　粉々　仲人　雪崩　裸足　日向
★	いなずま　かざかみ　かずかず　かたみ　かなぐ　かなた　かみわざ　かわせ　かんぬし　きりさめ　こかげ　こさめ 稲妻　風上　数々　形見　金具　彼方　神業　為替　神主　霧雨　木陰　小雨 こだち　さきざき　しにせ　しわざ　すみずみ　たなばた　のちのち　ひさびさ　ふしぶし　ふぜい　みえ　みこし 木立　先々　老舗　仕業　隅々　七夕　後々　久々　節々　風情　見栄　神輿

第17回 練習問題　　(解答p242)

___の言葉の読み方として最もよいものを、1・2・3・4から一つ選びなさい。

1 今日は何だか寒気がする。
　　1　かんき　　　2　かんけ　　　3　さむぎ　　　4　さむけ

2 急に空が暗くなり稲光が走った。
　　1　とうこう　　2　いねこう　　3　いねひかり　　4　いなびかり

3 大きな地震があって、生きた心地がしなかった。
　　1　しんち　　　2　しんじ　　　3　こころじ　　　4　ここち

4 部下が車を手配してくれた。
　　1　しゅはい　　2　てはい　　　3　しゅくばり　　4　てくばり

5 預金の残高を調べた。
　　1　ざんこう　　2　ざんたか　　3　のこりだか　　4　ざんだか

6 秋の昼下がりに、縁側でのんびり休んだ。
　　1　えんそく　　2　えんがわ　　3　ふちそく　　　4　ふちがわ

7 会場に大勢のファンが雪崩のように押し掛けた。
　　1　せっぽう　　2　ゆきくずれ　3　なだれ　　　　4　ふぶき

8 ここのところ、為替の相場は安定している。
　　1　ためがえ　　2　いたい　　　3　かわせ　　　　4　しにせ

9 冬でも日向は汗ばむほどの暖かさだ。
　　1　にっこう　　2　ひむき　　　3　ひむかい　　　4　ひなた

10 この米の銘柄は覚えやすい。
　　1　めいがら　　2　めいへい　　3　みょうがら　　4　みょうへい

11 郵便物に今月末日の消印があれば有効です。
　　1　しょういん　2　きえいん　　3　けしいん　　　4　けしじるし

12 彼の素顔を知る者はいない。
　　1　そがん　　　2　すがん　　　3　そがお　　　　4　すがお

その他の語彙

漢字3字の語彙 ①

　漢字語彙は、漢字2字が基本ですが、漢字3字の語彙も過去に出題されています。
　多くは、「過疎(かそ)」+「化(か)」→「過疎化(かそか)」のように最後に漢字1字がプラスされた語彙ですが、「悪(あく)」+「循環(じゅんかん)」のように、語彙の前に漢字1字がプラスされたものもあります。この関係がわかれば、読み方は難しくありません。

頻出語彙

重要度									
★★★	あくじゅんかん 悪循環	かそか 過疎化	きこんしゃ 既婚者	けんりょくしゃ 権力者	こうしんりょう 香辛料	ししょうしゃ 死傷者	しゅくがかい 祝賀会	せいたいけい 生態系	だいさんじ 大惨事
	とくはいん 特派員	はいきぶつ 廃棄物	ひがいしゃ 被害者	ひさいち 被災地	ふんいき 雰囲気	ほうしゃのう 放射能	ほしゅは 保守派	むじょうけん 無条件	ようちえん 幼稚園
★★	かんむりょう 感無量	ぎじどう 議事堂	こうこがく 考古学	こうねつひ 光熱費	こっとうひん 骨董品	ざだんかい 座談会	さんぎいん 参議院	じそんしん 自尊心	じつぎょうか 実業家
	しゅうぎいん 衆議院	じゅうぎょういん 従業員	しょくみんち 植民地	ぜいむしょ 税務署	たすうけつ 多数決	はいぐうしゃ 配偶者	ふかけつ 不可欠	ふけいき 不景気	ぶんかざい 文化財

2字語彙の後ろによく使われる漢字　※「～的」はp38参照

～性(せい)	かんじゅせい 感受性	ごかんせい 互換性	じしゅせい 自主性	しゅたいせい 主体性	しんぴょうせい 信憑性				
～化(か)	おんだんか 温暖化	かっせいか 活性化	けいがいか 形骸化	しょうしか 少子化	たきょくか 多極化				
～力(りょく)	そくせんりょく 即戦力	ちょうのうりょく 超能力	ていこうりょく 抵抗力	ほうようりょく 包容力	よくしりょく 抑止力				
～心(しん)	きょえいしん 虚栄心	こうがくしん 向学心	こうきしん 好奇心	さいぎしん 猜疑心	どくりつしん 独立心				
～者(しゃ)	ぎぜんしゃ 偽善者	けんじょうしゃ 健常者	こうけいしゃ 後継者	しきしゃ 指揮者	しちょうしゃ 視聴者	しゅぼうしゃ 首謀者	せきにんしゃ 責任者	せんくしゃ 先駆者	そうししゃ 創始者
	ひさいしゃ 被災者	ふろうしゃ 浮浪者	ぼうかんしゃ 傍観者	ほごしゃ 保護者	ようぎしゃ 容疑者				
～感(かん)	いわかん 違和感	ざいあくかん 罪悪感	しんきんかん 親近感	せきにんかん 責任感	ゆうえつかん 優越感	れっとうかん 劣等感			
～観(かん)	かちかん 価値観	じんせいかん 人生観	せんにゅうかん 先入観						

その他

かっそうろ 滑走路	かとき 過渡期	がんゆうりょう 含有量	かんりしょく 管理職	きかがく 幾何学	ぎじろく 議事録	きせいひん 既製品	きねんひ 記念碑	ぎもんふ 疑問符	ぎゃくこうか 逆効果
けいじばん 掲示板	げきせんく 激戦区	げねつざい 解熱剤	こうえんかい 後援会	こうつうもう 交通網	こうらくち 行楽地	こんしんかい 懇親会	しがいせん 紫外線	じかせい 自家製	しきんせき 試金石
しこうひん 嗜好品	ししゅんき 思春期	じちたい 自治体	しちょうりつ 視聴率	じゃくねんそう 若年層	しゅうちゃくえき 終着駅	しゅうとくぶつ 拾得物	しゅっしょうりつ 出生率	しゅとけん 首都圏	じゅんかつゆ 潤滑油
しょうぞうが 肖像画	しょうひぜい 消費税	じょうほうげん 情報源	しょくちゅうどく 食中毒	しょたいめん 初対面	しょほうせん 処方箋	しょゆうけん 所有権	じんけんひ 人件費	しんこきゅう 深呼吸	せっちゅうあん 折衷案
せんきょけん 選挙権	そういてん 相違点	そうけっさん 総決算	ぞうとうひん 贈答品	だいたすう 大多数	だかいさく 打開策	ちめいしょう 致命傷	ちょさくけん 著作権	つうしんもう 通信網	でんせんびょう 伝染病
どうそうかい 同窓会	なんいど 難易度	ねったいや 熱帯夜	はんかがい 繁華街	ひろうえん 披露宴	ふくさよう 副作用	へんさち 偏差値	ぼうふうう 暴風雨	ゆうらんせん 遊覧船	らんこうげ 乱高下
りょかくき 旅客機	りれきしょ 履歴書								

第18回 練習問題   (解答 p242)

___の言葉の読み方として最もよいものを、1・2・3・4から一つ選びなさい。

1 彼は骨董品を集めている。
1　こつじゅうひん　　2　こっちょうひん　　3　こっとうひん　　4　こっどうひん

2 配偶者の有無を記す。
1　はいぐしゃ　　2　はいぐうしゃ　　3　はいくしゃ　　4　はいくうしゃ

3 双方に対し折衷案を提示した。
1　せきちゅうあん　　2　せきそうあん　　3　せっちゅうあん　　4　せっそうあん

4 飛行機は滑走路を飛び立った。
1　こつそうろ　　2　こっそうろ　　3　かつそうろ　　4　かっそうろ

5 成分の含有量を表示する。
1　こんゆうりょう　　2　ぎんゆうりょう　　3　がんゆうりょう　　4　ぐんゆうりょう

6 熱があったので解熱剤を飲んだ。
1　かいねつざい　　2　がいねつざい　　3　けいねつざい　　4　げねつざい

7 この薬には副作用がある。
1　ふくさくよう　　2　ふうさくよう　　3　ふうさよう　　4　ふくさよう

8 留学生の懇親会に参加した。
1　きんしんかい　　2　こんしんかい　　3　くんしんかい　　4　けんしんかい

9 あの店はタバコなどの嗜好品を扱っている。
1　しこうひん　　2　しゃこうひん　　3　ちょこうひん　　4　ちゃこうひん

10 株が乱高下している。
1　らんだかした　　2　らんこうか　　3　らんこうが　　4　らんこうげ

11 電車の中の拾得物は駅で預かっている。
1　じゅうとくぶつ　　2　しゅうとくぶつ　　3　じゅうどくぶつ　　4　しゅうどくぶつ

12 医者に処方箋を書いてもらった。
1　しょほうさん　　2　しょほうしん　　3　しょほうせん　　4　しょほうそん

その他の語彙

漢字３字の語彙 ②

訓読みの漢字を含む３字語彙

あさめしまえ 朝飯前	あとしまつ 後始末	かしらもじ 頭文字	かみはんき 上半期	くちやくそく 口約束	さしだしにん 差出人	じせつがら 時節柄	しょうねんば 正念場	せけんなみ 世間並	せけんばなし 世間話
せとぎわ 瀬戸際	てかげん 手加減	できだか 出来高	てすうりょう 手数料	てみやげ 手土産	とくいさき 得意先	どたんば 土壇場	とりしまりやく 取締役	にがおえ 似顔絵	ねごこち 寝心地
のりくみいん 乗組員	ふだんぎ 普段着	ふてぎわ 不手際	ましょうめん 真正面	まよなか 真夜中	みじたく 身支度	みのしろきん 身代金	むほうもの 無法者	めぶんりょう 目分量	やじうま 野次馬
ゆきがっせん 雪合戦	ゆきげしき 雪景色	ゆめものがたり 夢物語							

３字語彙の前によく使われる漢字

ふ〜 不〜	ふあんてい 不安定	ふかかい 不可解	ふかひ 不可避	ふきげん 不機嫌	ぶきみ❷ 不気味	ぶきよう❷ 不器用	ふきんしん 不謹慎	ふけんぜん 不健全	ぶさいく❷ 不細工
	ふじょうり 不条理	ふそうおう 不相応	ふつごう 不都合	ふてきかく 不適格	ふとうめい 不透明	ふびょうどう 不平等	ふほんい 不本意	ふめいよ 不名誉	ふゆかい 不愉快
	ぶようじん❷ 不用心								
む〜 無〜	ぶあいそう❷ 無愛想	ぶえんりょ❷ 無遠慮	むいしき 無意識	むかんけい 無関係	むかんしん 無関心	むきりょく 無気力	むさくい 無作為	むさべつ 無差別	むじかく 無自覚
	むじょうけん 無条件	むしんけい 無神経	むじんぞう 無尽蔵	むせいげん 無制限	むせきにん 無責任	むぞうさ 無造作	むちつじょ 無秩序	むていこう 無抵抗	むとんちゃく 無頓着
	むのうりょく 無能力	むひょうじょう 無表情	むぼうび 無防備	むほうもの 無法者	むりかい 無理解				
さい〜 最〜	さいこうさい 最高裁	さいこうちょう 最高潮	さいこうほう 最高峰	さいせいき 最盛期	さいぜんせん 最前線	さいだいげん 最大限	さいていげん 最低限	さいてきち 最適地	
さい〜 再〜	さいけんとう 再検討	さいしゅっぱつ 再出発	さいにんしき 再認識						
こう〜 好〜	こうけいき 好景気	こうじんぶつ 好人物	こうつごう 好都合						

漢数字を含む３字語彙

いちだいじ 一大事	いちにんしょう 一人称	いちにんまえ 一人前	いちもくさん 一目散	いっちゅうや 一昼夜	いっちょくせん 一直線	かみひとえ 紙一重	かんいっぱつ 間一髪	こくいっこく 刻一刻	さんさろ 三差路
せいいっぱい 精一杯	だいいっせん 第一線	ひとあんしん 一安心	ひといちばい 人一倍	ひとむかしまえ 一昔前					

第19回 練習問題 (解答p242)

___の言葉の読み方として最もよいものを、1・2・3・4から一つ選びなさい。

1 それくらいのことは朝飯前だ。
　　1　ちょうはんぜん　　2　ちょうはんまえ　　3　あさはんぜん　　4　あさめしまえ

2 封筒には差出人の名前がなかった。
　　1　さでじん　　2　さだしじん　　3　さしでにん　　4　さしだしにん

3 仕事が成功するか否かの正念場を迎えた。
　　1　せいねんじょう　　2　しょうねんじょう　　3　しょうねんば　　4　せいねんば

4 コンビニのATMを利用すると、たいてい手数料がかかる。
　　1　しゅすうりょう　　2　しゅかずりょう　　3　てすうりょう　　4　てかずりょう

5 犯人の似顔絵が発表された。
　　1　じがんえ　　2　にがんえ　　3　にがおえ　　4　にせがおえ

6 敵に真正面から向かって行った。
　　1　ましょうめん　　2　ませいめん　　3　しんしょうめん　　4　しんせいめん

7 家に帰るなり、無造作に上着を脱ぎ捨てた。
　　1　ぶぞうさく　　2　ぶぞうさ　　3　むぞうさく　　4　むぞうさ

8 犯人は人質の身代金を要求した。
　　1　みだいきん　　2　しんだいきん　　3　みのしろきん　　4　しんしろきん

9 事故現場に野次馬が集まった。
　　1　やじうま　　2　やじば　　3　のじうま　　4　のじば

10 彼は手先が不器用だ。
　　1　ふきよう　　2　ふぎよう　　3　ぶきよう　　4　ぶぎよう

11 間一髪で事故を免れた。
　　1　まいちがみ　　2　まいっぱつ　　3　かんいっぱつ　　4　かんひとかみ

12 彼は紙一重の差で優勝を逃した。
　　1　かみいちじゅう　　2　かみひとじゅう　　3　かみひとえ　　4　しひとえ

問題1　漢字読み

その他の語彙

動詞 ①

　動詞の読み方を問われる問題のポイントは、**語尾の活用**です。文の中の語彙として出題されるので、「雨が降った」というように、「～た」「～て」の形でよく出題されます。**辞書形とともに活用も確認しておくこと**が大切です。

　また、文中で「～を」を伴って他動詞として使われているか、あるいは自動詞として使われているかも、正解を得る判断材料になります。**自他の区別をしながら動詞を覚えましょう。**

　選択肢には、送りがなが同じ語彙が並びます。送りがなのパターンごとに覚えましょう。

漢字＋る

重要度	自動詞	他動詞
★★★	焦る　余る　至る　劣る　偏る　去る　迫る　潜る	配る　断る　遮る　探る　悟る　募る　釣る　練る　図る　測る　葬る　誇る　巡る
★★	凝る　反る　滞る　鈍る　粘る　捗る　耽る　勝る　蘇る	操る　誤る　怠る　潜る　擦る　奉る　辿る　司る
★	憤る　陥る　香る　陰る　覆る　滴る　廃る　則る　浸る　宿る	煽る　侮る　偽る　彩る　括る

漢字＋aる

重要度	自動詞
★★★	携わる　縮まる
★★	改まる　受かる　埋まる　植わる　収まる　納まる　治まる　定まる　備わる　染まる　務まる　連なる　隔たる　群がる
★	挙がる　絡まる　極まる　授かる

+α　送りがなが「aる」の他動詞は、「労わる」がある。

漢字＋iる

重要度	自動詞	他動詞
★★★	尽きる	帯びる　省みる　顧みる　試みる　率いる
★★	老いる　朽ちる　懲りる　染みる　綻びる　滅びる	綴じる　恥じる
★	萎びる　報いる	鑑みる　悔いる

第20回 練習問題　　　　　(解答p242)

___の言葉の読み方として最もよいものを、1・2・3・4から一つ選びなさい。

1 この料理はとても凝っている。
　　1　もって　　　2　こって　　　3　そって　　　4　おって

2 部長は頑張った部下を労わった。
　　1　そなわった　2　かまわった　3　いたわった　4　こだわった

3 彼の言葉が胸に染みた。
　　1　そみた　　　2　しみた　　　3　かえりみた　4　こころみた

4 料理屋ののれんを潜って店の中に入った。
　　1　くぐって　　2　もぐって　　3　めくって　　4　さぐって

5 点検を怠ったがために事故を引き起こした。
　　1　なまけった　2　おこたった　3　あやまった　4　たまわった

6 雨のため工事が滞っている。
　　1　たてまつって　2　よみがえって　3　つかさどって　4　とどこおって

7 先生から受けた恩に報いたい。
　　1　すくいたい　2　ぬぐいたい　3　かばいたい　4　むくいたい

8 野菜が萎びてしまった。
　　1　しなびて　　2　ほろびて　　3　ひからびて　4　ほころびて

9 履歴書に年齢を偽って書いた。
　　1　おちいって　2　いつわって　3　のっとって　4　あなどって

10 講演に高校生が群がっていた。
　　1　むれがって　2　むらがって　3　ちりがって　4　ちらがって

11 子供だからと侮ってはいけない。
　　1　あなどって　2　いろどって　3　のっとって　4　したたって

12 試合では最後の一秒まで粘った。
　　1　こすった　　2　たどった　　3　まさった　　4　ねばった

問題1　漢字読み　49

その他の語彙

動詞 ②

漢字＋eる

重要度	自動詞	他動詞
★★★	駆ける	傾ける 兼ねる 避ける 告げる 遂げる 述べる 隔てる 経る
★★	裂ける 退ける 惚ける 脱げる 剥げる 化ける 老ける	掲げる 賭ける 傾げる 提げる 捧げる 授ける 虐げる 設ける 和らげる 避ける
★	宛てる 透ける 果てる 開ける 破ける	空ける 奏でる 企てる 損ねる 背ける 束ねる 伏せる

漢字＋める

重要度	他動詞
★★★	納める 極める 込める 締める 勧める 眺める 認める 辞める
★★	傷める 炒める 埋める 固める 沈める 止める 緩める
★	戒める 修める 究める 絞める 秘める

+α 送りがなが「める」の自動詞は、「努める」がある。

漢字＋える

重要度	自動詞	他動詞
★★★	衰える 耐える	与える 訴える 支える 添える 控える
★★	怯える 冴える 栄える 絶える 仕える 映える	構える 鍛える 据える 整える 唱える 踏まえる❼
★	癒える 肥える 応える	抑える 堪える 供える 携える 称える

漢字＋れる

重要度	自動詞	他動詞
★★★	暴れる 現れる 崩れる	訪れる 逃れる 離れる
★★	廃れる 垂れる 紛れる 乱れる 漏れる	免れる
★	熟れる 汚れる 戯れる 照れる 群れる 蒸れる 敗れる	陥れる

第21回 練習問題　　(解答p242)

___の言葉の読み方として最もよいものを、1・2・3・4から一つ選びなさい。

1　先生は学生との話し合いの場を設けた。
　　1　もうけた　　2　さずけた　　3　そむけた　　4　ひらけた

2　脱原発のプラカードを掲げて行進した。
　　1　かしげて　　2　かかげて　　3　ささげて　　4　しいたげて

3　念のため筆者の名前は伏せて発表した。
　　1　かぶせて　　2　あわせて　　3　ふせて　　　4　むせて

4　彼の説に異を唱えた。
　　1　となえた　　2　おびえた　　3　ちがえた　　4　うったえた

5　そんなことは口が裂けても言えない。
　　1　ふけて　　　2　さけて　　　3　ばけて　　　4　ぼけて

6　油断しないよう自らを戒めた。
　　1　いましめた　2　こらしめた　3　ひきしめた　4　とりしめた

7　出費を最小限に止めた。
　　1　おさめた　　2　うずめた　　3　とどめた　　4　さだめた

8　この街はすっかり廃れてしまった。
　　1　かれて　　　2　すたれて　　3　しおれて　　4　ふくれて

9　社長である以上責任は免れない。
　　1　のがれない　2　まぎれない　3　たわむれない　4　まぬがれない

10　よく熟れたリンゴの甘い香りが漂っていた。
　　1　うれた　　　2　てれた　　　3　ほれた　　　4　はれた

11　ゴールが見えて少し気を緩めた。
　　1　うすめた　　2　かためた　　3　やすめた　　4　ゆるめた

12　強く抗議したが決定は覆らなかった。
　　1　ひるがえらなかった　　　　2　くつがえらなかった
　　3　うずくまらなかった　　　　4　いきどおらなかった

その他の語彙

動詞 ③

漢字＋う／～う

重要度	自動詞	他動詞
★★★	潤う　狂う　漂う	争う　襲う　慕う　償う　縫う　狙う　賄う　装う
★★	賑わう　恥じらう❷	負う　庇う　競う　繕う　担う　舞う　養う
★	憩う　伝う　調う	窺う　囲う　請う　培う　弔う　拭う　労う　結う　呪う

漢字＋く／ぐ／○ぐ

重要度	自動詞	他動詞
★★★	輝く　和らぐ❷	描く　稼ぐ　築く　裂く　説く　嘆く　招く　磨く
★★	赴く　背く　懐く	欺く　欠く　裁く　貫く　弾く　導く
★	寛ぐ　閃く　噴く　瞬く　揺らぐ	仰ぐ　暴く　割く　凌ぐ　退く　継ぐ　研ぐ　轟く　剥ぐ

漢字＋む／○む／ぶ

重要度	自動詞	他動詞
★★★	危ぶむ　挑む　及ぶ　絡む　組む　澄む　臨む　滅ぶ　結ぶ	惜しむ　慎む
★★	歩む　霞む　親しむ　弛む　富む　励む　弾む　歪む　緩む	営む　産む　摘む　尊ぶ　妬む　阻む　恵む　病む
★	忍ぶ　和む　潜む	憐れむ　悼む　拒む　企む　貴ぶ　育む

漢字＋す／○す　※他動詞のみ

重要度	他動詞
★★★	促す　脅かす　及ぼす　崩す　志す　壊す　尽くす　伸ばす　励ます　施す　戻す　催す
★★	侵す　脅す　交わす　覆す　凝らす　記す　済ます　急かす　逸らす　費やす　抜かす　逃す　果たす　生やす　浸す　滅ぼす　任す　紛らす　乱す　召す　漏らす
★	癒す　潤す　冒す　興す　汚す　絶やす　閉ざす　翻す　宿す

第22回 練習問題 (解答 p242)

___の言葉の読み方として最もよいものを、1・2・3・4から一つ選びなさい。

1 書類に名前を記した。
1　さらした　　2　かわした　　3　つくした　　4　しるした

2 大きな岩に行く手を阻まれた。
1　からまれた　2　ねたまれた　3　はばまれた　4　いたまれた

3 彼の父は会社を営んでいる。
1　いとなんで　2　たくらんで　3　はぐくんで　4　つつしんで

4 会社を休んで英気を養った。
1　よそおった　2　つくろった　3　まかなった　4　やしなった

5 この会社の未来は彼女たちが担っている。
1　になって　　2　きそって　　3　かばって　　4　ならって

6 彼は最後まで自分の信念を貫いた。
1　つぶやいた　2　つらぬいた　3　はばたいた　4　しりぞいた

7 山で遭難し、2日間水だけで凌いだ。
1　あえいだ　　2　しのいだ　　3　あおいだ　　4　すすいだ

8 暗闇の中で神経を研ぎ澄ました。
1　もぎ　　　　2　つぎ　　　　3　はぎ　　　　4　とぎ

9 退院後彼はリハビリに励んだ。
1　はずんだ　　2　のぞんだ　　3　はげんだ　　4　いどんだ

10 恥を忍んで彼に頭を下げた。
1　ひそんで　　2　こばんで　　3　ほろんで　　4　しのんで

11 温泉で仕事の疲れを癒した。
1　おかした　　2　いやした　　3　うるおした　4　ほろぼした

12 卒業後も彼との関係を保っている。
1　たって　　　2　たもって　　3　はなって　　4　ほうって

その他の語彙

動詞が名詞化した語彙

動詞が名詞になった語彙が多くあります。これも覚えておきましょう。

ます形

重要度	
★★★	争い　償い　狙い　偏り　衰え　試み　誇り　訪れ
★★	味わい　扱い　行い　救い　揃い　訴え　教え　覚え　構え　例え 動き　驚き　招き　瞬き　賭け　助け　届け 証し　写し　兆し　流し 過ち　育ち　当て　果て 叫び　結び　詫び　調べ　延べ 歩み　進み　弛み　悩み　盗み　恵み　諦め　勧め　攻め 怒り　祈り　狩り　粘り　振り　借り　憧れ　遅れ　慣れ
★	疑い　占い　潤い　憂い　老い　通い　悔い　誓い　迷い　呪い 甘え　飢え　聞こえ　支え　蓄え　控え 傾き　乾き　渇き　嘆き　儲け　急ぎ　安らぎ 透かし　足し　通し　習わし　許し　笑み　極み　染み　企み　弾み　含み 定め　責め　詰め　並び　伸び 憤り　至り　偽り　彩り　映り　関わり　陰り　語り　断り　悟り　競り　頼り 綴り　訛り　外れ　乱れ

+α 美化語の「お」をつけた形が通常のもの
お返し　お気に入り　お悔やみ　お越し　お好み　お召し　お勤め　お化け　お守り　など

動詞＋他の語

名詞＋動詞	跡継ぎ　後回し　裏返し　箇条書き　気兼ね　区切り　心掛け　仕掛け 仕組み　下取り　手当て　手掛かり　戸締まり　戸惑い　度忘れ　共稼ぎ 共働き　値打ち　値引き　根回し　橋渡し　腹立ち　身振り　無駄遣い 目盛り　夕暮れ　夜更かし　夜更け　よそ見
動詞＋動詞	行き違い　受け持ち　打ち消し　落ち着き　差し引き　取り扱い 取り締まり　振り出し　見込み　見積もり　見通し　見晴らし　申し出 割り当て
動詞＋名詞	言い訳　生き甲斐　月並み　継ぎ目　勤め先　吊り革　控え室　控え目 申し分

第23回 練習問題

(解答p242)

＿＿の言葉の読み方として最もよいものを、1・2・3・4から一つ選びなさい。

1 東京での一人暮らしが彼女の憧れだった。
　　1　あわれ　　2　たわむれ　　3　ふくれ　　4　あこがれ

2 彼は子供の扱いが上手だ。
　　1　よそおい　　2　あつかい　　3　まかない　　4　つぐない

3 彼には蓄えが十分あった。
　　1　そなえ　　2　ひかえ　　3　たずさえ　　4　たくわえ

4 彼には何か企みがあるようだ。
　　1　たくらみ　　2　あやぶみ　　3　つつしみ　　4　うらやみ

5 彼は一か八かの賭けに出た。
　　1　もうけ　　2　やけ　　3　かけ　　4　うけ

6 若き日の過ちは誰にも経験があるだろう。
　　1　あやまち　　2　なやまち　　3　ほろぼち　　4　ほどこち

7 彼の絵は魂の叫びを表していた。
　　1　ほろび　　2　ほころび　　3　しのび　　4　さけび

8 迷惑をかけた親戚に詫びを入れた。
　　1　さび　　2　かび　　3　わび　　4　たび

9 彼の発言には憤りを覚える。
　　1　いかり　　2　おこり　　3　とどこおり　　4　いきどおり

10 こんな夜更けにやって来るなんて、誰だろう。
　　1　よばけ　　2　よぼけ　　3　よふけ　　4　よひけ

11 花を飾り、食卓に彩りを添えた。
　　1　いろどり　　2　あざけり　　3　かたより　　4　はかどり

12 二人はいっしょに誓いの言葉を述べた。
　　1　ちかい　　2　ねらい　　3　とむらい　　4　ねぎらい

その他の語彙

い形容詞

N1に出る可能性がある、い形容詞は多くありません。漢字で覚えてしまいましょう。

重要度	
★★★	淡（あわ）い　潔（いさぎよ）い　快（こころよ）い　厳（きび）しい　詳（くわ）しい　寂（さび）しい　乏（とぼ）しい　華々（はなばな）しい　紛（まぎ）らわしい　目覚（めざ）ましい　煩（わずら）わしい
★★	渋（しぶ）い　切（せつ）ない　尊（とうと）い　貴（とうと）い　脆（もろ）い　拙（つたな）い 著（いちじる）しい　卑（いや）しい　久（ひさ）しい　空（むな）しい 好（この）ましい　悩（なや）ましい　望（のぞ）ましい　待（ま）ち遠（どお）しい　見苦（みぐる）しい 情（なさ）けない　何気（なにげ）ない　物足（ものた）りない 荒（あら）っぽい　安（やす）っぽい 煙（けむ）たい　眠（ねむ）たい　平（ひら）たい 心強（こころづよ）い　心細（こころぼそ）い　素早（すばや）い　情（なさ）け深（ぶか）い　欲深（よくぶか）い　名高（なだか）い　生臭（なまぐさ）い　真（ま）ん丸（まる）い
★	香（こう）ばしい　痛（いた）ましい　疑（うたが）わしい　輝（かがや）かしい　嘆（なげ）かわしい　腹立（はらだ）たしい　誇（ほこ）らしい 喜（よろこ）ばしい 暑苦（あつくる）しい　息苦（いきぐる）しい　重苦（おもくる）しい　堅苦（かたくる）しい　心苦（こころぐる）しい　狭苦（せまくる）しい　寝苦（ねぐる）しい 荒々（あらあら）しい　重々（おもおも）しい　生々（なまなま）しい　苦々（にがにが）しい　弱弱（よわよわ）しい 押（お）し付（つ）けがましい　恩着（おんき）せがましい　差（さ）し出（で）がましい 名残（なご）り惜（お）しい　生易（なまやさ）しい　真新（まあたら）しい　目新（めあたら）しい　目ぼしい　目まぐるしい 疑（うたが）い深（ぶか）い　遠慮（えんりょ）深（ぶか）い　奥深（おくぶか）い　執念深（しゅうねんぶか）い　慎（つつし）み深（ぶか）い　罪深（つみぶか）い　根深（ねぶか）い　用心深（ようじんぶか）い 焦（こ）げ臭（くさ）い　照（て）れ臭（くさ）い　古臭（ふるくさ）い　水臭（みずくさ）い がまん強（づよ）い　辛抱強（しんぼうづよ）い　根強（ねづよ）い　粘（ねば）り強（づよ）い 救（すく）い難（がた）い　耐（た）え難（がた）い 甘酸（あまず）っぱい　湿（しめ）っぽい　熱（ねつ）っぽい　人懐（ひとなつ）っこい 後（うし）ろ暗（ぐら）い　後（うし）ろめたい 気（き）まずい　気難（きむずか）しい　図太（ずぶと）い 手厚（てあつ）い　手荒（てあら）い　手痛（ていた）い　手堅（てがた）い　手厳（てきび）しい　手強（てごわ）い　手（て）っ取（と）り早（ばや）い　手早（てばや）い 涙（なみだ）もろい　歯（は）がゆい　幅広（はばひろ）い　細長（ほそなが）い　程遠（ほどとお）い か細（ぼそ）い　か弱（よわ）い　小高（こだか）い　ひょろ長（なが）い　分厚（ぶあつ）い　ほの暗（ぐら）い　ほろ苦（にが）い 味気（あじけ）ない　大人（おとな）げない　危（あぶ）なげない　心（こころ）ない　心（こころ）もとない　果（は）てしない 限（かぎ）りない　極（きわ）まりない　頼（たよ）りない

+α 「分厚い」は「部厚い」と書く場合もある。

第24回 練習問題　(解答p242)

＿＿の言葉の読み方として最もよいものを、1・2・3・4から一つ選びなさい。

1 命は何よりも尊い。
1 いさぎよい　2 とうとい　3 しぶとい　4 ひらたい

2 彼の自信は脆くも崩れた。
1 あわく　2 しぶく　3 あやうく　4 もろく

3 彼の技術はまだまだ拙い。
1 つたない　2 はかない　3 つれない　4 せつない

4 この1年で彼は著しい上達を見せた。
1 はなはだしい　2 みずみずしい　3 いちじるしい　4 めざましい

5 今さら何を言っても空しい。
1 とぼしい　2 まずしい　3 くやしい　4 むなしい

6 彼女は、案内役を快く引き受けてくれた。
1 こころよく　2 いさぎよく　3 きもちよく　4 つつしみよく

7 口頭で話す時間がないため、詳しくは文書で説明することにした。
1 くやしく　2 くわしく　3 ひさしく　4 きびしく

8 あの政治家は、まだ経験に乏しい。
1 いやしい　2 まずしい　3 さびしい　4 とぼしい

9 彼はオリンピック3連覇という輝かしい記録を打ち立てた。
1 きらめかしい　2 ひらめかしい　3 かがやかしい　4 にぎやかしい

10 どうしてこんなに紛らわしい漢字が多いのだろう。
1 わずらわしい　2 まぎらわしい　3 はじらわしい　4 ねぎらわしい

11 彼の初恋は、淡く、はかなく、夏の空に消えていった。
1 あつく　2 あわく　3 つれなく　4 かなしく

12 今度の対戦相手はかなり手強い。
1 てごわい　2 ていたい　3 てあらい　4 てがたい

問題1 復習問題

(解答 p243)

___の言葉の読み方として最もよいものを、1・2・3・4から一つ選びなさい。

1. 原稿にはたくさんの誤字があった。
   1 こじ　　2 こうじ　　3 ごじ　　4 ごうじ

2. 選挙期間中は、派手な言動を控え、自重する政治家が多い。
   1 じじゅう　　2 じじょう　　3 じちゅう　　4 じちょう

3. 会社の経営が破綻した。
   1 はてい　　2 はじょう　　3 はたん　　4 はだん

4. 緊急時の自動停止装置が作動しなかった。
   1 さくどう　　2 ざくどう　　3 さどう　　4 ざどう

5. こんな夜分に押し掛けるのは気が引ける。
   1 よふん　　2 やふん　　3 よぶん　　4 やぶん

6. 彼は、成功するための秘訣を教えてくれた。
   1 ひけつ　　2 ひっけつ　　3 ひてつ　　4 ひってつ

7. この寺の由来を住職に尋ねた。
   1 ゆらい　　2 ゆうらい　　3 よらい　　4 ようらい

8. 環境に順応して生きる。
   1 じゅんおう　　2 じゅんのう　　3 じゅんろう　　4 じゅんごう

9. 計画を着実に遂行した。
   1 たいこう　　2 たいぎょう　　3 すいこう　　4 すいぎょう

10. あの二人には深い因縁があるようだ。
    1 いんえい　　2 いんねい　　3 いんえん　　4 いんねん

11. このマラソン大会では、昨年、一昨年と、A選手が連覇した。
    1 れんぱ　　2 れんば　　3 れんぷく　　4 れんぶく

12. 人相の悪い男に睨まれた。
    1 にんそう　　2 じんそう　　3 にんしょう　　4 じんしょう

13 届いた書簡を開封した。
   1 かいほう   2 かいふう   3 かいぽう   4 かいぶう

14 両国の間で条約が締結された。
   1 たいけつ   2 たいげつ   3 ていけつ   4 ていげつ

15 この辺の道は迷路のようだ。
   1 べいろ   2 まいろ   3 めいろ   4 まいじ

16 お世話になった方に歳暮を贈った。
   1 さいぼ   2 さいも   3 せいぼ   4 せいも

17 この会社は不動産契約の媒介を専門としている。
   1 ぽかい   2 ぽうかい   3 はいかい   4 ばいかい

18 警察は現場から証拠になる物をいくつか押収した。
   1 こうしゅう   2 とうしゅう   3 ようしゅう   4 おうしゅう

19 郷土の歴史を調べた。
   1 ごうと   2 ごうど   3 きょうど   4 ぎょうど

20 働いた分の報酬を得るのは当然だ。
   1 ほうしゅう   2 ほうすう   3 ぽうしゅう   4 ぽうすう

21 大臣は不用意な発言をしたため更迭された。
   1 こうてつ   2 こうしつ   3 こうそう   4 こうてん

22 食品には賞味期限が表示されている。
   1 ひょうし   2 ひょうじ   3 ひょうしい   4 ひょうじい

23 原稿を読み直して、欠けていた言葉を挿入した。
   1 すうにゅう   2 そうにゅう   3 しゅうにゅう   4 しょうにゅう

24 事故の処理には一刻の猶予も許されない。
   1 ゆうよ   2 しゅうよ   3 ちゅうよ   4 くうよ

25 伝染病を撲滅するためのプロジェクトを立ち上げた。
   1 ぼくげん   2 ぼくめつ   3 ぼうげん   4 ぼうめつ

26 ハガキには匿名希望と書いておいた。
　　1　じゃくめい　　2　ちゃくめい　　3　どくめい　　4　とくめい

27 この店には極上の品物が取り揃えられている。
　　1　きょくしょう　2　きょくじょう　3　ごくしょう　4　ごくじょう

28 試合に負けて、彼は落胆した。
　　1　らくたん　　　2　らくだん　　　3　らったん　　4　らっだん

29 今月の末日までにお振り込み願います。
　　1　まつび　　　　2　まっぴ　　　　3　まつにち　　4　まつじつ

30 彼は逆境に強い男として知られている。
　　1　ぎゃっきゅう　2　ぎゃっくう　　3　ぎゃっきょう　4　ぎゃっこう

31 昨今のニュースには心痛めるものが多い。
　　1　さくきん　　　2　さくこん　　　3　さっきん　　4　さっこん

32 窓のない部屋に大勢いて窒息しそうだった。
　　1　しっそく　　　2　ちっそく　　　3　さっそく　　4　たっそく

33 取引相手の会社から接待を受けた。
　　1　せつじ　　　　2　せっち　　　　3　せってい　　4　せったい

34 この言葉は有名な小説から抜粋したものです。
　　1　はっすい　　　2　ばっすい　　　3　はっせい　　4　ばっせい

35 彼は部屋にこもって執筆している。
　　1　しつひつ　　　2　しゅうひつ　　3　しっぴつ　　4　しゅっぴつ

36 この件には煩雑な手続きを要する。
　　1　はんざつ　　　2　ひんざつ　　　3　ふんざつ　　4　へんざつ

37 彼は強情な男だ。
　　1　きょうじょう　2　ぎょうじょう　3　こうじょう　4　ごうじょう

38 彼は優雅な生活を送っている。
　　1　ゆうび　　　　2　ゆうち　　　　3　ゆうが　　　4　ゆうや

39 会議中は静粛に願います。
   1 せいしょう   2 じょうしょう   3 せいしゅく   4 じょうしゅく

40 私は神に誓って潔白である。
   1 けつはく   2 けつびゃく   3 けっぱく   4 けっぴゃく

41 このペンダントは母の形見です。
   1 ぎょうけん   2 ぎょうみ   3 かたちみ   4 かたみ

42 彼はすぐ見栄を張る。
   1 みさかえ   2 みさか   3 みばえ   4 みえ

43 彼は老舗の跡継ぎだ。
   1 ろうほ   2 しにせ   3 おいせ   4 ふけほ

44 音楽の著作権には無関心の人が多い。
   1 ちょさくけん   2 ちょさけん   3 ちょうさっけん   4 ちょうさけん

45 お寺の柱に絵を描くなんて、なんという無法者だ。
   1 むほうしゃ   2 ぶほうしゃ   3 むほうもの   4 ぶほうもの

46 情報技術のことを、英語の頭文字をとってITと呼ぶことが多い。
   1 とうもじ   2 ずもじ   3 あたまもじ   4 かしらもじ

47 マスコミの報道が虚偽であることを一市民が暴いた。
   1 はじいた   2 さばいた   3 くじいた   4 あばいた

48 彼は会社を相手に訴えを起こした。
   1 たずさえ   2 ととのえ   3 うったえ   4 おとろえ

49 試合に勝って、彼は今喜びに浸っている。
   1 つかって   2 あおって   3 たたって   4 ひたって

50 花を供えて死者を弔った。
   1 つぐなった   2 つちかった   3 ねぎらった   4 とむらった

51 荷物をひもで括った。
   1 くくった   2 たかった   3 しばった   4 しぼった

52 彼女は話題を逸らした。
　　1　そらした　　2　こらした　　3　もらした　　4　ならした

53 気持ちをぐっと抑えた。
　　1　こらえた　　2　ひかえた　　3　そなえた　　4　おさえた

54 彼は木の下で悟りを開いた。
　　1　さとり　　2　かおり　　3　わかり　　4　はかり

55 彼の発言には戸惑いを覚えた。
　　1　こまよい　　2　こまどい　　3　とまよい　　4　とまどい

56 今ここで死んでも悔いはない。
　　1　さい　　2　かい　　3　おい　　4　くい

57 この時計の目盛りはわかりづらい。
　　1　めさかり　　2　めざかり　　3　めもり　　4　めむり

58 このコーヒーはとても香ばしい。
　　1　かばしい　　2　かんばしい　　3　こうばしい　　4　きょうばしい

59 金に卑しい人間にはなりたくない。
　　1　いやしい　　2　いやらしい　　3　わびしい　　4　まずしい

60 面接のときの服装は、スーツが好ましい。
　　1　すましい　　2　こうましい　　3　このましい　　4　かしましい

問題2
文脈規定

例題 （　　）に入れるのに最もよいものを、1・2・3・4から一つ選びなさい。

1 大会で優勝するため、チームのメンバーは（　　）した。
　　1　集団　　　　2　軍団　　　　3　団体　　　**4　団結**

2 若者が都会へ出て、（　　）化の進む農村が増えている。
　　1　過失　　　**2　過疎**　　　3　減産　　　　4　減量

3 部下の説明が分かりにくかったので上司が（　　）した。
　　1　添加　　　　2　増加　　　**3　補足**　　　4　充足

4 彼はあまりのショックに（　　）してしまった。
　　1　傾倒　　　　2　逆転　　　　3　沈没　　　**4　気絶**

　問題2は、文の（　　）の中に最も適当な言葉を入れる問題です。4つの選択肢は、意味が似ている言葉になっています。

　一番出る可能性が高いのは漢字2字の語彙で、前の漢字が同じ語彙、および後ろの漢字が同じ語彙です。例題 **4** のように同じ漢字がない場合もありますが、いわゆる類義語・類似語の識別能力が問われると考えてよいでしょう。

　漢字2字の語彙は、漢字をもとに分類しています。まず、過去に出題された語彙の類義語・類似語を優先的に覚えていきましょう。それから、類義語・類似語が4つ以上ある語彙、覚えておくべきN1レベルの語彙へと進んでいくのがよいでしょう。

　また、な形容詞、動詞、副詞、カタカナ語、和語の名詞、接頭語・接尾語も出題されるので、これらも覚えておきましょう。

漢字語彙

1音の漢字による分類 ①

　ポイントになる漢字ごとに、類義語・類似語の整理をしていきましょう。重要度の高い漢字から始めると効率的です。

　同じ漢字2字の語彙でも、「する」をつけて動詞として使えるものと使えないものを区別しておくとよいでしょう。

重要度★★★の漢字

漢字	名詞	する動詞
意（い）	意義　意向　意思　意志　意地　意識 意匠　意欲／敬意　辞意　不意　本意	意図
過（か）	過失　過剰　過疎　過度　過密　過労	経過　通過
加（か）	―	加減　加工　加入　加味／追加　添加
棄（き）	―	棄却　棄権／遺棄　投棄　破棄
規（き）	規格　規範　規模　規約　規律	規制　規定
気（き）	気圧　気概　気質　気性　気象　気迫 気品　気風　気前　気味　気流　気力 ／英気　呼気　根気　正気❼　大気	気絶
起（き）	起源　起点　起伏	起因　起床　起訴　起動　起立
議（ぎ）	議員　議会　議題　議長／不思議	議決　議論／協議　決議　抗議　審議
視（し）	視界　視覚　視線　視点　視野　視力	視察　視聴　監視　軽視　重視
辞（じ）	辞意　辞表　辞令／（お）世辞❼	辞職　辞退　辞任／固辞
主（しゅ）	主観　主権　主旨　主食　主審　主体 主題　主任　主流　主力／自主　喪主	主演　主催　主宰　主張　主導
処（しょ）	―	処刑　処置　処罰　処分／善処　対処
置（ち）	措置	置換／拘置　設置　配置　放置
破（は）	破格　破線	破壊　破棄　破産　破損　破綻　破滅 破裂／撃破　大破　打破　踏破　読破 突破❼　難破❼　論破❼
費（ひ）	費用／学費　経費　実費❼	出費❼　消費　浪費

64

第25回 練習問題　　　　　　　　(解答p243)

（　）に入れるのに最もよいものを、1・2・3・4から一つ選びなさい。

1 何度も説得したが、彼の（　　）は固かった。
　　1 意義　　　　2 意識　　　　3 意志　　　　4 意地

2 この事故は故意ではなく、あくまでも（　　）によるものだ。
　　1 過程　　　　2 過失　　　　3 過剰　　　　4 過度

3 この食品にはいろいろな（　　）物が入っている。
　　1 加入　　　　2 加工　　　　3 追加　　　　4 添加

4 あの会社は（　　）の拡大を図っている。
　　1 規模　　　　2 規格　　　　3 規定　　　　4 規約

5 この仕事には（　　）を要する。
　　1 根気　　　　2 正気　　　　3 気性　　　　4 気風

6 川にゴミが（　　）されていた。
　　1 棄却　　　　2 棄権　　　　3 遺棄　　　　4 投棄

7 高原へドライブに行ったが、霧が出て（　　）が悪く、ほとんど見えなかった。
　　1 視野　　　　2 視力　　　　3 視点　　　　4 視界

8 委員長は病気を理由に（　　）を表明した。
　　1 辞令　　　　2 辞意　　　　3 固辞　　　　4 世辞

9 引っ越しのため、使わなくなった家具を（　　）した。
　　1 処分　　　　2 処置　　　　3 対処　　　　4 善処

10 大学の政治研究会が（　　）する講演会が開かれた。
　　1 主体　　　　2 主観　　　　3 主任　　　　4 主催

11 離婚について夫婦で（　　）した。
　　1 審議　　　　2 協議　　　　3 抗議　　　　4 議席

12 彼は合格率5％の難関を（　　）した。
　　1 破滅　　　　2 破裂　　　　3 難破　　　　4 突破

漢字語彙

1音の漢字による分類 ②

重要度★★★の漢字

漢字	名詞	する動詞
不（ふ）	不況　不在　不順　不信　不振　不調　不定　不動　不備　不明　不良　不和	―
保（ほ）	保険　保養	保育　保温　保管　保護　保守　保証　保障　保存　保留／確保　担保
補（ほ）	補欠　補講／候補	補給　補強　補佐　補習　補充　補助　補償　補正　補足　補導
未（み）	未開　未婚　未遂　未知　未定　未明　未練	―
無（む）	無事　無難　無縁　無期　無効　無言　無罪　無実　無償　無常　無職　無人　無線　無断　無茶　無敵　無念　無名　無用　無計画／皆無	―
模（も）	模擬　模型　模範　模様／規模	模索　模倣
理（り）	理屈　理性　理想　理念　理論／義理　心理　倫理　論理　合理的　不条理	管理
慮（りょ）	不慮	遠慮　考慮　配慮

重要度★★の漢字

漢字	名詞	する動詞
異（い）	異議　異見　異状　異性　異端　異変　異例　異論／奇異　大同小異	異動／変異
移（い）	移民	移行　移住　移植／転移　推移
遺（い）	遺骨　遺産　遺書　遺跡　遺族　遺体／後遺症	遺伝
下（か）	下級　下限　下層　下流　下痢／天下　部下　門下　廊下	下山　下落／上下
火（か）	火災　火星　火葬　火薬　火力	出火　点火　噴火　放火

第26回 練習問題 (解答p243)

（　　）に入れるのに最もよいものを、1・2・3・4から一つ選びなさい。

1 膨大な資料が倉庫に（　　）してある。
　　1　保守　　　2　保険　　　3　保管　　　4　保養

2 彼女はやっと（　　）の男性に巡り合えた。
　　1　理屈　　　2　理想　　　3　理念　　　4　理性

3 マッチでガスコンロに（　　）した。
　　1　出火　　　2　放火　　　3　点火　　　4　噴火

4 彼は（　　）の死を遂げた。
　　1　不意　　　2　不慮　　　3　未知　　　4　未定

5 会社を立て直すため（　　）の削減に努めた。
　　1　費用　　　2　消費　　　3　経費　　　4　浪費

6 混んでいるときは電車を利用したほうが（　　）だろう。
　　1　無実　　　2　無断　　　3　無難　　　4　無敵

7 新しいメンバーを入れてチームを（　　）した。
　　1　補強　　　2　補給　　　3　補導　　　4　補欠

8 この製品は、A社のデザインを（　　）している。
　　1　模擬　　　2　模索　　　3　模倣　　　4　模範

9 最近、食欲が（　　）で、疲れやすくなってしまった。
　　1　不振　　　2　不調　　　3　不良　　　4　不順

10 （　　）の領域に足を踏み入れる。
　　1　未明　　　2　未遂　　　3　未練　　　4　未知

11 4月に人事の（　　）があった。
　　1　異動　　　2　異状　　　3　異例　　　4　異端

12 株価の（　　）が続いている。
　　1　下落　　　2　下流　　　3　投下　　　4　天下

漢字語彙

1音の漢字による分類 ③

重要度★★の漢字

漢字	名詞	する動詞
機（き）	機関　機器　機構　機材　機種　機密／危機　時機　転機　投機　動機	―
記（き）	下記　手記　上記　伝記　簿記	記載　記述　記帳　記名／暗記　登記
帰（き）	―	帰化　帰京　帰省　帰属／回帰　復帰
偽（ぎ）	偽善　偽名／虚偽　真偽	偽装　偽造
苦（く）	苦境　苦渋　苦情	苦笑　苦戦　苦悩
語（ご）	語彙　語幹　語句　語源　語順　語尾	―
私（し）	私益　私語　私費　私服　私物　私用	私有／公私混同
資（し）	資格　資金　資材　資産　資質　資本　資料／物資	増資　投資
指（し）	指針　指紋	指揮　指摘　指名　指令　指図❼
死（し）	死因　死角　死刑　死語／生死　必死　瀕死	死別／餓死　溺死　凍死
時（じ）	時価　時下　時期　時給　時効　時差　時点／瞬時　常時　随時　即時　当時	―
事（じ）	事業　事後　事項　事情　事前　事態　事例／刑事　人事　知事　判事	―
自（じ）	自我　自己　自体　自伝　自費　自力／各自　独自	自営　自覚　自活　自首　自粛　自炊　自制　自重　自転　自白　自爆　自負　自慢　自滅　自立
樹（じゅ）	樹氷　樹木　樹林　樹齢	樹立
受・授（じゅ）	―	受給　受講　受信　受精　受注　授与　受容　受理　受領／伝授　拝受
所（しょ）	所在　所存　所長　所定　所得　所用／急所　局所　名所	所持　所属　所有
書（しょ）	書簡　書記　書式　書評／遺書　秘書	清書　投書

第27回 練習問題　(解答p243)

（　）に入れるのに最もよいものを、1・2・3・4から一つ選びなさい。

1 異質な文化も（　　　）できるようになりたいものだ。
　1 受理　　　2 受給　　　3 受領　　　4 受容

2 まだ20代の監督が現場を（　　　）した。
　1 指針　　　2 指令　　　3 指摘　　　4 指揮

3 犯人はとうとう警察に（　　　）した。
　1 自立　　　2 自首　　　3 自覚　　　4 自負

4 彼は、世界新記録を（　　　）した。
　1 樹立　　　2 倒立　　　3 自立　　　4 成立

5 会社内の（　　　）に大幅な異動があった。
　1 時事　　　2 知事　　　3 人事　　　4 判事

6 店員の態度について、複数の消費者から（　　　）があった。
　1 苦笑　　　2 苦悩　　　3 苦渋　　　4 苦情

7 企画書を書く前にまず（　　　）を調べた。
　1 清書　　　2 投書　　　3 書式　　　4 書記

8 彼は言語教育を研究する（　　　）に勤めている。
　1 機体　　　2 機関　　　3 機密　　　4 機種

9 彼は友人の電話番号をすべて（　　　）していた。
　1 伝記　　　2 登記　　　3 上記　　　4 暗記

10 夏休みは実家に（　　　）するつもりだ。
　1 帰省　　　2 帰化　　　3 帰属　　　4 復帰

11 教師の（　　　）を得るため試験を受けた。
　1 資質　　　2 資本　　　3 資格　　　4 資産

12 出産地を（　　　）して販売する食品会社が増えている。
　1 偽造　　　2 偽装　　　3 偽善　　　4 偽名

問題2　文脈規定　69

漢字語彙

1音の漢字による分類 ④

重要度★★の漢字

漢字	名詞	する動詞
除(じょ)	―	除外(じょがい) 除去(じょきょ) 除湿(じょしつ) 除籍(じょせき) 除雪(じょせつ) ／ 控除(こうじょ) 切除(せつじょ) 排除(はいじょ)
序(じょ)	序盤(じょばん) 序文(じょぶん) 序列(じょれつ) 序論(じょろん) ／ 順序(じゅんじょ) 秩序(ちつじょ)	―
図(ず)	図案(ずあん) 図解(ずかい) 図式(ずしき) 図面(ずめん) ／ 絵図(えず) 構図(こうず)	図示(ずし) ／ 意図(いと)❼
世(せ)	世紀(せいき) 世間(せけん)❼ 世相(せそう) 世帯(せたい) 世代(せだい) 世論(よろん)(世論(せろん)) ／ 後世(こうせい)❼ 前世(ぜんせ)	世襲(せしゅう) ／ 出世(しゅっせ)
打(だ)	打撃(だげき) 打撲(だぼく)	打開(だかい) 打診(だしん) 打倒(だとう) 打破(だは) ／ 殴打(おうだ) 連打(れんだ)
地(ち)	地階(ちかい) 地学(ちがく) 地上(ちじょう) 地勢(ちせい) 地層(ちそう) 地中(ちちゅう) 地蔵(じぞう) 地雷(じらい) ／ 宅地(たくち) 陸地(りくち) 実地訓練(じっちくんれん)	―
土(ど)	土器(どき) 土壌(どじょう) 土台(どだい) 土俵(どひょう) 土木(どぼく) ／ 郷土(きょうど) 国土(こくど) 風土(ふうど) 本土(ほんど)	―
比(ひ)	比重(ひじゅう) 比率(ひりつ)	比喩(ひゆ) 比例(ひれい) ／ 対比(たいひ) 正比例(せいひれい) 反比例(はんびれい)
微(び)	微動(びどう) 微熱(びねつ) 微妙(びみょう) 微量(びりょう) 微塵(みじん)❼	微笑(びしょう)
母(ぼ)	母音(ぼいん) 母系(ぼけい) 母語(ぼご) 母校(ぼこう) 母国(ぼこく) 母性(ぼせい) 母体(ぼたい) 母胎(ぼたい) ／ 義母(ぎぼ) 継母(けいぼ)	―
夜(や)	夜勤(やきん) 夜景(やけい) 夜食(やしょく) 夜分(やぶん) ／ 初夜(しょや) 深夜(しんや) 日夜(にちや) 連夜(れんや)	―
野(や)	野外(やがい) 野獣(やじゅう) 野心(やしん) 野生(やせい) 野鳥(やちょう) 野党(やとう) ／ 原野(げんや) 荒野(こうや) 視野(しや) 分野(ぶんや)	―
余(よ)	余暇(よか) 余興(よきょう) 余剰(よじょう) 余談(よだん) 余地(よち) 余白(よはく) 余命(よめい)	―
予(よ)	予断(よだん) ／ 猶予(ゆうよ)	予感(よかん) 予言(よげん) 予告(よこく) 予想(よそう)
利(り)	利子(りし) 利潤(りじゅん) 利息(りそく) 利点(りてん) ／ 営利(えいり) 権利(けんり)	―
路(ろ)	路地(ろじ) 路上(ろじょう) 路線(ろせん) 路面(ろめん) ／ 岐路(きろ)	―
和(わ)	和式(わしき) 和食(わしょく) 和風(わふう) 和文(わぶん) 和平(わへい) 和訳(わやく) ／ 温和(おんわ) 親和(しんわ) 不和(ふわ)	和解(わかい) ／ 緩和(かんわ) 調和(ちょうわ) 飽和(ほうわ)

第28回 練習問題

（解答p243）

（　）に入れるのに最もよいものを、1・2・3・4から一つ選びなさい。

1. 遺失物の届け出は、（　　）の用紙にご記入ください。
   1 所在　　　2 所定　　　3 所属　　　4 所用

2. この地域の（　　）は稲作に適している。
   1 土木　　　2 土俵　　　3 土足　　　4 土壌

3. 乳幼児は料金の対象から（　　）される。
   1 除外　　　2 除去　　　3 控除　　　4 排除

4. 試合の（　　）は相手チームの方が優勢だった。
   1 序盤　　　2 序列　　　3 秩序　　　4 順序

5. 田中教授はこの（　　）の研究では世界的な権威である。
   1 視野　　　2 分野　　　3 原野　　　4 広野

6. この家には兄弟がそれぞれ（　　）を構えて同居している。
   1 世代　　　2 世帯　　　3 世間　　　4 世相

7. 景気回復の（　　）策を探った。
   1 打開　　　2 打倒　　　3 打破　　　4 打撃

8. この工事が完成するまでは一刻の（　　）も許されない。
   1 予感　　　2 余地　　　3 猶予　　　4 残余

9. 企業は（　　）の追求のみを目的とするものではない。
   1 利潤　　　2 利息　　　3 利点　　　4 利子

10. 我が社は今、（　　）に立たされている。
    1 路面　　　2 路線　　　3 航路　　　4 岐路

11. 米国企業は日本政府に規制の（　　）を要求した。
    1 調和　　　2 緩和　　　3 飽和　　　4 温和

12. 予算に占める人件費の（　　）が大きくなるのは避けたい。
    1 比例　　　2 比較　　　3 比重　　　4 対比

漢字語彙

1音の漢字による分類 ⑤

1音の漢字で、同じ漢字または似た漢字を含む語、同音異義語をまとめました。これらの区別もできるようにしておくとよいでしょう。

重要度★の漢字

漢字の読み	
い・お	維持(する)−繊維　委託(する)−委任(する)−委細　違反(する)−違法　衣装−衣料−衣類　依存(する)−依頼(する)　威力−威厳　汚染(する)−汚職−汚点
か・き・く・こ	架空−高架　化繊−化合 企画(する)−企業　危害−危機−危惧(する)　器官−器材　期日−期末 義務−犠牲−儀式　既婚−既成−既存−既知　寄生−寄贈−寄附（＝寄付）−寄与　拒否(する)−拒絶(する) 区間−区画　誇張(する)−誇示(する)　固有−固定(する)−固執(する)　個性−個別
さ・し・せ・そ	差額−差異　砂漠−砂丘　作用(する)−作動(する)　査察(する)−査定(する)−査証　座標−座礁 思考(する)−試行(する)−試練　施行(する)−施設　志向(する)−志望(する)−志願(する) 支持(する)−支援(する)−支点　始末(する)−始発　紙幣−紙上−紙面　史跡−史料 社交−社宅　謝罪(する)−謝絶(する)−謝礼(する)−射撃(する)　斜面−斜線 取材(する)−取得(する)　修行(する)−修業(する)　首脳−首相−首位−首席 手芸−手法−手話　守備−守衛　趣旨−要旨　諸君−諸国−諸島　庶民−庶務 助言(する)−助長(する) 是正(する)−是認(する)　阻止(する)−阻害(する)
た・ち	多額−多数−多量−多発(する)−過多−最多−雑多　妥協(する)−妥結(する)−妥当 地形−地価　知性−知覚(する)−知力　治安−治療(する)−治癒(する)
は・ひ・ふ・ほ	派遣(する)−派生(する)−派閥 避難(する)−避暑　非難(する)−非行　悲観−悲鳴−悲願(する)　否決(する)−否認(する) 秘書−秘訣　肥料−肥大(する)−肥満　疲労(する)−披露(する) 普及(する)−普遍　付録−付随(する)　負担(する)−負傷(する)−負債　浮力−浮上(する) 腐敗(する)−腐食(する)　武装(する)−武力　部署−部門−部落 捕獲(する)−捕鯨−捕虜　募集(する)−募金(する)
ま・み・よ・ろ	摩擦(する)−麻痺(する)−麻酔−麻薬　魅力−魅了(する)−魅惑(する) 与党−預金(する)　露出(する)−露呈(する)−露店

第29回 練習問題

(解答 p243)

（　　）に入れるのに最もよいものを、1・2・3・4から一つ選びなさい。

1 退院後、彼は健康の（　　）に気を遣っている。
　　1　保持　　　　2　維持　　　　3　保身　　　　4　維新

2 あまり薬剤に（　　）しないようにしたいものだ。
　　1　委託　　　　2　委任　　　　3　依頼　　　　4　依存

3 この事件は歴史に（　　）を残すものとなるだろう。
　　1　汚点　　　　2　欠点　　　　3　失点　　　　4　濁点

4 参加者に対し、まず主催者がこの会の（　　）を説明した。
　　1　趣旨　　　　2　主要　　　　3　真相　　　　4　容体

5 彼の活動が条約成立に大きく（　　）した。
　　1　寄付　　　　2　寄贈　　　　3　寄与　　　　4　寄生

6 父はまだ病院の集中治療室におり、面会は（　　）されております。
　　1　謝礼　　　　2　謝罪　　　　3　謝絶　　　　4　断絶

7 この道は事故が（　　）しているので危険だ。
　　1　多量　　　　2　多数　　　　3　多発　　　　4　多角

8 ダンスのコンテストは3つの（　　）に分けられていた。
　　1　部下　　　　2　部門　　　　3　部署　　　　4　部数

9 教師は生徒一人一人の（　　）を尊重すべきだ。
　　1　固有　　　　2　固定　　　　3　個別　　　　4　個性

10 この薬にはタンパク質を分解する（　　）がある。
　　1　作用　　　　2　作動　　　　3　特技　　　　4　特殊

11 彼は体力の衰えた老母を（　　）に入れることにした。
　　1　建設　　　　2　施設　　　　3　施行　　　　4　設備

12 社長は業績のさらなる悪化を（　　）していた。
　　1　危機　　　　2　危害　　　　3　危惧　　　　4　危篤

2音の漢字「○ん」による分類 ①

重要度★★★の漢字

漢字	名詞	する動詞
安（あん）	安易　安静／慰安　治安　不安定	安定　安眠
運（うん）	運河　運勢　運送　運賃　運命　運輸／幸運　不運	運営　運休　運行　運搬　運用
円（えん）	円滑　円形　円満／一円　楕円	―
完（かん）	完璧／未完	完結　完売　完敗　完備　完了／補完
観（かん）	観客　観衆　観点／客観　主観	観察　観賞　観戦　観念／悲観　楽観
心（しん）	心情　心身　心境　心労　心外　心中／肝心　野心	感心
願（がん）	願書　願望	祈願　懇願　志願　出願　嘆願　悲願
権（けん）	権威　権限　権利　権力／債権　主権　人権　特権　利権　著作権	棄権
限（げん）	限界　限度／期限　極限　権限　際限　無限　門限　有限	限定／制限
参（さん）	参道	参照　参上　参拝／降参
進（しん）	進度　進路	進化　進級　進行　進出　進呈　進展　進入／行進　昇進　推進
選（せん）	―	選挙　選考　選出　選定　選抜／抽選　当選　落選
断（だん）	断固　断食　断熱　断片　断面／不断	断言　断絶　断念／決断　遮断　診断　切断　中断　判断　分断　油断
念（ねん）	念頭　念力／概念　執念　丹念　理念	念願／観念
反（はん）	反感　反戦　反則　反動　反面／違反	反響　反撃　反抗　反射　反芻　反省　反応　反発　反復　反乱　反論
返（へん）	―	返還　返却　返金　返済　返信　返送　返答　返品
便（びん）	便箋　便覧　便宜／穏便　方便　利便	便乗

第30回 練習問題

（解答p243）

（　）に入れるのに最もよいものを、1・2・3・4から一つ選びなさい。

1. 波乱万丈の人生を送って来た彼も、晩年の生活は（　　）していた。
   1　安静　　　2　安易　　　3　安定　　　4　安楽

2. 受験に失敗したおかげで彼女と巡り合えたのは、（　　）だったのかもしれない。
   1　天性　　　2　天然　　　3　運勢　　　4　運命

3. 台風の被害は関東（　　）に広がった。
   1　円満　　　2　一円　　　3　円盤　　　4　楕円

4. この住宅は太陽光発電による冷暖房を（　　）している。
   1　完備　　　2　完璧　　　3　完結　　　4　補完

5. 我が校の野球チームは優勝候補を相手に（　　）したが、惜しくも敗れた。
   1　格闘　　　2　健闘　　　3　紛争　　　4　奮発

6. 山田博士は生物学の（　　）である。
   1　主権　　　2　特権　　　3　権威　　　4　権限

7. もっと有能な部下がほしいと思っても、彼には人事の（　　）がなかった。
   1　制限　　　2　際限　　　3　権限　　　4　極限

8. 捜査を重ねたが事件の解決には何の（　　）も見られなかった。
   1　進化　　　2　進展　　　3　昇進　　　4　推進

9. 会の代表を（　　）で選ぶことにした。
   1　選出　　　2　選抜　　　3　当選　　　4　抽選

10. 山田議員は政府の案に（　　）として反対した。
    1　断固　　　2　断言　　　3　断念　　　4　断絶

11. ネットで救援を求める現地からの呼び掛けに大きな（　　）があった。
    1　反乱　　　2　反面　　　3　反響　　　4　反射

12. 彼は5年かけて借金をすべて（　　）した。
    1　返還　　　2　返却　　　3　返信　　　4　返済

漢字語彙

2音の漢字「○ん」による分類 ②

重要度★★★の漢字

漢字	名詞	する動詞
ほん 本	ほんごく ほんしつ ほんしゃ ほんしん ほんせき ほんたい 本国　本質　本社　本心　本籍　本体 ほんのう ほんばん ほんみょう ほんめい ほんろん きゃくほん 本能　本番　本名　本命　本論／脚本 げんぽん こんぽん しほん てほん みほん 原本　根本　資本　手本　見本	—
まん 満	まんかい まんげつ まんじょう まんしつ まんせき まんちょう 満開　満月　満場　満室　満席　満潮 まんてん まんぱい えんまん みまん 満点　満杯／円満　未満	まんぞく じゅうまん 満足／充満
らん 覧	びんらん 便覧	いちらん えつらん かんらん 一覧　閲覧　観覧
れん 連	れんきゅう れんごう れんじつ れんちゅう れんぽう れんめい 連休　連合　連日　連中　連邦　連盟 れんめい れんや こくれん 連名　連夜　国連	れんけい れんけつ れんさ れんしょう れんせん れんたい 連携　連結　連鎖　連勝　連戦　連帯 れんどう れんぱ れんぱい れんぱつ かんれん 連動　連覇　連敗　連発／関連
ろん 論	ろんてん ろんり いろん かくろん げんろん じろん 論点　論理／異論　各論　言論　持論 そうろん よろん 総論　世論	ろんぎ ろんしょう ろんそう とうろん はんろん 論議　論証　論争／討論　反論

重要度★★の漢字

漢字	名詞	する動詞
あん 暗	あんごう あんこく あんもく めいあん 暗号　暗黒　暗黙／明暗	あんさつ あんざん あんじ 暗殺　暗算　暗示
おん 音	おんきょう おんせい おんせつ おんてい おんりょう ほんね 音響　音声　音節　音程　音量　本音❶ よわね ねいろ 弱音❶／音色❶	おんどく 音読
かん 感	かんしょく かんせい かんど かいかん どんかん びんかん 感触　感性　感度／快感　鈍感　敏感	かんか かんせん かんたん かんち かんでん かんめい 感化　感染　感嘆　感知　感電　感銘 ちょっかん ／直感
かん 関	かんぜい かんせつ かんもん きかん ぜいかん なんかん 関税　関節　関門／機関　税関　難関	かんち かんよ 関知　関与
がん 元	がんそ❶ がんたん がんねん❶ がんらい❶ げんきょう きげん 元祖❶　元旦　元年❶　元来❶　元凶／紀元 じげん 次元	ふくげん 復元
きん 金	きんぱつ きんり がんきん ききん しききん れいきん 金髪　金利／元金　基金　敷金　礼金	しゃっきん へんきん 借金　返金
きん 近	きんかい きんがん きんき きんきょう きんこう きんし 近海　近眼　近畿　近況　近郊　近視 きんねん きんりん ふきん しんきんかん 近年　近隣／付近　親近感	せっきん 接近
けん 検	けんさつ けんじ 検察　検事	けんえつ けんさく けんしょう けんしん けんてい けんとう 検閲　検索　検証　検診　検定　検討 けんもん たんけん てんけん 検問／探検　点検
げん 現	げんこう げんち 現行　現地	げんぞう げんそん じつげん たいげん ひょうげん 現像　現存／実現　体現　表現

第31回 練習問題

(解答 p243)

（　）に入れるのに最もよいものを、1・2・3・4から一つ選びなさい。

1 一国の経済破綻が（　　　）反応を起こし、ヨーロッパ全体に広がった。
　1　連動　　　2　連携　　　3　連合　　　4　連鎖

2 彼は常に消費者の反応を（　　　）に置いて仕事をしている。
　1　丹念　　　2　執念　　　3　念願　　　4　念頭

3 市内の体育館を全て（　　　）にして市のホームページに掲載した。
　1　一覧　　　2　閲覧　　　3　探索　　　4　探査

4 「絶対に成功する」と自分で自分に（　　　）をかけた。
　1　念力　　　2　観念　　　3　暗号　　　4　暗示

5 取り引き先と話していて、この件について良い（　　　）を得た。
　1　感度　　　2　感触　　　3　感知　　　4　感銘

6 会社内で起きた事件だったが、調べると外部からの（　　　）が認められた。
　1　関知　　　2　関与　　　3　関節　　　4　関門

7 台風が沖縄地方に（　　　）している。
　1　近海　　　2　近隣　　　3　接近　　　4　付近

8 コンロから漏れたガスが部屋に（　　　）していた。
　1　満場　　　2　満室　　　3　充満　　　4　円満

9 彼の意見に対して、別の観点から（　　　）を述べた。
　1　世論　　　2　議論　　　3　討論　　　4　反論

10 先生が書いた漢字を（　　　）にして、何度も書く練習をした。
　1　原本　　　2　根本　　　3　手本　　　4　資本

11 彼、歌手にしては（　　　）がずれているね。
　1　音節　　　2　音符　　　3　音程　　　4　音色

12 企画の予算について社内で（　　　）することになった。
　1　検定　　　2　検索　　　3　検閲　　　4　検討

漢字語彙

2音の漢字「○ん」による分類 ③

重要度★★の漢字

漢字	名詞	する動詞
げん 幻	げんえい 幻影　げんかく 幻覚　げんそう 幻想　げんとう 幻灯　へんげんじざい 変幻自在	げんめつ 幻滅
げん 減	げんしゅう 減収	げんがく 減額　げんきゅう 減給　げんしょう 減少　げんぜい 減税　げんてん 減点　げんめん 減免　げんりょう 減量／かげん 加減　けいげん 軽減　げきげん 激減　さくげん 削減　ぞうげん 増減
げん 原	げんあん 原案　げんか 原価　げんけい 原形　げんけい 原型　げんさく 原作　げんし 原子　げんしょ 原書　げんそく 原則　げんてん 原点　げんてん 原典　げんぶん 原文　げんゆ 原油	―
げん 厳	げんかん 厳寒　げんきん 厳禁　げんとう 厳冬　げんばつ 厳罰／いげん 威厳　そんげん 尊厳	げんしゅ 厳守　げんせん 厳選
こん 根	こんかん 根幹　こんき 根気　こんきょ 根拠　こんげん 根源　こんじょう 根性　こんてい 根底　こんぽん 根本／ねもと 根元❼	こんぜつ 根絶
こん 混	こんけつ 混血　こんとん 混沌	こんせん 混線　こんどう 混同　こんにゅう 混入　こんめい 混迷　こんらん 混乱
さん 山	さんがく 山岳　さんそん 山村　さんち 山地　さんちょう 山頂　さんぷく 山腹　さんみゃく 山脈　さんろく 山麓／かざん 火山　こうざん 高山　ひょうざん 氷山	さんせき 山積
さん 散	さんぶん 散文　さんまん 散漫	さんさく 散策　さんぱつ 散発　さんぱつ 散髪　さんらん 散乱／かいさん 解散　はっさん 発散
ざん 残	ざんがく 残額　ざんきん 残金　ざんしょ 残暑　ざんだか 残高❼／むざん 無残	ざんぎょう 残業　ざんそん 残存　ざんりゅう 残留
しん 新	しんえい 新鋭　しんき 新規　しんこう 新興　しんこん 新婚　しんじん 新人　しんちく 新築　しんにん 新任　しんまい 新米　しんりょく 新緑／かくしん 革新　ざんしん 斬新	―
しん 真	しんか 真価　しんぎ 真偽　しんじつ 真実　しんじゅ 真珠　しんずい 真髄　しんそう 真相　しんり 真理　まがお 真顔❼　ましょうめん 真正面　まっさいちゅう 真っ最中❼	まね 真似❼
しん 信	しんじゃ 信者　しんねん 信念／じしん 自信　はいしん 背信　めいしん 迷信	しんこう 信仰　しんにん 信任／かくしん 確信　じゅしん 受信　つうしん 通信　はいしん 配信　はっしん 発信
じゅん 順	じゅんい 順位　じゅんろ 順路／じゅうじゅん 従順　ふじゅん 不順　みちじゅん 道順	じゅんえん 順延　じゅんしゅ 順守　じゅんのう 順応
せん 先	せんだい 先代　せんちゃく 先着　せんぽう 先方　せんやく 先約　せんれい 先例／そせん 祖先	せんこう 先行／そっせん 率先　ゆうせん 優先
せん 戦	せんきょく 戦局　せんさい 戦災　せんじゅつ 戦術　せんとう 戦闘　せんりゃく 戦略　せんりょく 戦力／げきせん 激戦　ねっせん 熱戦	せんし 戦死／くせん 苦戦　せっせん 接戦　たいせん 対戦
ぜん 前	ぜんえい 前衛　ぜんせん 前線　ぜんちょう 前兆　ぜんてい 前提　ぜんと 前途　ぜんはん 前半　ぜんや 前夜　ぜんりゃく 前略　ぜんれい 前例　ぜんれき 前歴／ちょくぜん 直前　もくぜん 目前	ぜんじゅつ 前述
ぜん 全	ぜんいき 全域　ぜんがく 全額　ぜんけん 全権　ぜんせい 全盛　ぜんよう 全容／ばんぜん 万全	ぜんかい 全快　ぜんかい 全壊　ぜんしょう 全焼　ぜんち 全治　ぜんのう 全納　ぜんめつ 全滅

第32回 練習問題

（解答 p243）

（　　）に入れるのに最もよいものを、1・2・3・4から一つ選びなさい。

1. 明日の会議は重要なので遅刻は（　　）だと注意された。
   1 厳守　　　2 厳禁　　　3 威厳　　　4 尊厳

2. 証言がうそだったことが判明し、検察側の主張は（　　）から覆された。
   1 根底　　　2 根気　　　3 根性　　　4 根源

3. 彼は今、公私を含め問題が（　　）しており、参っている。
   1 山脈　　　2 山岳　　　3 山腹　　　4 山積

4. 朝早くホテルを出て、湖の周りを（　　）した。
   1 散策　　　2 散漫　　　3 散発　　　4 発散

5. 会議での発言は一人5分までを（　　）とさせていただきます。
   1 原案　　　2 原点　　　3 原形　　　4 原則

6. 仕事の上で公私を（　　）してはいけない。
   1 混迷　　　2 混戦　　　3 混同　　　4 混入

7. 結局、山田議員殺人事件の（　　）は闇に葬られた。
   1 真理　　　2 真偽　　　3 真相　　　4 真髄

8. この席は、お年寄りの方が（　　）です。
   1 先例　　　2 先行　　　3 率先　　　4 優先

9. 彼女と結婚を（　　）にお付き合いを始めた。
   1 前途　　　2 前衛　　　3 前提　　　4 前例

10. このチームの（　　）のころは、大会で5連覇したこともある。
    1 全盛　　　2 全快　　　3 全権　　　4 万全

11. 東京での生活に憧れていたが、実際に住んでみると（　　）することも多い。
    1 幻滅　　　2 幻覚　　　3 幻想　　　4 幻影

12. 彼は、部長から（　　）の社員教育を担当するよう言いつけられた。
    1 新興　　　2 新人　　　3 新規　　　4 新緑

漢字語彙

2音の漢字「○ん」による分類 ④

重要度★★の漢字

漢字	名詞	する動詞
善(ぜん)	善悪 善意 ／ 偽善 最善 親善	善処 善戦 ／ 改善
探(たん)	探偵 探知機	探究 探検 探査 探索
単(たん)	単一 単価 単身 単調 単独 ／ 簡単	—
点(てん)	点字 点線 ／ 観点 起点 欠点 弱点 終点 重点	点火 点検 点灯 点滅 ／ 得点
天(てん)	天下 天狗 天国 天才 天災 天使 天体 天地 天敵 天秤 ／ 雨天 晴天	仰天
転(てん)	—	転移 転換 転居 転勤 転校 転向 転載 転出 転職 転送 転倒 転入 転任 転覆 転落 ／ 移転 回転 逆転
伝(でん)	伝説 ／ 自伝 以心伝心	伝言 伝達 伝聞 伝来 ／ 宣伝
難(なん)	難関 難局 難産 難題 難点 難病 難民 難問	難航 難破 ／ 遭難 非難 避難
認(にん)	—	認可 認識 認証 認定 ／ 公認 誤認 承認 否認 黙認
年(ねん)	年賀 年鑑 年金 年号 年始 年収 年数 年長 年頭 年内 年末 年利 年輪 ／ 中年 定年 長年 晩年 老年	—
半(はん)	半額 半期 半球 半月 半数 半端 ／ 後半 前半 大半	半減 ／ 折半
判(はん)	判決 判例 ／ 公判 裁判 審判	判定 判明 ／ 批判
品(ひん)	品詞 品質 品種 品目 ／ 気品 下品 上品 物品 薬品	—
分(ぶん)	分別 ／ 親分 区分 子分 成分	分割 分岐 分業 分散 分析 分担 分断 分配 分泌 分裂 ／ 処分
文(ぶん)	文型 文書 文頭 文末 文面 文句❼	文通

第33回 練習問題

（解答 p243）

（　）に入れるのに最もよいものを、1・2・3・4から一つ選びなさい。

1 インフルエンザでクラスの（　　　）が欠席して授業にならなかった。
　1　大半　　　　2　後半　　　　3　半端　　　　4　半減

2 部下からのメールを上司に（　　　）した。
　1　転移　　　　2　転向　　　　3　転回　　　　4　転送

3 両国間の和平交渉は（　　　）している。
　1　難産　　　　2　難航　　　　3　難破　　　　4　難問

4 社員の要望に応え、会社側は（　　　）した。
　1　親善　　　　2　善意　　　　3　善良　　　　4　善処

5 エスカレーターの（　　　）のため階段をご利用ください。
　1　点滅　　　　2　点検　　　　3　観点　　　　4　重点

6 このカメラは熱を（　　　）することができる。
　1　探究　　　　2　探偵　　　　3　探知　　　　4　探索

7 このドアは、利用者の指紋を（　　　）できないと開かないようになっている。
　1　公認　　　　2　黙認　　　　3　認可　　　　4　認証

8 この池には蛇の霊が住みついているという（　　　）がある。
　1　伝説　　　　2　伝達　　　　3　伝統　　　　4　伝聞

9 犯人は40代の（　　　）男性と思われる。
　1　老年　　　　2　中年　　　　3　晩年　　　　4　長年

10 地震や洪水などの（　　　）は忘れたころにやって来る。
　1　難関　　　　2　難局　　　　3　天災　　　　4　天敵

11 田中さんは中国のリーさんと日本語で（　　　）を始めた。
　1　文書　　　　2　文面　　　　3　文語　　　　4　文通

12 試合に負けた当日から、敗因を（　　　）した。
　1　分配　　　　2　分担　　　　3　分析　　　　4　分解

2音の漢字「○ん」による分類 ⑤

重要度★★の漢字

変 へん	異変　臨機応変	変革　変換　変形　変質　変色　変身 変遷　変装　変動　変容	
弁 べん	弁論／詭弁　雄弁	弁解　弁護　弁償　弁明／勘弁　代弁	
民 みん	民意　民営　民家　民宿　民族／庶民	―	
面 めん	面識　面前　面談　面目／一面　仮面 顔面　紙面　半面　反面	面会	
乱 らん	―	乱獲　乱闘　乱読　乱発　乱立／混乱 錯乱　散乱　反乱	

重要度★の漢字

漢字の読み

いん・えん
印鑑－印象　陰謀－隠居(する)－隠蔽(する)　引火(する)－引率(する)－強引(する)
演奏(する)－演出(する)－開演(する)－講演(する)　延滞(する)－延命(する)
炎症－炎上(する)　遠方－遠隔－遠視－遠征(する)－永遠
沿岸－沿線－沿海－沿革

かん・きん・けん
監視(する)－監査－監禁(する)－監獄－監督(する)　干渉(する)－干潮－若干
慣行－慣習－習慣－慣用－慣例
勧告(する)－勧誘(する)－歓声－歓喜(する)－歓談(する)
換算(する)－換金(する)－交換(する)－喚起(する)　貫禄－貫通(する)－一貫(する)
幹部－幹線－幹事　緩和(する)－緩急－弛緩(する)　還暦－還元(する)
頑固－頑丈－頑迷
緊急－緊迫(する)　禁物－禁忌－厳禁－解禁(する)
兼業－兼用(する)－兼任(する)　見地－見識－会見(する)－外見　献金(する)－献血
言動－言論－言及(する)

第34回 練習問題

（解答p243）

（　　）に入れるのに最もよいものを、1・2・3・4から一つ選びなさい。

1　彼はとても明るく朗らかで良い（　　）を受ける。
　　1　感想　　　　2　幻想　　　　3　現象　　　　4　印象

2　修学旅行では、（　　）の先生を中心にみんなで記念写真を撮った。
　　1　引退　　　　2　引率　　　　3　強引　　　　4　索引

3　結婚披露宴はとても凝った（　　）で雰囲気も盛り上がった。
　　1　注文　　　　2　指揮　　　　3　演出　　　　4　監督

4　授業料は（　　）のないように納入願います。
　　1　延滞　　　　2　渋滞　　　　3　遅延　　　　4　遅刻

5　平日に家にいるといろんな業者から（　　）の電話がかかって来る。
　　1　宣告　　　　2　勧告　　　　3　勧誘　　　　4　誘惑

6　不正に関わっていたのは（　　）社員全員だった。
　　1　肝心　　　　2　肝要　　　　3　幹事　　　　4　幹部

7　この欄に災害時など（　　）の連絡先を記入してください。
　　1　至急　　　　2　緊急　　　　3　緊迫　　　　4　性急

8　一度成功したからといって、油断は（　　）である。
　　1　禁物　　　　2　禁止　　　　3　制止　　　　4　抑制

9　浪費を抑え、（　　）に努めた。
　　1　要約　　　　2　倹約　　　　3　省略　　　　4　簡略

10　首相はプライベートな質問に対しては（　　）を避けた。
　　1　口頭　　　　2　口調　　　　3　言及　　　　4　言動

11　優勝は逃したが、第3位の結果に、なんとか（　　）は保つことができた。
　　1　面目　　　　2　面識　　　　3　顔面　　　　4　一面

12　あまりのショックに頭が（　　）してしまった。
　　1　反乱　　　　2　散乱　　　　3　騒乱　　　　4　混乱

漢字語彙

2音の漢字「○ん」による分類 ⑥

重要度★の漢字

漢字の読み	
さん・しん・せん・そん	産出(する)−産物　賛美(する)−賛同(する) 親善−親族−親睦　神経−神殿−神秘　振興(する)−振動(する)　審査(する)−審理 侵入(する)−侵略(する)−侵害(する)−侵攻(する)　浸食(する)−浸水(する)−浸透(する) 専科−専攻(する)−専業−専修−専用−専念(する)−専売(する) 宣言(する)−宣伝(する)−宣告(する)　占領(する)−占拠(する)−占有(する)−独占(する) 旋回(する)−旋律−斡旋(する) 損失−損傷(する)
たん・ちん・てん	短縮(する)−短歌−短文−長短　担架−担任(する)−担保−加担(する)−分担(する) 団結(する)−団欒　談合−談判(する)−談話 弾力−弾丸−弾圧(する)−弾劾(する)−爆弾−糾弾(する) 陳列(する)−陳述(する)−陳情(する)　鎮圧(する)−鎮火(する) 沈黙(する)−沈殿(する)−沈没(する)−沈下(する)−沈着(する) 添加(する)−添削(する)−添付(する)　展示(する)−展望(する)
にん・ねん	任命(する)−任務−任意−委任(する)−辞任(する)−妊娠(する)　燃料−燃焼(する)
はん・ひん・ふん・へん	繁栄(する)−繁盛(する)−繁殖(する)　搬送(する)−搬入(する)　犯罪−犯行−氾濫(する) 頻出(する)−頻発(する) 紛失(する)−紛争(する)−紛糾(する)−粉末　憤慨(する)−噴出(する)−噴射(する) 編成(する)−編入(する)−偏見−偏向−偏食

第35回 練習問題

(解答p243)

（　）に入れるのに最もよいものを、1・2・3・4から一つ選びなさい。

1 ここは女性（　　）のトイレです。
　　1　専攻　　　　2　専用　　　　3　専業　　　　4　専念

2 スピーチコンテストは（　　）により優勝者が決定される。
　　1　診断　　　　2　審理　　　　3　審査　　　　4　考査

3 市が公共事業を発注する際、（　　）が行われ、事件となった。
　　1　集会　　　　2　会談　　　　3　談合　　　　4　団結

4 きらびやかな宝石がガラスケースの中に（　　）されていた。
　　1　開陳　　　　2　陳列　　　　3　展開　　　　4　参列

5 この書類には身分証明書の（　　）が必要だ。
　　1　添付　　　　2　寄付　　　　3　添加　　　　4　増加

6 彼は議会の議長に（　　）された。
　　1　放任　　　　2　就任　　　　3　任命　　　　4　運命

7 不潔な所にはカビや微生物が（　　）する。
　　1　繁盛　　　　2　繁殖　　　　3　増大　　　　4　膨大

8 司会者は登場したスターの経歴を（　　）した。
　　1　名誉　　　　2　誇大　　　　3　雄弁　　　　4　賛美

9 大事な書類を（　　）してしまい、上司に怒られた。
　　1　忘却　　　　2　喪失　　　　3　紛失　　　　4　紛糾

10 友人が甥の就職を（　　）してくれた。
　　1　関与　　　　2　仲裁　　　　3　媒介　　　　4　斡旋

11 テレビでは有名人夫婦の離婚問題が話題を（　　）している。
　　1　占領　　　　2　占拠　　　　3　独占　　　　4　独断

12 外国人に対して（　　）を持たないようにしたいものだ。
　　1　傾向　　　　2　傾倒　　　　3　偏向　　　　4　偏見

漢字語彙

2音の漢字「○い」による分類 ①

重要度★★★の漢字

漢字	名詞	する動詞
あい 愛	愛護　愛想　愛着／親愛	愛用／敬愛　恋愛
かい 開	未開	開演　開館　開業　開校　開催　開示　開場　開戦　開拓　開店　開発　開封　開閉　開放　開幕／公開　打開　展開
かい 改	—	改悪　改革　改行　改修　改選　改善　改築　改定　改訂　改良
かい 介	厄介	介護　介在　介入　介抱／媒介
がい 概	概念　概要　概略　概論／一概　大概	概算　概説
がい 害	害悪　害虫　害毒／危害　災害　傷害　損害　利害　冷害	殺害　迫害　妨害
けい 形	形見　形式　形勢　形跡　形態／外形　髪形　図形　定形	形成
さい 再	再三　再度　再犯	再会　再開　再起　再建　再現　再考　再生　再発　再編　再来
せい 制	制裁　制服／体制　週休二日制	制御　制限　制作　制止　制定　制覇　制約／規制　強制　統制　抑制
せい 成	成果　成年　成否　成分／未完成	成育　成功　成熟　成立　成就／育成　形成　結成　作成　編成　養成
せい 性	性格　性質　性能／根性　属性　天性　理性　可能性　人間性	—
たい 対	対案　対称　対等／一対　絶対　相対　一対一	対応　対決　対抗　対峙　対処　対戦　対談　対比　対面　対話／応対　敵対
だい 大（大）	大家　大概　大吉　大凶　大金　大衆　大胆　大地　大脳　大仏／偉大　寛大　細大　甚大　雄大	大敗　大別

第36回 練習問題

（解答p243）

（　）に入れるのに最もよいものを、1・2・3・4から一つ選びなさい。

1 もう30年も使い続けているこのペンには（　　）を覚える。
　　1　愛想　　　　2　愛用　　　　3　愛護　　　　4　愛着

2 社員たちは会社側に待遇の（　　）を要求した。
　　1　改修　　　　2　改定　　　　3　改善　　　　4　改革

3 彼は施設で老人の（　　）をしている。
　　1　介入　　　　2　介護　　　　3　厄介　　　　4　媒介

4 新企画の（　　）を説明いたします。
　　1　概要　　　　2　概説　　　　3　概論　　　　4　大概

5 盗難があった事務室には何者かが侵入した（　　）があった。
　　1　形態　　　　2　形勢　　　　3　形跡　　　　4　形式

6 上司から（　　）注意されたにもかかわらず、彼はまた遅刻した。
　　1　再現　　　　2　再生　　　　3　再発　　　　4　再三

7 彼のシャツのデザインは左右（　　）になっていた。
　　1　対照　　　　2　対称　　　　3　対面　　　　4　対比

8 何かに電波を（　　）されテレビが映らなくなった。
　　1　害悪　　　　2　妨害　　　　3　傷害　　　　4　損害

9 日本は今、中央集権の（　　）から地方分権へと向かおうとしている。
　　1　体制　　　　2　規制　　　　3　強制　　　　4　制御

10 人間は結婚し、子どもを産み、家族を（　　）する動物である。
　　1　成立　　　　2　形成　　　　3　促成　　　　4　作成

11 コンピュータを購入する前に、他社製品と（　　）を比較した。
　　1　属性　　　　2　天性　　　　3　性格　　　　4　性能

12 会社全体が新製品の（　　）に力を注いだ。
　　1　開幕　　　　2　開封　　　　3　開発　　　　4　開拓

漢字語彙

2音の漢字「○い」による分類 ②

重要度★★★の漢字

漢字	名詞	する動詞
退(たい)	進退(しんたい) 一進一退(いっしんいったい)	退化(たいか) 退学(たいがく) 退却(たいきゃく) 退去(たいきょ) 退治(たいじ) 退社(たいしゃ) 退場(たいじょう) 退職(たいしょく) 退席(たいせき) 退団(たいだん) 退任(たいにん) 退廃(たいはい)／引退(いんたい) 撃退(げきたい) 後退(こうたい) 辞退(じたい) 衰退(すいたい) 早退(そうたい) 脱退(だったい) 撤退(てったい) 敗退(はいたい)
配(はい)	配偶者(はいぐうしゃ)／気配(けはい) 采配(さいはい)	配給(はいきゅう) 配属(はいぞく) 配達(はいたつ) 配置(はいち) 配当(はいとう) 配布(はいふ) 配分(はいぶん) 配慮(はいりょ) 配列(はいれつ)／支配(しはい) 手配(てはい) 分配(ぶんぱい)
背(はい)	背骨(せぼね)❷ 猫背(ねこぜ)❷ 背景(はいけい) 背後(はいご) 背信(はいしん) 背面(はいめん)	背反(はいはん)
名(めい)	名案(めいあん) 名義(めいぎ) 名曲(めいきょく) 名月(めいげつ) 名産(めいさん) 名称(めいしょう) 名人(めいじん) 名声(めいせい) 名簿(めいぼ) 名目(めいもく) 名誉(めいよ)／汚名(おめい) 姓名(せいめい) 著名(ちょめい) 匿名(とくめい) 売名(ばいめい) 本名(ほんみょう)❷	指名(しめい) 除名(じょめい) 命名(めいめい)
明(めい)	明暗(めいあん) 明細(めいさい) 明白(めいはく) 明瞭(めいりょう) 明朗(めいろう)／賢明(けんめい) 鮮明(せんめい) 透明(とうめい) 未明(みめい)	明記(めいき) 明言(めいげん) 明示(めいじ)／失明(しつめい) 弁明(べんめい)
類(るい)	類例(るいれい)／同類(どうるい)	類似(るいじ) 類推(るいすい)／分類(ぶんるい)

重要度★★の漢字

漢字	名詞	する動詞
会(かい)	会心(かいしん) 会長(かいちょう) 会費(かいひ)／司会(しかい)	会釈(えしゃく) 会見(かいけん) 会談(かいだん)／照会(しょうかい) 面会(めんかい)
回(かい)	回線(かいせん) 回路(かいろ) 回廊(かいろう)	回帰(かいき) 回顧(かいこ) 回収(かいしゅう) 回送(かいそう) 回想(かいそう) 回避(かいひ) 回覧(かいらん)／巡回(じゅんかい) 撤回(てっかい)
解(かい)	解毒(げどく)❷ 解熱(げねつ)❷／見解(けんかい) 難解(なんかい) 明解(めいかい)	解禁(かいきん) 解雇(かいこ) 解除(かいじょ) 解消(かいしょう) 解体(かいたい) 解凍(かいとう) 解任(かいにん) 解剖(かいぼう) 解明(かいめい) 解約(かいやく)／曲解(きょっかい) 誤解(ごかい) 分解(ぶんかい) 弁解(べんかい) 理解(りかい)
海(かい)	海運(かいうん) 海峡(かいきょう) 海上(かいじょう) 海水(かいすい) 海草(かいそう) 海藻(かいそう) 海底(かいてい) 海抜(かいばつ) 海面(かいめん) 海流(かいりゅう) 海路(かいろ)	―
外(がい)	外貨(がいか) 外観(がいかん) 外気(がいき) 外見(がいけん) 外交(がいこう) 外食(がいしょく) 外人(がいじん) 外面(がいめん) 外来(がいらい)／圏外(けんがい) 想定外(そうていがい)	―

第37回 練習問題

（解答 p243）

（　）に入れるのに最もよいものを、1・2・3・4から一つ選びなさい。

1 参加者に資料が（　　）された。
　1 配布　　　2 配分　　　3 配置　　　4 配当

2 会社は経費削減という（　　）で社員の給料を減らそうとしている。
　1 名称　　　2 名目　　　3 名案　　　4 名声

3 電話ご利用の（　　）につきましては別途書類にて送付いたします。
　1 明記　　　2 明白　　　3 明細　　　4 明瞭

4 この二つの商品は（　　）していて見分けがたい。
　1 同類　　　2 親類　　　3 類例　　　4 類似

5 彼は写真を見ながら、20年前の（　　）にふけった。
　1 回覧　　　2 回帰　　　3 回想　　　4 回避

6 1時間後、警戒警報は（　　）された。
　1 解除　　　2 解消　　　3 解明　　　4 解禁

7 故障したコンピュータを（　　）して、修理した。
　1 解剖　　　2 解約　　　3 曲解　　　4 分解

8 津波は（　　）36メートル地点にまで到達した。
　1 海抜　　　2 海上　　　3 海面　　　4 海路

9 この病院では（　　）の患者が日に3000名も訪れるという。
　1 外見　　　2 外来　　　3 外交　　　4 外面

10 田中選手は30歳で現役を（　　）した。
　1 脱退　　　2 引退　　　3 後退　　　4 撤退

11 首相は今後の進退について（　　）を避けた。
　1 名言　　　2 名声　　　3 明言　　　4 明白

12 友人の結婚パーティーの（　　）を務めることになった。
　1 会長　　　2 会員　　　3 会費　　　4 司会

漢字語彙

2音の漢字「○い」による分類 ③

重要度★★の漢字

漢字	名詞	する動詞
軽(けい)	軽傷(けいしょう)　軽症(けいしょう)　軽食(けいしょく)　軽度(けいど)	軽減(けいげん)　軽視(けいし)　軽蔑(けいべつ)
経(けい)	経緯(けいい)　経費(けいひ)　経理(けいり)　経歴(けいれき)　経路(けいろ)／神経(しんけい)	経過(けいか)
細(さい)	細菌(さいきん)　細部(さいぶ)　細胞(さいぼう)／委細(いさい)　詳細(しょうさい)	細工(さいく)
採(さい)	採算(さいさん)　採否(さいひ)	採掘(さいくつ)　採決(さいけつ)　採取(さいしゅ)　採集(さいしゅう)　採択(さいたく)　採用(さいよう)
最(さい)	最愛(さいあい)　最悪(さいあく)　最強(さいきょう)　最古(さいこ)　最期(さいご)　最上(さいじょう)　最新(さいしん)　最善(さいぜん)　最多(さいた)　最大(さいだい)　最短(さいたん)　最良(さいりょう)	―
在(ざい)	在庫(ざいこ)　在室(ざいしつ)　在職(ざいしょく)　在宅(ざいたく)　在中(ざいちゅう)／健在(けんざい)	在住(ざいじゅう)　在籍(ざいせき)　在任(ざいにん)　在留(ざいりゅう)／滞在(たいざい)
水(すい)	水圧(すいあつ)　水位(すいい)　水害(すいがい)　水源(すいげん)　水晶(すいしょう)　水深(すいしん)　水性(すいせい)　水洗(すいせん)　水槽(すいそう)　水田(すいでん)　水門(すいもん)　水力(すいりょく)	―
推(すい)	―	推移(すいい)　推計(すいけい)　推敲(すいこう)　推察(すいさつ)　推奨(すいしょう)　推進(すいしん)　推薦(すいせん)　推測(すいそく)　推理(すいり)／類推(るいすい)
生(せい)	生涯(しょうがい)❼　生気(せいき)　生計(せいけい)　生後(せいご)　生死(せいし)　生鮮(せいせん)　生前(せいぜん)　生態(せいたい)　生誕(せいたん)　生理(せいり)／厚生(こうせい)	生育(せいいく)　生成(せいせい)　生息(せいそく)　生存(せいぞん)／更生(こうせい)　再生(さいせい)　発生(はっせい)
正(せい)	正月(しょうがつ)❼　正直(しょうじき)❼　正体(しょうたい)❼　正味(しょうみ)❼　正解(せいかい)　正規(せいき)　正義(せいぎ)　正常(せいじょう)　正答(せいとう)　正論(せいろん)／不正(ふせい)	正座(せいざ)／改正(かいせい)　校正(こうせい)　修正(しゅうせい)　是正(ぜせい)　訂正(ていせい)
製(せい)	製鉄(せいてつ)　製法(せいほう)　製薬(せいやく)　製油(せいゆ)	製造(せいぞう)　製本(せいほん)／作製(さくせい)　精製(せいせい)
体(たい)	体格(たいかく)　体型(たいけい)　体質(たいしつ)　体調(たいちょう)　体長(たいちょう)　体内(たいない)　体罰(たいばつ)　体力(たいりょく)　体裁(ていさい)❼／遺体(いたい)　具体(ぐたい)　媒体(ばいたい)　文体(ぶんたい)　本体(ほんたい)　世間体(せけんてい)❼	体験(たいけん)　体得(たいとく)／解体(かいたい)
代(だい)	代案(だいあん)　代休(だいきゅう)　代償(だいしょう)　代々(だいだい)　代名詞(だいめいし)／現代(げんだい)　世代(せだい)　歴代(れきだい)	代弁(だいべん)　代用(だいよう)／交代(こうたい)
追(つい)	追試(ついし)　追伸(ついしん)	追憶(ついおく)　追及(ついきゅう)　追究(ついきゅう)　追求(ついきゅう)　追従(ついじゅう)　追跡(ついせき)　追悼(ついとう)　追突(ついとつ)　追放(ついほう)
定(てい)	定額(ていがく)　定形(ていけい)　定刻(ていこく)　定職(ていしょく)　定年(ていねん)／一定(いってい)　未定(みてい)	定義(てぎ)　定着(ていちゃく)／安定(あんてい)　確定(かくてい)　仮定(かてい)　肯定(こうてい)　推定(すいてい)　否定(ひてい)
提(てい)	前提(ぜんてい)	提案(ていあん)　提起(ていき)　提供(ていきょう)　提携(ていけい)　提言(ていげん)　提示(ていじ)

第38回 練習問題

(解答p243)

（　）に入れるのに最もよいものを、1・2・3・4から一つ選びなさい。

1. この店では月に一度（　　　）の整理が行われる。
    1　在留　　　　2　在庫　　　　3　在籍　　　　4　在室

2. 彼はインターネットビジネスで（　　　）を立てている。
    1　生計　　　　2　生育　　　　3　生息　　　　4　生存

3. 彼はアルバイトを5年も続け、（　　　）の収入を得られるようになった。
    1　仮定　　　　2　一定　　　　3　定形　　　　4　定年

4. 脳死時の臓器の（　　　）をカードで意志表示できるようになっている。
    1　提案　　　　2　提起　　　　3　提携　　　　4　提供

5. なるべく良い結果が残せるよう、（　　　）を尽くすしかない。
    1　最良　　　　2　最善　　　　3　生気　　　　4　生涯

6. 彼女は下品な彼を（　　　）していた。
    1　軽度　　　　2　軽傷　　　　3　軽蔑　　　　4　軽減

7. 裁判は証拠に基づくべきであり、（　　　）に頼ることは許されない。
    1　推進　　　　2　推奨　　　　3　推計　　　　4　推測

8. 彼は研究生でなく（　　　）の大学院生である。
    1　正規　　　　2　正義　　　　3　正常　　　　4　正体

9. 彼はテレビ番組の（　　　）に携わっている。
    1　作成　　　　2　作製　　　　3　制作　　　　4　製造

10. 柔道で鍛えた彼は（　　　）がいい。
    1　体力　　　　2　体質　　　　3　体制　　　　4　体格

11. 彼は絶滅の危機に瀕する動物たちを（　　　）して環境保護を訴えた。
    1　代案　　　　2　代用　　　　3　代償　　　　4　代弁

12. 社内のお金の出入りについては（　　　）の田中さんが詳しい。
    1　経歴　　　　2　経過　　　　3　経費　　　　4　経理

漢字語彙

2音の漢字「○い」による分類 ④

重要度★★の漢字

漢字	名詞	する動詞
低（てい）	低温（ていおん）　低音（ていおん）　低額（ていがく）　低級（ていきゅう）　低空（ていくう）	低減（ていげん）　低迷（ていめい）　低落（ていらく）
内（ない）	内外（ないがい）　内緒（ないしょ）　内心（ないしん）　内部（ないぶ）　内紛（ないふん）　内面（ないめん）　内陸（ないりく）／家内（かない）　境内（けいだい）❷　構内（こうない）　内向的（ないこうてき）	内蔵（ないぞう）／案内（あんない）
平（へい）	平等（びょうどう）❷　平常（へいじょう）　平素（へいそ）　平年（へいねん）　平方（へいほう）　平面（へいめん）／公平（こうへい）　水平（すいへい）　不平（ふへい）	—

重要度★の漢字

漢字の読み	
えい	栄養（えいよう）－栄冠（えいかん）－栄光（えいこう）－栄誉（えいよ）　光栄（こうえい）－映像（えいぞう）－映写（えいしゃ）
かい・けい	階級（かいきゅう）－階層（かいそう）　怪獣（かいじゅう）－怪物（かいぶつ）　快感（かいかん）－快諾（かいだく）(する)　街道（かいどう）－街頭（がいとう）－街灯（がいとう）　継続（けいぞく）(する)－継承（けいしょう）(する)－継父（けいふ）－継母（けいぼ）　傾斜（けいしゃ）(する)－傾倒（けいとう）(する)　計器（けいき）－計測（けいそく）(する)　契約（けいやく）(する)－契機（けいき）　敬具（けいぐ）－敬愛（けいあい）(する)－敬遠（けいえん）(する)　刑罰（けいばつ）(する)－刑法（けいほう）　携帯（けいたい）(する)－携行（けいこう）(する)　渓谷（けいこく）－渓流（けいりゅう）　警戒（けいかい）(する)－警部（けいぶ）－警笛（けいてき）－警報（けいほう）
さい・すい・せい	歳月（さいげつ）－歳出（さいしゅつ）－歳入（さいにゅう）－歳末（さいまつ）－歳暮（せいぼ）❷　裁決（さいけつ）(する)－裁定（さいてい）(する)－裁量（さいりょう）－栽培（さいばい）(する)　債権（さいけん）－債務（さいむ）　財源（ざいげん）－財政（ざいせい）－財界（ざいかい）－財閥（ざいばつ）－財力（ざいりょく）－文化財（ぶんかざい）　衰退（すいたい）(する)－衰弱（すいじゃく）(する)　随一（ずいいち）－随処（ずいしょ）　政策（せいさく）－政権（せいけん）　整列（せいれつ）(する)－整頓（せいとん）(する)　精算（せいさん）(する)－精通（せいつう）(する)－精読（せいどく）(する)－精鋭（せいえい）　声明（せいめい）－声援（せいえん）　静止（せいし）(する)－静観（せいかん）(する)－静養（せいよう）(する)－静聴（せいちょう）(する)　勢力（せいりょく）－態勢（たいせい）
たい・てい	台本（だいほん）－台形（だいけい）－台地（だいち）－台頭（たいとう）(する)－舞台（ぶたい）　待望（たいぼう）(する)－待遇（たいぐう）－待機（たいき）(する)　耐久（たいきゅう）－耐熱（たいねつ）　停滞（ていたい）(する)－停学（ていがく）－停戦（ていせん）(する)　抵抗（ていこう）(する)－抵触（ていしょく）(する)－抵当（ていとう）－邸宅（ていたく）
はい・へい	排除（はいじょ）(する)－排水（はいすい）－排出（はいしゅつ）(する)－排泄（はいせつ）(する)　廃止（はいし）(する)－廃棄（はいき）(する)－廃絶（はいぜつ）(する)－廃墟（はいきょ）－撤廃（てっぱい）(する)　拝啓（はいけい）－拝借（はいしゃく）(する)－拝聴（はいちょう）(する)　倍率（ばいりつ）－倍増（ばいぞう）(する)　賠償（ばいしょう）(する)　並行（へいこう）(する)－並列（へいれつ）　兵器（へいき）－兵士（へいし）　弊害（へいがい）－弊社（へいしゃ）
まい・めい・らい・れい	埋蔵（まいぞう）(する)－埋葬（まいそう）(する)　命中（めいちゅう）(する)－命題（めいだい）－命日（めいにち）－本命（ほんめい）－懸命（けんめい）　迷信（めいしん）－迷路（めいろ）　来場（らいじょう）(する)－来客（らいきゃく）　礼金（れいきん）－礼状（れいじょう）－礼服（れいふく）　冷蔵（れいぞう）(する)－冷却（れいきゃく）(する)－冷夏（れいか）－冷気（れいき）

第39回 練習問題　　（解答p243）

（　）に入れるのに最もよいものを、1・2・3・4から一つ選びなさい。

1 彼はコンテストで第1位の（　　）に輝いた。
　　1　光栄　　　　2　栄冠　　　　3　栄養　　　　4　繁栄

2 少しでも（　　）の良い会社に就職したい。
　　1　接待　　　　2　待遇　　　　3　待望　　　　4　耐久

3 放った矢は的に（　　）した。
　　1　的確　　　　2　合致　　　　3　命中　　　　4　最適

4 本州に上陸した台風は（　　）を弱めた。
　　1　形態　　　　2　実力　　　　3　勢力　　　　4　態勢

5 社長の独裁を許している組織では、不満分子は即刻（　　）される。
　　1　排泄　　　　2　排除　　　　3　廃止　　　　4　廃棄

6 核兵器の（　　）を訴える運動が起こった。
　　1　撤退　　　　2　廃墟　　　　3　撤廃　　　　4　廃絶

7 言葉とは裏腹に、（　　）では焦っていた。
　　1　内心　　　　2　内緒　　　　3　内向　　　　4　内臓

8 彼は田中先輩のような知的なタイプが苦手で（　　）していた。
　　1　退廃　　　　2　退治　　　　3　敬愛　　　　4　敬遠

9 かつて賑わった駅前商店街も（　　）する一方だ。
　　1　喪失　　　　2　滅亡　　　　3　衰退　　　　4　墜落

10 あの会社は最近業績が（　　）している。
　　1　低額　　　　2　低級　　　　3　低迷　　　　4　低温

11 彼の皮肉な言い方には（　　）を覚える。
　　1　抵抗　　　　2　対抗　　　　3　抵触　　　　4　対立

12 彼は仕事中も（　　）ばかり言っている。
　　1　不運　　　　2　不平　　　　3　無実　　　　4　無礼

漢字語彙

2音の漢字「○う」による分類 ①

重要度★★★の漢字

漢字	名詞	する動詞
おう 応	おうきゅう　おうせつ　そうおう 応急　応接／相応	おうしゅう　おうたい　おうとう　おうぼ　おうよう　こおう 応酬　応対　応答　応募　応用／呼応 じゅんのう　てきおう　はんのう 順応　適応　反応
こう 向	こうがくしん　　いこう　いっこう　けいこう　どうこう 向学心／意向　一向　傾向　動向 ひなた 日向❶	こうじょう　へんこう 向上／偏向
こう 交	こうえき　こうご　がいこう　こっこう　しゃこう　しんこう 交易　交互／外交　国交　社交　親交	こうさい　こうさく　こうしょう　こうたい　こうふ　こうりゅう 交際　交錯　交渉　交代　交付　交流
こう 抗	―	こうぎ　こうせん　こうそう　たいこう　ていこう　はんこう 抗議　抗戦　抗争／対抗　抵抗　反抗
こう 考	こうさ　こうしょう　こうこがく　さんこう 考査　考証　考古学／参考	こうあん　こうさつ　こうりょ　さいこう　しこう　せんこう 考案　考察　考慮／再考　思考　選考
ごう 合	あいま　ごうけん　ごうひ　ごうべん　ごうほう　れんごう 合間❶　合憲　合否　合弁　合法／連合 ぐあい 具合❶	がっさく　がっしょう　がっち　がっぺい　ごうい　ごうせい 合作　合唱　合致❶　合併❶　合意　合成 こんごう　そうごう　とうごう　はいごう　ゆうごう ／混合　総合　統合　配合　融合
どう 導	―	どうにゅう　しゅどう　ゆうどう 導入／主導　誘導
どう 同	どうき　どうきゅう　どうし　どうし　どうぜん　どうとう 同期　同級　同士　同志　同然　同等 どうめい　きょうどう 同盟／共同	どうい　どうか　どうかん　どうきょ　どうこう　どうじょう 同意　同化　同感　同居　同行　同情 どうせい　どうせき　どうちょう　どうはん　どうふう 同棲　同席　同調　同伴　同封
ゆう 有	うむ　ゆうえき　ゆうがい　ゆうこう　ゆうし　ゆうぼう 有無❶　有益　有害　有効　有志　有望 ゆうりょう　うちょうてん　ゆういぎ　こゆう 有料　有頂天❶　有意義／固有	しょゆう　せんゆう　ほゆう　りょうゆう 所有　占有　保有　領有
よう 用	ようけん　ようし　ようほう　しよう　しょよう　むよう 用件　用紙　用法／私用　所用　無用	あくよう　いんよう　うんよう　さよう　つうよう　てきよう 悪用　引用　運用　作用　通用　適用
よう 養	ようし　ようぶん　えいよう　きょうよう 養子　養分／栄養　教養	ようしょく　ようせい　きゅうよう　せいよう　ほよう　りょうよう 養殖　養成／休養　静養　保養　療養

重要度★★の漢字

漢字	名詞	する動詞
くう 空	くうかん　くうぐん　くうしゃ　くうせき　くうぜん　くうちょう 空間　空軍　空車　空席　空前　空調 くうどう　くうはく　くうふく 空洞　空白　空腹	くうてん　くうゆ 空転　空輸
こう 公	こうえい　こうぜん　こうよう　こうりつ 公営　公然　公用　公立	こうえん　こうかい　こうげん　こうにん　こうぼ 公演　公開　公言　公認　公募
こう 工	こうがく　こうさく　こうてい　こうぼう　じんこう　だいく 工学　工作　工程　工房／人工　大工❶	くふう　くめん　かこう 工夫　工面／加工
こう 口	くちょう　こうご　こうざ　こうとう　かこう 口調❶　口語　口座　口頭／河口	こうがい　こうじゅつ　こうろん　へいこう 口外　口述　口論／閉口
こう 行	こうい　こうてい　こうらく　ぎょうせい　げんこう 行為　行程　行楽／行政❶　現行	こうし　こうしん　うんこう　じっこう　しこう 行使　行進／運行　実行　施行 しゅぎょう　しんこう　れんこう 修行❶　進行　連行

第40回 練習問題

（解答 p243）

（　）に入れるのに最もよいものを、1・2・3・4から一つ選びなさい。

1. 子供とはいえ、本人の（　　）を尊重すべきだ。
   1　動向　　　2　向学　　　3　意向　　　4　意義

2. 二つのグループに分かれ（　　）に意見を出し合った。
   1　交易　　　2　交際　　　3　交錯　　　4　交互

3. 審判の不公平なジャッジに（　　）した。
   1　抗争　　　2　抗議　　　3　闘争　　　4　格闘

4. 大学への出願の際に、先輩の志望理由書を（　　）にした。
   1　考慮　　　2　考察　　　3　参考　　　4　思考

5. 彼の身の上話を聞いて、（　　）を禁じえなかった。
   1　同情　　　2　感心　　　3　同感　　　4　協調

6. この会社では能力に（　　）の給料が支払われている。
   1　応用　　　2　反応　　　3　相対　　　4　相応

7. 彼は100ヘクタールの土地を（　　）している。
   1　固有　　　2　所有　　　3　有望　　　4　有益

8. 彼には豊かな（　　）が備わっている。
   1　養成　　　2　養殖　　　3　教養　　　4　扶養

9. その雑誌は、（　　）した写真を載せて、虚偽の報道を行った。
   1　融合　　　2　統合　　　3　合作　　　4　合成

10. 取り急ぎ、（　　）のみにて失礼いたします。
    1　通用　　　2　所用　　　3　用意　　　4　用件

11. 彼に離婚歴があることは（　　）の秘密となっている。
    1　公式　　　2　公然　　　3　公約　　　4　公用

12. 材料を（　　）して製品に仕上げる。
    1　加工　　　2　人工　　　3　工程　　　4　工房

問題2　文脈規定

漢字語彙

2音の漢字「○う」による分類 ②

重要度★★の漢字

漢字	名詞	する動詞
好（こう）	好意 好感 好機 好況 好調 好評 好物 ／ 絶好	好転 ／ 嗜好
高（こう）	高圧 高架 高額 高原 高尚 高利 高率 高齢 ／ 残高 崇高 出来高	高騰
数（すう）	数詞 数式 数値 数量 ／ 関数 奇数 偶数 定数 未知数	—
相（そう）	相棒❷ 相撲❷ 相応 相互 相似 相対 相場 ／ 真相 様相	相殺❷ 相続 相当
創（そう）	創意工夫 ／ 独創	創刊 創作 創設 創造 創立
送（そう）	—	送還 送金 送迎 送検 送信 送付 ／ 運送 回送 放送 輸送
総（そう）	総意 総会 総額 総数 総勢 総力	総括 総合
増（ぞう）	—	増員 増額 増強 増産 増収 増殖 増進 増税 増設 増築 ／ 激増 倍増
通（つう）	通称 通常 通年 通訳 通夜❷ ／ 不通	通告 通算 通達 通報 通用 ／ 流通
投（とう）	—	投下 投函 投棄 投機 投稿 投資 投入 ／ 好投 失投 暴投
統（とう）	系統 血統 正統 伝統	統一 統括 統合 統制 統率 統治
登（とう）	登山❷ 登竜門	登記 登校 登頂 登録
当（とう）	当局 当座 当時 当初 当人 当方 当面 当事者 ／ 正当 妥当 手当❷ 不当 割当❷	当選 当惑 ／ 該当 配当
動（どう）	動画 動機 動向 動静 動力 ／ 言動 受動 能動 反動 暴動	動員 動転 動揺 ／ 激動 流動
風（ふう）	風格 風車 風習 風速 風俗 風潮 風土 風味 風流 風力 ／ 新風❷	風化 風刺

第41回 練習問題

（　）に入れるのに最もよいものを、1・2・3・4から一つ選びなさい。

1 彼は日本の伝統料理の要素を取り入れながら、全く新しい料理を（　　）した。
　　1　成立　　　　2　傑作　　　　3　創立　　　　4　創作

2 大学入試のため必要書類を（　　）した。
　　1　放送　　　　2　回想　　　　3　送付　　　　4　送還

3 相手チームは確かに個人技は優れているが、（　　）力ではこちらが上だ。
　　1　結合　　　　2　総合　　　　3　決意　　　　4　総意

4 定期検診を呼びかけ、健康の（　　）を図る。
　　1　増進　　　　2　増強　　　　3　増殖　　　　4　増収

5 彼の日本語のレベルでは実際の日本人相手には（　　）しない。
　　1　通告　　　　2　通達　　　　3　通用　　　　4　通報

6 会社は市場開拓のため新戦力を（　　）した。
　　1　投機　　　　2　投下　　　　3　投資　　　　4　投入

7 政府によって国は（　　）されている。
　　1　統率　　　　2　統治　　　　3　正統　　　　4　系統

8 入会希望者にはまず会員の（　　）をしていただきます。
　　1　付録　　　　2　目録　　　　3　登録　　　　4　収録

9 彼にとって（　　）の課題は語彙力の向上だ。
　　1　当面　　　　2　当方　　　　3　当選　　　　4　当局

10 刑事は犯行の（　　）について調べた。
　　1　動脈　　　　2　動静　　　　3　動揺　　　　4　動機

11 みそ汁は日本の（　　）から生まれた独特のスープだと言える。
　　1　風土　　　　2　風流　　　　3　風格　　　　4　風刺

12 物価が（　　）し、貨幣の価値が著しく低下した。
　　1　高額　　　　2　高利　　　　3　高騰　　　　4　高架

漢字語彙

2音の漢字「○う」による分類 ③

重要度★★の漢字

漢字	名詞	する動詞
放(ほう)	—	放映(ほうえい) 放火(ほうか) 放棄(ほうき) 放射(ほうしゃ) 放出(ほうしゅつ) 放置(ほうち) 放任(ほうにん) 放牧(ほうぼく) 放浪(ほうろう)／解放(かいほう) 開放(かいほう) 釈放(しゃくほう) 追放(ついほう)
法(ほう)	法案(ほうあん) 法学(ほうがく) 法規(ほうき) 法人(ほうじん) 法制(ほうせい) 法廷(ほうてい) 法令(ほうれい)／違法(いほう) 刑法(けいほう) 憲法(けんぽう) 無法(むほう) 立法(りっぽう) 療法(りょうほう)	—
防(ぼう)	防音(ぼうおん) 防火(ぼうか) 防災(ぼうさい) 防水(ぼうすい) 防戦(ぼうせん)／国防(こくぼう) 消防(しょうぼう) 堤防(ていぼう)	防衛(ぼうえい) 防御(ぼうぎょ) 防止(ぼうし)
暴(ぼう)	暴動(ぼうどう) 暴風(ぼうふう) 暴力(ぼうりょく)／横暴(おうぼう) 凶暴(きょうぼう)	暴行(ぼうこう) 暴走(ぼうそう) 暴騰(ぼうとう) 暴落(ぼうらく)／乱暴(らんぼう)
優(ゆう)	優位(ゆうい) 優越(ゆうえつ) 優勢(ゆうせい) 優劣(ゆうれつ)	優遇(ゆうぐう) 優先(ゆうせん)
洋(よう)	洋画(ようが) 洋式(ようしき) 洋室(ようしつ) 洋酒(ようしゅ) 洋書(ようしょ) 洋食(ようしょく) 洋風(ようふう)／西洋(せいよう) 東洋(とうよう) 太平洋(たいへいよう)	—
要(よう)	要因(よういん) 要項(ようこう) 要旨(ようし) 要点(ようてん)／肝要(かんよう) 不要(ふよう)	要請(ようせい) 要望(ようぼう) 要約(ようやく)／強要(きょうよう) 摘要(てきよう)

重要度★の漢字

漢字の読み	
こう	後悔(こうかい)(する)−後半(こうはん)−後退(こうたい)(する)　構想(こうそう)−構図(こうず)−構内(こうない)　講習(こうしゅう)−講読(こうどく)(する)−講座(こうざ)　購読(こうどく)(する)−購入(こうにゅう)(する)−購買(こうばい)　拘束(こうそく)(する)−拘留(こうりゅう)(する)　控除(こうじょ)−控訴(こうそ)(する)　興奮(こうふん)(する)−興業(こうぎょう)
そう	捜査(そうさ)(する)−捜索(そうさく)(する)　装飾(そうしょく)(する)−装丁(そうてい)
とう	逃走(とうそう)(する)−逃亡(とうぼう)(する)−逃避(とうひ)　到達(とうたつ)(する)−到来(とうらい)(する)　倒産(とうさん)(する)−倒壊(とうかい)(する)　討論(とうろん)(する)−討議(とうぎ)(する)
のう	濃度(のうど)−濃縮(のうしゅく)(する)　農地(のうち)−農耕(のうこう)−農場(のうじょう)−農家(のうか)−農協(のうきょう)−酪農(らくのう)
ゆう・よう	融通(ゆうずう)(する)−融資(ゆうし)(する)−融合(ゆうごう)(する)−融和(ゆうわ)(する)　誘惑(ゆうわく)(する)−誘導(ゆうどう)(する)−誘拐(ゆうかい)(する)−誘致(ゆうち)(する)　様相(ようそう)−様式(ようしき)
ろう	浪費(ろうひ)(する)−浪人(ろうにん)−朗読(ろうどく)(する)　老衰(ろうすい)−老化(ろうか)(する)−老朽(ろうきゅう)−老眼(ろうがん)−老後(ろうご)

第42回 練習問題　　　　（解答 p244）

（　　）に入れるのに最もよいものを、1・2・3・4から一つ選びなさい。

1 駅前の歩道に（　　）してあった自転車を集積所に移動させた。
　　1　放棄　　　　2　放出　　　　3　放射　　　　4　放置

2 彼は小説を書くため5年もかけて（　　）を練った。
　　1　想像　　　　2　構想　　　　3　夢想　　　　4　幻想

3 警察は容疑者の身柄を（　　）した。
　　1　拘束　　　　2　強制　　　　3　把握　　　　4　抑圧

4 試合に勝った夜は（　　）して寝られなかった。
　　1　興行　　　　2　興奮　　　　3　活発　　　　4　奮発

5 会社の規模を拡大するため銀行から（　　）を受けた。
　　1　投入　　　　2　投資　　　　3　融通　　　　4　融資

6 駐車場の係員に、停車位置まで車を（　　）してもらった。
　　1　誘導　　　　2　主導　　　　3　誘拐　　　　4　勧誘

7 早く不景気な状態を脱し、（　　）に向かいたいものだ。
　　1　好転　　　　2　好況　　　　3　好評　　　　4　絶好

8 チャンピオンは3度目の（　　）に成功した。
　　1　防御　　　　2　防衛　　　　3　防戦　　　　4　防止

9 政治の腐敗に怒った市民が（　　）を起こした。
　　1　乱暴　　　　2　凶暴　　　　3　暴力　　　　4　暴動

10 試合に勝った彼はしばらく（　　）感に浸ることができた。
　　1　優位　　　　2　優先　　　　3　優遇　　　　4　優越

11 長い文章を200字に（　　）する。
　　1　要旨　　　　2　要約　　　　3　要点　　　　4　要項

12 市役所に提出する申請書の（　　）はサイトからダウンロード可能です。
　　1　正式　　　　2　様式　　　　3　真相　　　　4　様相

2音の漢字「○ゅう」による分類

重要度★★★の漢字

漢字	名詞	する動詞
急（きゅう）	急患 急遽 急所 急性 急募 急務／応急 緩急 緊急 至急 性急	急増 急騰
収（しゅう）	収益 収支 収賄／年収	収穫 収集 収拾 収縮 収納 収容／回収 吸収 撤収 没収
集（しゅう）	集荷 集落／全集	集計 集積 集中 集約／結集 採集 収集 編集 募集
入（にゅう）	歳入	入荷 入居 入手 入賞 入籍 入選 入浴 入力／介入 進入 侵入 潜入 突入 搬入 編入 乱入

重要度★★の漢字

漢字	名詞	する動詞
休（きゅう）	休日／定休 無休 連休 不眠不休	休学 休戦 休養
救（きゅう）	救急 救命 救世主	救援 救済 救出
給（きゅう）	給仕 給食／時給	給水 給付 給油／供給 支給 昇給 配給
終（しゅう）	終日 終点 終電 終盤／最終	終焉 終始
修（しゅう）	修学 修士	修飾 修正 修了／改修 監修
就（しゅう）	—	就学 就業 就職 就寝 就任 就労／成就❶
重（じゅう）	重圧 重罪 重傷 重症 重心 重点 重度 重病／貴重❶ 厳重 慎重 丁重❶	重視 重複 重宝❶／自重 尊重❶
充（じゅう）	—	充血 充実 充足 充電 充満／拡充 補充
中（ちゅう）	中核 （お）中元 中旬 中枢 中毒 中腹 中庸 中立 中流／胸中	中継 中傷 中退 中断 中和／集中 的中 熱中 命中
流（りゅう）	流動的／一流 上流 電流 風流	流血 流行 流出 流通 流用／合流

第43回 練習問題   (解答 p244)

（　）に入れるのに最もよいものを、1・2・3・4から一つ選びなさい。

1 部長より、大（だい）（　　　）社長に連絡を取るよう指示を受けた。
　　1　急速　　　　2　急遽　　　　3　緊急　　　　4　至急

2 仕事に失敗はしたが、個人的には大きな（　　　）があった。
　　1　収容　　　　2　収納　　　　3　収穫　　　　4　収拾

3 日本語能力試験の直前は、漢字の暗記に（　　　）した。
　　1　集積　　　　2　集中　　　　3　集落　　　　4　結集

4 論文をコンピュータに（　　　）している最中に停電があった。
　　1　入力　　　　2　入籍　　　　3　入手　　　　4　記入

5 社会は経済的に困窮した人々を排除するのでなく、（　　　）策を講じるべきだ。
　　1　救急　　　　2　救出　　　　3　救済　　　　4　救命

6 経済は需要と（　　　）のバランスが大事である。
　　1　支給　　　　2　供給　　　　3　提供　　　　4　贈与

7 彼は会見の間、（　　　）笑顔を絶やさなかった。
　　1　最中　　　　2　始末　　　　3　終盤　　　　4　終始

8 打ち上げられた人工衛星は自動的に軌道を（　　　）できる。
　　1　修正　　　　2　改正　　　　3　修繕　　　　4　改善

9 彼は外務相を辞した後、すぐにまた経産相に（　　　）した。
　　1　推進　　　　2　昇進　　　　3　就業　　　　4　就任

10 今の政府は経済対策として雇用の促進に（　　　）を置いている。
　　1　重圧　　　　2　重点　　　　3　重要　　　　4　重厚

11 勉学に励み、（　　　）した学生生活を送りたいものだ。
　　1　充満　　　　2　補充　　　　3　充実　　　　4　結実

12 事故の現場の様子をインターネットで実況（　　　）していた。
　　1　中継　　　　2　中枢　　　　3　仲介　　　　4　媒介

漢字語彙

2音の漢字「○ょう」による分類

重要度★★★の漢字

漢字	名詞	する動詞
きょう 教	きょうか 教科　きょうくん 教訓　きょうざい 教材　きょうしゅう 教習　きょうしょく 教職　きょうそ 教祖 きょうたく 教卓　きょうだん 教壇　きょうと 教徒／しゅうきょう 宗教	せっきょう 説教　ふきょう 布教
きょう 強	きょうこ 強固　きょうごう 強豪　きょうじゃく 強弱　きょうてき 強敵　きょうれつ 強烈　ごうよく 強欲❼	きょうこう 強行　きょうせい 強制　きょうちょう 強調　きょうよう 強要　ごうだつ 強奪❼／ ほきょう 補強
しょう 照	しょうめい 照明	しょうかい 照会　しょうごう 照合／さんしょう 参照　たいしょう 対照
ちょう 張	ちょうほんにん 張本人	かくちょう 拡張　きんちょう 緊張　こちょう 誇張　しゅちょう 主張　ぼうちょう 膨張
りょう 良	りょうこう 良好　りょうしき 良識　りょうしつ 良質　りょうしん 良心／さいりょう 最良　ぜんりょう 善良 ふりょう 不良	かいりょう 改良
りょう 領	りょういき 領域　りょうかい 領海　りょうち 領地　りょうど 領土　りょうじかん 領事館／ ほんりょう 本領　ようりょう 要領	りょうしゅう 領収／じゅりょう 受領　せんりょう 占領

重要度★★の漢字

漢字	名詞	する動詞
きょう 共	きょうがく 共学　きょうせい 共生　きょうちょ 共著　きょうどう 共同　きょうはん 共犯　きょうわ 共和 ／こうきょう 公共	きょうかん 共感　きょうぞん 共存　きょうぼう 共謀　きょうめい 共鳴　きょうゆう 共有　きょうよう 共用
きょう 協	きょうかい 協会　きょうてい 協定	きょうぎ 協議　きょうちょう 協調　きょうどう 協働／だきょう 妥協
ぎょう 業	ぎょうかい 業界　ぎょうしゃ 業者　ぎょうせき 業績　ぎょうむ 業務／かぎょう 家業	きゅうぎょう 休業　しつぎょう 失業　そうぎょう 創業　はいぎょう 廃業
しょう 勝	しょういん 勝因　しょうき 勝機　しょうさん 勝算　しょうはい 勝敗　しょうりつ 勝率／ けいしょうち 景勝地	しょうそ 勝訴　しょうぶ 勝負　しょうり 勝利／ぜんしょう 全勝　たいしょう 大勝　れんしょう 連勝
じょう 上	じょうい 上位　じょうき 上記　じょうくう 上空　じょうげん 上限　じょうし 上司　じょうそう 上層 じょうりゅう 上流／しじょう 至上　しじょう 史上　しじょう 紙上　ちょうじょう 頂上	じょうえい 上映　じょうえん 上演　じょうこく 上告　じょうじゅつ 上述　じょうしょう 上昇　じょうじょう 上場 じょうりく 上陸／けんじょう 献上　さんじょう 参上　へんじょう 返上
じょう 情	じょうけい 情景　じょうせい 情勢　じょうちょ 情緒　じょうねつ 情熱／あいじょう 愛情　かんじょう 感情 しんじょう 心情　にんじょう 人情　ひじょう 非情	―
ちょう 長	ちょうかん 長官　ちょうじゅ 長寿　ちょうへん 長編	じょちょう 助長
ちょう 聴	ちょうかく 聴覚　ちょうしゅう 聴衆	ちょうこう 聴講　ちょうしゅ 聴取／けいちょう 傾聴　しちょう 視聴　しちょう 試聴
ちょう 調	こうちょう 好調　じゅんちょう 順調　たんちょう 単調　ていちょう 低調　ふちょう 不調	ちょういん 調印　ちょうごう 調合　ちょうせい 調整　ちょうせつ 調節　ちょうたつ 調達　ちょうてい 調停 ちょうり 調理　ちょうわ 調和

第44回 練習問題

(解答 p244)

（　）に入れるのに最もよいものを、1・2・3・4から一つ選びなさい。

1 学生時代は、夜遅く帰宅して、よく父親に（　　　）されたものだ。
　　1　教訓　　　　2　教習　　　　3　布教　　　　4　説教

2 事件について、刑事は関係者に事情を（　　　）した。
　　1　聴衆　　　　2　聴取　　　　3　視聴　　　　4　試聴

3 彼は口がうまく、非常に（　　　）の良い男だ。
　　1　要領　　　　2　本領　　　　3　受領　　　　4　領収

4 健康状態はいたって（　　　）です。
　　1　最上　　　　2　最高　　　　3　良好　　　　4　善良

5 あの姉妹はとても（　　　）的である。
　　1　照合　　　　2　照会　　　　3　対照　　　　4　参照

6 映画を見ていて（　　　）し、手に汗を握った。
　　1　膨張　　　　2　緊張　　　　3　誇張　　　　4　拡張

7 一般市民の呼び掛けに多くの若者が（　　　）し、公園の占拠運動が起こった。
　　1　共同　　　　2　共和　　　　3　共存　　　　4　共鳴

8 あの画家は作品の制作過程において、一切の（　　　）を許さない。
　　1　調和　　　　2　協調　　　　3　協定　　　　4　妥協

9 社員のがんばりによって会社の（　　　）がアップした。
　　1　業績　　　　2　業界　　　　3　業務　　　　4　業種

10 二人はどちらが成績が上か、今度の試験で（　　　）することにした。
　　1　勝算　　　　2　勝因　　　　3　勝負　　　　4　勝敗

11 関東地方の（　　　）を厚い雲が覆った。
　　1　上陸　　　　2　上空　　　　3　上位　　　　4　上昇

12 彼は自分が無実であることを声を大にして（　　　）した。
　　1　口調　　　　2　強調　　　　3　強行　　　　4　強要

漢字語彙

2音の漢字「○き」「○く」による分類 ①

重要度★★★の漢字

漢字	名詞	する動詞
域(いき)	域内(いきない) / 区域(くいき) 聖域(せいいき) 流域(りゅういき) 領域(りょういき)	—
識(しき)	識者(しきしゃ) / 見識(けんしき) 常識(じょうしき)⇔非常識(ひじょうしき) 博識(はくしき) 面識(めんしき) 良識(りょうしき)	識別(しきべつ) / 意識(いしき) 認識(にんしき)
適(てき)	適温(てきおん) 適正(てきせい) 適性(てきせい) 適地(てきち) 適当(てきとう) 適法(てきほう) 適量(てきりょう) / 快適(かいてき) 最適(さいてき)	適応(てきおう) 適合(てきごう)
革(かく)	革新(かくしん) 革命(かくめい) / 沿革(えんかく)	改革(かいかく) 変革(へんかく)
確(かく)	確実(かくじつ) / 正確(せいかく) 的確(てきかく)	確信(かくしん) 確定(かくてい) 確保(かくほ) 確立(かくりつ)
画(が)(かく)	画数(かくすう) 画像(がぞう) 画面(がめん) 画一的(かくいつてき) 画期的(かっきてき)❷ / 絵画(かいが)❷	企画(きかく) 参画(さんかく)
縮(しゅく)	縮尺(しゅくしゃく) 縮図(しゅくず)	縮小(しゅくしょう) / 恐縮(きょうしゅく) 収縮(しゅうしゅく) 短縮(たんしゅく)
束(そく)	—	束縛(そくばく) / 結束(けっそく) 拘束(こうそく)
特(とく)	特技(とくぎ) 特産(とくさん) 特質(とくしつ) 特殊(とくしゅ) 特集(とくしゅう) 特性(とくせい) 特製(とくせい) 特徴(とくちょう) 特有(とくゆう) 特例(とくれい) 特派員(とくはいん) / 独特(どくとく)	—
復(ふく)	—	復活(ふっかつ) 復旧(ふっきゅう) 復元(ふくげん) 復讐(ふくしゅう) / 往復(おうふく) 回復(かいふく) 修復(しゅうふく) 反復(はんぷく) 報復(ほうふく)
抑(よく)	抑揚(よくよう)	抑圧(よくあつ) 抑止(よくし) 抑制(よくせい)
欲(よく)	欲求(よっきゅう) 欲望(よくぼう) / 意欲(いよく) 食欲(しょくよく) 性欲(せいよく) 貪欲(どんよく) 無欲(むよく)	欲情(よくじょう)
力(りょく)	力学(りきがく)❷ 力作(りきさく)❷ 力士(りきし) 力量(りきりょう)❷ / 威力(いりょく) 引力(いんりょく) 怪力(かいりき)❷ 気力(きりょく) 権力(けんりょく) 効力(こうりょく) 主力(しゅりょく) 尽力(じんりょく) 勢力(せいりょく) 精力的(せいりょくてき) 迫力(はくりょく) 馬力(ばりき) 魅力(みりょく) 労力(ろうりょく)	力説(りきせつ)❷
録(ろく)	付録(ふろく) 目録(もくろく)	録音(ろくおん) 録画(ろくが) / 登録(とうろく) 収録(しゅうろく)
惑(わく)	惑星(わくせい) / 疑惑(ぎわく)	眩惑(げんわく) 当惑(とうわく) 魅惑(みわく) 誘惑(ゆうわく)

第45回 練習問題

（解答p244）

（　）に入れるのに最もよいものを、1・2・3・4から一つ選びなさい。

1 就職活動をする前に、職業の（　　）検査を受けてみた。
　　1 適当　　　　2 適合　　　　3 適応　　　　4 適性

2 駅前が市の再開発（　　）に指定された。
　　1 領域　　　　2 区域　　　　3 区間　　　　4 領土

3 息子は中学生になり、異性を（　　）し始めた。
　　1 識別　　　　2 面識　　　　3 意識　　　　4 見識

4 彼のせりふには人を震え上がらせるような（　　）があった。
　　1 魅力　　　　2 引力　　　　3 迫力　　　　4 権力

5 感情を（　　）しすぎると神経症になるそうだ。
　　1 抑止　　　　2 抑圧　　　　3 圧倒　　　　4 制圧

6 自由を愛する彼は（　　）されることを嫌う。
　　1 結束　　　　2 束縛　　　　3 固定　　　　4 放任

7 けがのため一度は引退を決意した選手が見事に（　　）した。
　　1 復活　　　　2 復旧　　　　3 修復　　　　4 反覆

8 今度の選挙は保守政党と（　　）政党の一騎打ちとなった。
　　1 変革　　　　2 革新　　　　3 斬新　　　　4 新鮮

9 最高裁の判決により被告の無罪が（　　）した。
　　1 確保　　　　2 確実　　　　3 確信　　　　4 確定

10 男女が対等に社会活動に（　　）できるような社会が望ましい。
　　1 参画　　　　2 企画　　　　3 参上　　　　4 参考

11 彼は病気で家から一歩も出られず、（　　）不満に陥った。
　　1 意欲　　　　2 欲求　　　　3 貪欲　　　　4 欲望

12 わざわざお電話をいただき（　　）しております。
　　1 縮小　　　　2 縮尺　　　　3 恐縮　　　　4 収縮

漢字語彙

2音の漢字「○き」「○く」による分類 ②

重要度★★の漢字

漢字	名詞	する動詞
激(げき)	激情(げきじょう) ／ 過激(かげき) 急激(きゅうげき)	激減(げきげん) 激怒(げきど) 激動(げきどう) 激突(げきとつ) 激変(げきへん) 激励(げきれい) ／ 感激(かんげき) 刺激(しげき)
敵(てき)	敵意(てきい) ／ 宿敵(しゅくてき) 素敵(すてき) 無敵(むてき)	敵視(てきし) 敵対(てきたい) ／ 匹敵(ひってき)
摘(てき)	摘要(てきよう)	摘出(てきしゅつ) 摘発(てきはつ) ／ 指摘(してき)
格(かく)	格言(かくげん) 格差(かくさ) 格段(かくだん) 格別(かくべつ) 格子(こうし)❷ ／ 規格(きかく) 骨格(こっかく) 人格(じんかく) 体格(たいかく) 破格(はかく) 品格(ひんかく)	格闘(かくとう)
学(がく)	学説(がくせつ) 学則(がくそく) 学歴(がくれき) ／ 哲学(てつがく)	―
極(きょく)	極限(きょくげん) 極端(きょくたん) 極度(きょくど) 極上(ごくじょう)❷ 極楽(ごくらく)❷ ／ 究極(きゅうきょく) 至極(しごく)❷ 両極(りょうきょく)	―
告(こく)	広告(こうこく)	告示(こくじ) 告訴(こくそ) 告知(こくち) 告白(こくはく) 告発(こくはつ) ／ 申告(しんこく) 忠告(ちゅうこく) 通告(つうこく) 密告(みっこく)
国(こく)	国営(こくえい) 国益(こくえき) 国債(こくさい) 国産(こくさん) 国土(こくど) 国防(こくぼう) 国有(こくゆう) ／ 各国(かっこく) 諸国(しょこく) 母国(ぼこく) 本国(ほんごく)	
職(しょく)	職員(しょくいん) 職種(しょくしゅ) 職人(しょくにん) 職務(しょくむ) 職歴(しょくれき) ／ 天職(てんしょく)	在職(ざいしょく) 辞職(じしょく) 退職(たいしょく) 転職(てんしょく)
即(そく)	即日(そくじつ) 即席(そくせき) 即刻(そっこく)	即死(そくし) 即断(そくだん) 即答(そくとう) 即売(そくばい)
着(ちゃく)	着眼(ちゃくがん) ／ 横着(おうちゃく) 粘着(ねんちゃく) 必着(ひっちゃく)	着手(ちゃくしゅ) 着色(ちゃくしょく) 着席(ちゃくせき) 着地(ちゃくち) 着服(ちゃくふく) 着目(ちゃくもく) 着用(ちゃくよう) 着陸(ちゃくりく) ／ 決着(けっちゃく) 執着(しゅうちゃく) 密着(みっちゃく) 落着(らくちゃく)
直(ちょく)	直射(ちょくしゃ) 直接(ちょくせつ) 直属(ちょくぞく) 直売(ちょくばい) ／ 宿直(しゅくちょく) 正直(しょうじき)❷ 垂直(すいちょく) 率直(そっちょく) 日直(にっちょく)	直訴(じきそ) 直撃(ちょくげき) 直視(ちょくし) 直進(ちょくしん) 直送(ちょくそう) 直面(ちょくめん) 直訳(ちょくやく) 直立(ちょくりつ) ／ 硬直(こうちょく)
独(どく)	独裁(どくさい) 独自(どくじ) 独創(どくそう) 独断(どくだん) 独特(どくとく) 独力(どくりょく) 独善的(どくぜんてき) ／ 孤独(こどく) 単独(たんどく)	独占(どくせん) 独白(どくはく)
白(はく)	白紙(はくし) 白書(はくしょ) 白髪(はくはつ) ／ 空白(くうはく) 潔白(けっぱく)	白状(はくじょう) 白熱(はくねつ) ／ 告白(こくはく)
爆(ばく)	爆音(ばくおん) 爆弾(ばくだん) 爆竹(ばくちく) 爆薬(ばくやく) ／ 空爆(くうばく) 原爆(げんばく)	爆撃(ばくげき) 爆笑(ばくしょう) 爆破(ばくは) ／ 自爆(じばく)
落(らく)	落差(らくさ) 落雷(らくらい) ／ 集落(しゅうらく) 村落(そんらく) 部落(ぶらく)	落札(らくさつ) 落選(らくせん) 落第(らくだい) 落胆(らくたん) 落着(らくちゃく) ／ 陥落(かんらく) 下落(げらく) 脱落(だつらく) 堕落(だらく)

第46回 練習問題

（解答 p244）

（　　）に入れるのに最もよいものを、1・2・3・4から一つ選びなさい。

1 彼の料理の腕はプロに（　　）するほどだ。
1　匹敵　　　2　素敵　　　3　宿敵　　　4　無敵

2 部下に書類のミスを（　　）され、恥をかいた。
1　敵視　　　2　敵対　　　3　摘発　　　4　指摘

3 ネットの記事で（　　）の事実が公表された。
1　衝動　　　2　衝突　　　3　衝撃　　　4　攻撃

4 彼は彼女に自分の気持ちを（　　）した。
1　告白　　　2　告発　　　3　申告　　　4　上告

5 このビジネスは独身女性が増えていることに（　　）して開発された。
1　着服　　　2　着用　　　3　着目　　　4　着手

6 今の日本は政治的な危機に（　　）している。
1　直立　　　2　直属　　　3　直面　　　4　直進

7 会議で発表された田中部長（　　）の案に全員が賛成した。
1　独力　　　2　独断　　　3　独占　　　4　独自

8 彼は彼女にうそをついていたことを（　　）した。
1　潔白　　　2　白紙　　　3　白熱　　　4　白状

9 感情的になっている人をあまり（　　）しないほうがいい。
1　感激　　　2　刺激　　　3　過激　　　4　急激

10 不景気で雇用状況が悪化し、貧富の（　　）は広がる一方だ。
1　破格　　　2　格段　　　3　格別　　　4　格差

11 会社再建のため経費を（　　）まで切り詰めた。
1　極度　　　2　極端　　　3　極限　　　4　際限

12 彼は競売で100年前の絵画を（　　）した。
1　下落　　　2　落着　　　3　落札　　　4　楽勝

漢字語彙

2音の漢字「○ち」「○つ」による分類

重要度★★★の漢字

漢字	名詞	する動詞
いち 一	いちいん いちいん いちえん いちがい いちじ いちどう 一員　一因　一円　一概　一次　一同 いちめん いちもく いちよう いちれん いっそく ひといき 一面　一目　一様　一連　一足　一息 ひときわ ひとすじ ひとむかし ひとめ かくいつ きんいつ 一際　一筋　一昔　一目／画一　均一 たんいつ ちくいち ずいいち ゆいいつ 単一　逐一　随一　唯一	いちらん とういつ 一覧／統一
あつ 圧	あつりょく い あつてき 圧力／威圧的	あっしょう あっとう あっぱく せいあつ よくあつ 圧勝　圧倒　圧迫／制圧　抑圧
いつ 逸	いつざい いっぴん いつわ しゅういつ 逸材　逸品　逸話／秀逸	いつだつ 逸脱
じつ 実	じつえき じつじょう じっせき じっせん じったい じったい 実益　実情　実績　実戦　実体　実態 じつわ かくじつ けんじつ せいじつ せつじつ 実話／確実　堅実　誠実　切実	じつざい じっしょう じっせん けつじつ じゅうじつ 実在　実証　実践／結実　充実
せつ 摂	せつり 摂理	せっしゅ 摂取
せつ 説	がくせつ でんせつ 学説　伝説	せっきょう せっとく えんぜつ かいせつ りきせつ 説教　説得／演説　解説　力説
とつ 突	とつじょ とっぱつてき 突如　突発的	とつげき とっぱ げきとつ しょうとつ 突撃　突破／激突　衝突
はつ 発	ほっさ ほっきにん 発作　発起人	はついく はつが はっき はつげん はっしん はっせい 発育　発芽　発揮　発言　発信　発生 はつねつ はつびょう ほっそく かいはつ さいはつ 発熱　発病　発足／開発　再発 てきはつ らんぱつ れんぱつ 摘発　乱発　連発
けつ 結	けっしょう けつまつ けつろん ゆいのう 結晶　結末　結論　結納	けつじつ けっせい けっそく かんけつ だんけつ 結実　結成　結束／完結　団結
みつ 密	みつど かみつ げんみつ せいみつ ちみつ めんみつ 密度／過密　厳密　精密　緻密　綿密	みっしゅう みっせつ みっちゃく みつゆ 密集　密接　密着　密輸
りつ 立	りっぽう 立法	りっしょう りっきゃく かくりつ きりつ こりつ せいりつ 立証　立脚／確立　起立　孤立　成立 せつりつ そうりつ りょうりつ 設立　創立　両立

重要度★★の漢字

漢字	名詞	する動詞
けつ 決	けっさん はんけつ 決算／判決	けつい けつだん けっちゃく けつれつ たいけつ 決意　決断　決着　決裂／対決
ざつ 雑	ざつむ こんざつ はんざつ ふくざつ らんざつ 雑務／混雑　煩雑　複雑　乱雑	ざつだん 雑談
しつ 失	しっかく しっけい しつげん かしつ そんしつ 失格　失敬　失言／過失　損失	しつぎょう しっしん してん しつねん そうしつ ふんしつ 失業　失神　失点　失念／喪失　紛失
しゅつ 出	さいしゅつ 歳出	しゅつえん しゅつげん しゅつどう しゅつぼつ しゅつりょく たいしゅつ 出演　出現　出動　出没　出力／退出 だっしゅつ ていしゅつ はいしゅつ はいしゅつ 脱出　提出　排出　輩出
ぜつ 絶	ぜっけい ぜっこう ぜっちょう ぜっぱん ぜつみょう 絶景　絶好　絶頂　絶版　絶妙	ぜつぼう ぜつめつ きぜつ きょぜつ こんぜつ だんぜつ 絶望　絶滅／気絶　拒絶　根絶　断絶

第47回 練習問題

（解答p244）

（　）に入れるのに最もよいものを、1・2・3・4から一つ選びなさい。

1 結婚式を終え、親戚（　　）に挨拶状を送った。
　　1　一連　　　　2　一様　　　　3　一同　　　　4　一面

2 上司には仕事の進行状況を（　　）報告している。
　　1　単一　　　　2　均一　　　　3　逐一　　　　4　随一

3 彼はにぎやかな連中の中でも（　　）大きい声で話していた。
　　1　一息　　　　2　一際　　　　3　一口　　　　4　一声

4 政府は情報統制のためメディアに（　　）をかけた。
　　1　制圧　　　　2　圧迫　　　　3　権力　　　　4　圧力

5 捜査により、その会社には（　　）がないことが判明した。
　　1　誠実　　　　2　確実　　　　3　実質　　　　4　実体

6 知事は災害時に自衛隊の（　　）を要請した。
　　1　出勤　　　　2　出動　　　　3　出現　　　　4　出力

7 彼は試験で実力を（　　）した。
　　1　発生　　　　2　発揮　　　　3　発起　　　　4　発芽

8 彼の作品は努力の（　　）である。
　　1　完結　　　　2　団結　　　　3　結晶　　　　4　結成

9 彼は環境保護の重要性を（　　）した。
　　1　概説　　　　2　伝説　　　　3　学説　　　　4　力説

10 彼の人生は短かったがとても（　　）の濃いものだった。
　　1　綿密　　　　2　精密　　　　3　密度　　　　4　密集

11 女性にとって仕事と子育ての（　　）は負担が大きい。
　　1　成立　　　　2　起立　　　　3　分立　　　　4　両立

12 夕食後みんなでロビーで（　　）した。
　　1　雑談　　　　2　雑学　　　　3　混雑　　　　4　乱雑

その他の語彙

動詞 ①

問題2に動詞が出題される場合、**自動詞と他動詞の違い、特に動詞の前の助詞に注意しましょう**。例えば、「本番が迫る」は自動詞ですが、「決断を迫る」は他動詞です。また、「海に潜る」、「門を潜る」は自動詞ですが、「道をたどる」は他動詞に分類されます。**結びつきやすい語、助詞とともに覚えていきましょう**。

基本的には漢字で出題されます。ただし、難しい漢字の動詞（「耽る」、「煽る」）や、読み方が難しい漢字の動詞（「拘る」、「弄る」）は、ひらがなで出題される場合があります。

漢字＋る／ａる

重要度	自動詞	他動詞
★★★	(気が)焦る　(目に)余る　(現在に)至る (敵に)劣る　(荷物が)かさばる (栄養が／右に)偏る　(やり方に)こだわる (実家を)去る　(本番が)迫る　(力が)備わる (仕事に)携わる　(不安が)募る　(道が)交わる (海に)潜る	(使い方を)誤る　(髪の毛を)いじる (努力を)怠る　(気を)配る　(申し出を)断る (光を)遮る　(腹を)探る　(人生を)悟る (決断を)迫る　(魚を)釣る　(参加者を)募る (作戦を／案を)練る　(水深を)測る (便宜を)図る　(死者を)葬る　(勝利を)誇る (事件を)巡る
★★	(門を)潜る　(肩が／カメラに)凝る (体を後ろに)反る　(計画が)滞る (感覚が)鈍る　(最後まで)粘る (仕事が)はかどる　(読書に)ふける (敵に)勝る	(道具を)操る　(道を)たどる　(学問を)司る
★	(名前が)挙がる　(不正に)憤る (試験に)受かる　(地面に)うずくまる (窮地に)陥る　(橋が)架かる　(判決が)覆る (水が)滴る　(物が)散らばる　(水に)浸かる (山が)連なる　(法に)則る　(旗が)翻る (時が)隔たる　(人が)群がる	(不安を)あおる　(敵を)侮る　(部下を)労る (年齢を)偽る　(皿を)彩る　(ひもを)くくる (命を)授かる　(レモンを)しぼる (ロープを)たぐる　(着物を)はおる (思い出に)浸る　(腕を)まくる (ページを)めくる　(魂を)揺さぶる

第48回 練習問題

(解答 p244)

( )に入れるのに最もよいものを、1・2・3・4から一つ選びなさい。

1 彼は普通の人とは違い、考え方が（　　　）。
　1　固まっている　　2　傾いている　　3　極めている　　4　偏っている

2 家の財産を（　　　）家族が争いを起こした。
　1　巡り　　　　　　2　関わり　　　　3　通り　　　　　4　携わり

3 貸主は借主に借金の返済を（　　　）。
　1　どなった　　　　2　怒った　　　　3　迫った　　　　4　脅した

4 職場で被災地への寄付を（　　　）。
　1　呼んだ　　　　　2　募った　　　　3　努めた　　　　4　費やした

5 彼はお茶の入れ方に（　　　）いる。
　1　凝って　　　　　2　練って　　　　3　追って　　　　4　飾って

6 お寺の門を（　　　）本堂へと向かった。
　1　たぐって　　　　2　さぐって　　　3　もぐって　　　4　くぐって

7 何度も道に迷ってやっと目的地に（　　　）着いた。
　1　いたり　　　　　2　および　　　　3　すがり　　　　4　たどり

8 妻は時には感情に訴えたりして夫を上手に（　　　）いた。
　1　装って　　　　　2　偽って　　　　3　操って　　　　4　嘆いて

9 何とかして計画が（　　　）ことのないようにしたいものだ。
　1　しぶる　　　　　2　とどこおる　　3　立ち止まる　　4　しりぞく

10 社長の不用意な発言により、会社は存続の危機に（　　　）。
　1　陥った　　　　　2　落ちぶれた　　3　廃れた　　　　4　没した

11 新聞紙をひもで（　　　）ゴミに出した。
　1　くっつけて　　　2　つないで　　　3　つつんで　　　4　くくって

12 過労で倒れないように、時には体を（　　　）ことも必要だ。
　1　ねぎらう　　　　2　いたわる　　　3　なぐさめる　　4　くつろぐ

その他の語彙

動詞 ②

漢字＋まる／める

重要度	自動詞	他動詞
★★★	(紛争が)おさまる　(差が)縮まる (説得に)努める　(理解が)深まる	(考え方を)改める　(税金を)納める (技を)極める　(心を)込める　(品を)勧める (景色を)眺める　(負けを)認める (会社を)辞める　(スピードを)緩める
★★	(態度が)改まる　(財宝が)埋まる (かばんに)収まる　(国が)治まる (糸が)絡まる　(方針が)定まる (真っ赤に)染まる　(仕事が)務まる	(足を)痛める　(野菜を)炒める (骨を)埋める　(意志を)固める (方針を)定める　(海に)沈める (髪を)染める　(この程度に)止める (規制を)緩める
★	(色が)さめる	(我が子を)戒める　(学問を)修める (学問を)究める　(貧困を)窮める (悪人を)懲らしめる　(首を)絞める (謎を)秘める

漢字＋iる

重要度	自動詞	他動詞
★★★	(力が)尽きる	(酒気を)帯びる　(我が身を)省みる (歴史を)顧みる　(冒険を)試みる (チームを)率いる
★★	(人が)老いる　(家が)朽ちる (失敗に)懲りる　(花が)萎びる (インクが)染みる　(体制が)綻びる (国が)滅びる	(行為を)恥じる
★	(上司に)媚びる　(田が)干からびる (恩に)報いる	(先例に)鑑みる　(過去を)悔いる

第49回 練習問題

（　）に入れるのに最もよいものを、1・2・3・4から一つ選びなさい。

1. 内心は焦っていたが、外見は落ち着いて見えるように（　　）。
   1 尽くした　　2 極めた　　3 努めた　　4 力んだ

2. 議論の末、会の方針が（　　）。
   1 止まった　　2 定まった　　3 進んだ　　4 起こった

3. こんな責任の重い仕事が私で（　　）かどうか心配だ。
   1 任せられる　　2 頼れる　　3 務まる　　4 埋まる

4. 迅速に対処し、被害を最小限に（　　）ことができた。
   1 とどめる　　2 さだめる　　3 固める　　4 沈める

5. 彼は胸に（　　）思いを私だけに語ってくれた。
   1 浮いた　　2 沈んだ　　3 秘めた　　4 深めた

6. 彼は約100名の野球部を（　　）キャプテンである。
   1 用いる　　2 率いる　　3 省みる　　4 試みる

7. 最初は夢物語に思えた彼の計画もだんだん現実味を（　　）きた。
   1 まとめて　　2 かぶって　　3 浴びて　　4 帯びて

8. 株は、一度失敗して、もう（　　）しまった。
   1 こりて　　2 なげいて　　3 にくんで　　4 とざして

9. むせび泣くようなバイオリンの響きが胸に（　　）。
   1 叫んだ　　2 通った　　3 しみた　　4 ぬれた

10. 感情的になって判断を（　　）。
    1 おさまった　　2 ちぢめた　　3 あやまった　　4 わびた

11. 先生の恩に（　　）ためにも勉学に励みたい。
    1 沿う　　2 合わせる　　3 返す　　4 むくいる

12. 大地震が起きて、村がひとつ（　　）。
    1 やぶれた　　2 ほろびた　　3 おちいった　　4 しりぞいた

その他の語彙

動詞 ③

漢字＋える

重要度	自動詞	他動詞
★★★	(チャンスを)与える　(裁判に)訴える (視力が)衰える　(頭が)冴える (苦しみに)耐える　(思い出が)蘇る	(家計を)支える　(彩りを)添える (酒を)控える
★★	(威嚇に)怯える　(町が)栄える (ビルが)そびえる　(通信が)絶える (政治家に)仕える　(山が)映える	(店を)構える　(体を)鍛える (呼吸を)整える　(説を)唱える (前例を)踏まえる
★	(傷が)癒える　(目が)肥える (期待に)応える	(気持ちを)抑える　(腰を)据える (花を)供える　(ペンを)携える (勝利を)称える

漢字＋れる

重要度	自動詞	他動詞
★★★	(馬が)暴れる　(成績に)うぬぼれる (春が)訪れる　(自信が)崩れる (関係が)こじれる	(危機を)逃れる　(危機を)免れる
★★	(果物が)熟れる　(声が)嗄れる (川が)涸れる　(花が)萎れる　(街が)廃れる (裾が)擦れる　(幕が)垂れる　(犬と)戯れる (人前で)照れる　(目が)腫れる (腹が)膨れる　(気が)紛れる (ダイヤが)乱れる　(秘密が)漏れる	(大学を)訪れる
★	(思いに)駆られる　(胸が)焦がれる (彼女に)惚れる　(靴の中が)蒸れる (鳥が)群れる　(試合に)敗れる (名前が)汚れる	(窮地に)陥れる

第50回 練習問題

(解答p244)

( )に入れるのに最もよいものを、1・2・3・4から一つ選びなさい。

1 花瓶の水を替えるのを忘れ、花が（　　　）しまった。
　1　老いて　　　　2　老けて　　　　3　しおれて　　　　4　しびれて

2 代表である以上、責任を（　　　）ことはできない。
　1　そむく　　　　2　それる　　　　3　はむかう　　　　4　まぬがれる

3 プレゼントにメッセージを（　　　）。
　1　預けた　　　　2　増した　　　　3　供えた　　　　4　添えた

4 病気をしてから酒は（　　　）ようになった。
　1　控える　　　　2　抑える　　　　3　絶える　　　　4　収める

5 震災5年後、町は復興し、全盛時以上に（　　　）。
　1　養った　　　　2　称えた　　　　3　肥えた　　　　4　栄えた

6 走って来たことがばれないように教室に入る前に、呼吸を（　　　）。
　1　殺した　　　　2　刻んだ　　　　3　整えた　　　　4　まとめた

7 だれも彼の意見に異議を（　　　）者はいなかった。
　1　唱える　　　　2　叫ぶ　　　　3　どなる　　　　4　わめく

8 この商店街も今ではすっかり（　　　）しまった。
　1　涸れて　　　　2　垂れて　　　　3　敗れて　　　　4　廃れて

9 目がかゆくて何度もこすっていたら、（　　　）しまった。
　1　焦がれて　　　　2　蒸れて　　　　3　腫れて　　　　4　崩れて

10 海外で暮らす友人からの音信が（　　　）もう1年になる。
　1　絶えて　　　　2　断って　　　　3　去って　　　　4　衰えて

11 世界一周への熱い思いに（　　　）、彼はまた旅に出た。
　1　追われ　　　　2　駆られ　　　　3　恵まれ　　　　4　逃れ

12 過去の前例を（　　　）上で、議論をするべきだ。
　1　眺めた　　　　2　握った　　　　3　捕まえた　　　　4　踏まえた

その他の語彙

動詞 ④

漢字＋eる

重要度	自動詞	他動詞
★★★	(質問されて)とぼける　(ひもが)ほどける (記憶が)ぼやける	(影響を)受ける　(耳を)傾ける (趣味と実益を)兼ねる　(渋滞を)避ける (春を)告げる　(思いを)遂げる (思いを)述べる　(年月を)隔てる (不安を)和らげる
★★	(市長に)宛てる　(二つに)裂ける (人に)化ける　(力が)果てる　(顔が)老ける (頭が)ぼける	(席を)空ける　(スローガンを)掲げる (お金を)賭ける　(命を)捧げる (技を)授ける　(目を)背ける　(髪を)束ねる (子を)寝かせる　(体を)震わせる (場を)設ける　(車を)避ける
★	(場が)白ける　(紙が)透ける (からかわれて)拗ねる　(靴が)脱げる (ベッドに)寝そべる　(頭が)禿げる (切手が)剥げる　(街が)開ける (かばんが)破ける	(賞金をマンション購入に)充てる (首を)傾げる　(音を)奏でる (海外進出を)企てる　(バッグを)提げる (弱者を)虐げる

第51回 練習問題

(解答 p244)

( ) に入れるのに最もよいものを、1・2・3・4から一つ選びなさい。

1 はたして彼に、彼女への思いを（　　　）日が来るのだろうか。
　　1　かなう　　　2　終える　　　3　遂げる　　　4　尽きる

2 社員が社長と直接話し合う場を（　　　）。
　　1　設けた　　　2　届けた　　　3　施した　　　4　用いた

3 災害に乗じて犯行を（　　　）グループが存在するという。
　　1　企てる　　　2　画する　　　3　案じる　　　4　立ち上げる

4 まずは旅行の候補地を（　　　）みた。
　　1　挙げて　　　2　掲げて　　　3　提げて　　　4　遂げて

5 病院の検査であっても、なるべくなら放射線を浴びるのは（　　　）ほうがいい。
　　1　除いた　　　2　避けた　　　3　退けた　　　4　放した

6 事故現場のあまりに悲惨な光景に思わず目を（　　　）。
　　1　傾けた　　　2　潤した　　　3　反った　　　4　そむけた

7 父母は山を（　　　）となりの町に住んでいる。
　　1　断った　　　2　据えた　　　3　隔てた　　　4　そびえた

8 デモに参加した人たちは各自で用意したプラカードを（　　　）行進した。
　　1　捧げて　　　2　掲げて　　　3　傾げて　　　4　提げて

9 彼は大通りに面した一等地に事務所を（　　　）。
　　1　結んだ　　　2　構えた　　　3　捉えた　　　4　組んだ

10 どんなに辛いときも我が子の写真を見ると気が（　　　）。
　　1　照れる　　　2　あばれる　　　3　たわむれる　　　4　まぎれる

11 人前で友人の話を例に出したが、念のため名前は（　　　）おいた。
　　1　引いて　　　2　おおって　　　3　かぶせて　　　4　ふせて

12 義援金は被災者の食費に（　　　）。
　　1　与えられた　　2　預けられた　　3　合わされた　　4　充てられた

その他の語彙

動詞 ⑤

～＋う

重要度	自動詞	他動詞
★★★	(のどが)潤う　(予定が)狂う　(波に)漂う (先例に)倣う　(町が)賑わう	(責任を)負う
★★	—	(社長の椅子を)争う　(町を)襲う (先輩を)慕う　(罪を)償う　(糸で布を)縫う (急所を)狙う
★	(公園で)憩う　(涙が)伝う　(準備が)調う (突然のことに)戸惑う	(様子を)窺う　(周りを)囲う　(友人を)かばう (先を)競う　(パンチを)食らう (子供を)さらう　(信用を)損なう　(場を)繕う (協調性を)培う　(死者を)弔う　(責任を)担う (汗を)拭う　(部下を)労う　(不運を)呪う (雪が)舞う　(家計を)賄う　(家族を)養う (髪を)結う　(平静を)装う

～＋く／ぐ

重要度	自動詞	他動詞
★★★	—	(においが鼻を)つく　(信念を)貫く (水を)はじく　(畑に種を)まく
★★	(日が)輝く　(空気が)和らぐ	(夢を)描く　(時間を)稼ぐ　(財産を)築く (二つに)裂く　(必要性を)説く　(不幸を)嘆く (客を)招く　(技を)磨く
★	(傷が)疼く　(京都へ)赴く　(ソファーで)寛ぐ (後ろへ)退く　(気が)急く　(親の教えに)背く (小声で)呟く　(音が)轟く　(飼い主に)懐く (空に)羽ばたく　(考えが)閃く　(火を)噴く (光が)瞬く　(気が)安らぐ　(自信が)揺らぐ (炎が)揺らめく	(天を)仰ぐ　(敵を)欺く　(秘密を)暴く (注意を)欠く　(足を)挫く　(時間を)割く (問題を)捌く　(罪を)裁く　(急場を)凌ぐ (跡を)継ぐ　(糸を)紡ぐ　(包丁を)研ぐ (生徒を)導く

第52回 練習問題

（解答p244）

（　　）に入れるのに最もよいものを、1・2・3・4から一つ選びなさい。

1 彼はお世辞を言って社長のご機嫌を（　　　）。
　　1　うかがった　　2　おがんだ　　3　いただいた　　4　うけたまわった

2 彼は毎日毎日営業に出かけ、客の信用を（　　　）。
　　1　建てた　　2　設けた　　3　築いた　　4　構えた

3 彼は大きなショックを受けたが、努めて平静を（　　　）。
　　1　偽った　　2　装った　　3　欺いた　　4　だました

4 彼の不注意が事故を（　　　）。
　　1　招いた　　2　誘った　　3　運んだ　　4　届けた

5 試験の日は親に車で送ってもらって少しでも時間を（　　　）。
　　1　用いた　　2　費やした　　3　儲けた　　4　稼いだ

6 彼は流れ出る額の汗を手で（　　　）。
　　1　こすった　　2　ぬぐった　　3　にぎった　　4　はじいた

7 社長の命令に（　　　）ことは許されない。
　　1　背く　　2　反る　　3　異なる　　4　疑う

8 彼はぶつぶつと独り言を（　　　）。
　　1　ささやいた　　2　つぶやいた　　3　となえた　　4　口ずさんだ

9 とっさにいいアイデアが（　　　）。
　　1　とどろいた　　2　かがやいた　　3　ひらめいた　　4　またたいた

10 彼は脱サラし、家業を（　　　）ことにした。
　　1　承る　　2　受ける　　3　継ぐ　　4　就く

11 議長の判断は反対派に有利で、バランスを（　　　）ものだった。
　　1　断った　　2　欠いた　　3　破った　　4　奪った

12 彼は最後まで自分の信念を（　　　）。
　　1　貫いた　　2　徹した　　3　突いた　　4　刺した

その他の語彙

動詞 ⑥

～＋す

重要度	他動詞
★★★	(秘密を)明かす　(チャンスを)生かす　(意見を)促す　(住民を)脅かす　(影響を)及ぼす (調子を)崩す　(決断を)下す　(定説を)覆す　(人を)けなす　(政治家を)志す　(腹を)壊す (全力を)尽くす　(腰を)伸ばす　(友人を)励ます　(ひげを)生やす　(治療を)施す (客を)もてなす　(恋人とよりを)戻す　(会を)催す
★★	(畑を)荒らす　(領土を)侵す　(ナイフで)脅す　(挨拶を)交わす　(工夫を)凝らす　(名を)記す (耳を)澄ます　(話を)済ます　(子供を)急かす　(話題を)逸らす　(労力を)費やす (頭を)悩ます　(体を)慣らす　(腰を)抜かす　(好機を)逃す　(約束を)果たす　(水に)浸す (敵を)滅ぼす　(仕事を)任す　(秩序を)乱す　(秘密を)漏らす
★	(心を)癒す　(のどを)潤す　(危険を)冒す　(村を)興す　(日光に)晒す　(記号を)印す (悪の根を)絶やす　(心を)閉ざす　(土地を)ならす　(気を)紛らす

～＋む／つ／ぶ

重要度	自動詞	他動詞
★★★	(難関に)挑む　(金が)絡む　(関係が)きしむ (川の水が)澄む　(手に)なじむ　(試合に)臨む (話が)弾む　／　(被害が)及ぶ　(町が)滅ぶ	(将来を)危ぶむ　(別れを)惜しむ　(手を)組む (私語を)慎む　／　(関係を)保つ　／　(契約を)結ぶ
★★	(人生を)歩む　(空が)霞む　(音楽に)親しむ (経験に)富む　(勉学に)励む　(顔が)歪む (気が)弛む　(気が)緩む	(店を)営む　(利子を)産む　(芽を)摘む (人を)妬む　(行く手を)阻む　(お金を)恵む (気を)病む　／　(迷いを)断つ　／　(師を)尊ぶ (個性を)貴ぶ
★	(リンゴが)傷む　(傷口が)膿む　(目が)潤む (目が)眩む　(場が)和む　(危険が)潜む	(不幸な人を)憐れむ　(死者を)悼む (援助を)拒む　(悪事を)企む　(愛を)育む (計画を)もくろむ　／　(連絡を)絶つ (矢を)放つ　／　(恥を)忍ぶ　(故郷を)偲ぶ

第53回 練習問題　　　　（解答p244）

（　　）に入れるのに最もよいものを、1・2・3・4から一つ選びなさい。

1　あえて難関大学に（　　　）生徒も少なくない。
　1　きそう　　　2　いどむ　　　3　せまる　　　4　たたかう

2　巨大な岩が彼の行く手を（　　　）。
　1　はばんだ　　2　こばんだ　　3　くつがえした　4　とどめた

3　この会社は即戦力のある経験に（　　　）人材を求めている。
　1　富んだ　　　2　優れた　　　3　増した　　　4　勝った

4　先生は生徒に質問を（　　　）。
　1　もよおした　2　さそった　　3　うながした　　4　まねいた

5　事故の被害者は1万人に（　　　）。
　1　超えた　　　2　着いた　　　3　およんだ　　　4　ほろんだ

6　苦痛のため思わず彼の顔が（　　　）。
　1　はがれた　　2　やぶけた　　3　ゆがんだ　　　4　つぶれた

7　彼は大金に目が（　　　）、悪に手を染めてしまった。
　1　ぼやけ　　　2　くらみ　　　3　かすみ　　　4　けむり

8　都会ではどこに危険が（　　　）かわからない。
　1　とまっている　2　かげっている　3　しずんでいる　4　ひそんでいる

9　二人は無言で視線を（　　　）。
　1　通わせた　　2　交わした　　3　通した　　　4　交わらせた

10　先生は都合が悪くなると話題を（　　　）。
　1　逸らした　　2　曲げた　　　3　紛らした　　　4　歪めた

11　彼にとっては、若さを（　　　）秘訣は「笑い」であった。
　1　保つ　　　　2　続ける　　　3　継ぐ　　　　4　守る

12　外国からの客を日本の伝統料理で（　　　）。
　1　あつかった　2　あじわった　3　もてなした　　4　ごちそうした

その他の語彙

動詞 ⑦

～＋する

重要度	自動詞	他動詞
★★★	(称賛に)値する	(立場を)察する
★★	(天才と)称する　(実戦に)即する (「～」と)題する　(仕事に)徹する (通りに)面する	(気分を)害する　(恋に)恋する (機先を)制する　(危機を)脱する (権利を)有する　(時を)要する
★	(敵に)臆する　(紙切れと)化する❶ (水泡に)帰する❶　(敵に)屈する (期が)熟する　(法に)則する (心配して)損する　(夢を)託する❶ (一万円)得する　(危機に)瀕する	(好機を)逸する　(機関を)介する (一線を)画する❶　(罰金を)科する❶ (特訓を)課する❶　(成功を)期する❶ (意を)決する　(職を)辞する (想像を)絶する　(不満を)呈する (奇声を)発する　(地位を)欲する

+α ❶のついた語は「～す」の形でもよく使われる。

～＋じる

重要度	自動詞	他動詞
★★★	(川遊びに)興じる	(事件を)報じる
★★	(敵に)先んじる　(前例に)準じる (機に)乗じる　(赤字に)転じる (相手の対応に)動じる	(将来を)案じる　(主人公を)演じる (個性を)重んじる　(相手を)軽んじる (喫煙を)禁じる
★	(今の境遇に)甘んじる　(不安が)高じる	(措置を)講じる　(資金を)投じる (必勝を)念じる　(敵の動きを)封じる

第54回 練習問題

(解答 p244)

（　）に入れるのに最もよいものを、1・2・3・4から一つ選びなさい。

1 インタビューするとき大事なのは自分の意見は抑えて、聞き役に（　　　）ことだ。
　　1　値する　　　　2　達する　　　　3　屈する　　　　4　徹する

2 彼は、絶滅の危機に（　　　）動物を保護する活動をしている。
　　1　即する　　　　2　面する　　　　3　瀕する　　　　4　絶する

3 彼は自分の夢を我が子に（　　　）つもりでいる。
　　1　課す　　　　　2　画す　　　　　3　帰す　　　　　4　託す

4 あこがれの作家と対談する絶好の機会を（　　　）しまった。
　　1　脱して　　　　2　逸して　　　　3　害して　　　　4　損して

5 絶体絶命の危機にあっても彼は少しも（　　　）。
　　1　高じなかった　2　禁じなかった　3　動じなかった　4　転じなかった

6 手術の後、麻酔が切れた時は想像を（　　　）ほどの痛みだった。
　　1　絶する　　　　2　呈する　　　　3　要する　　　　4　制する

7 病原菌は井戸の水を（　　　）人々に伝染した。
　　1　発して　　　　2　化して　　　　3　接して　　　　4　介して

8 被害が広がらないように対策を（　　　）必要がある。
　　1　案じる　　　　2　念じる　　　　3　演じる　　　　4　講じる

9 会社は自然エネルギーの開発に資金を（　　　）ことにした。
　　1　準じる　　　　2　投じる　　　　3　興じる　　　　4　先んじる

10 私の父は厳格で、伝統を（　　　）タイプだ。
　　1　重んじる　　　2　準じる　　　　3　徹する　　　　4　熟する

11 会社の再建には、長い時間を（　　　）だろう。
　　1　有する　　　　2　要する　　　　3　得する　　　　4　欲する

12 政府の発表について、各メディアは特集を組んで（　　　）。
　　1　転じた　　　　2　発した　　　　3　報じた　　　　4　題した

その他の語彙

形容詞 ①

形容詞も問題2に出る可能性があります。語尾や、漢字が含まれるかどうかに注意しながら、整理しましょう。特にな形容詞は、漢字語彙に「な」をつけて使う場合も多くあります。

な形容詞 ～か

重要度	
★★★	鮮やか　おおまか　穏やか　おろそか　こまやか　速やか　なごやか　のどか　華やか　朗らか
★★	厳か　愚か　かすか　清らか　きらびやか　しとやか　しなやか　健やか　なめらか　遥か　密か　緩やか
★	うららか　おおらか　軽やか　きめ細やか　ささやか　高らか　つややか　にこやか　冷ややか　まことしやか　安らか

ひらがなの な形容詞

重要度	
★★★	新た　大げさ　きざ　盛ん　ぞんざい　まばら
★★	いい加減　うかつ　うつろ　気まぐれ　たくみ　つぶら　物好き　ろく
★	ありがち　ありきたり　いんちき　お粗末　がむしゃら　軽はずみ　気づまり　気まま　ざっくばらん　ざら　したたか　ずさん　せっかち　ちっぽけ　月並み　手持ちぶさた　投げやり　場違い　ひたむき　風変わり　ぶっきらぼう　太っ腹　へっちゃら　変てこ　ほのか　まし　真っさら　まっぴら　まとも　目ざわり　もってのほか　もの欲しそう　破れかぶれ

その他の形容詞的表現

青青とした　うっそうとした　荒涼とした　ごみごみした　殺伐とした
大人びた　大それた　古びた　古ぼけた
屈指の　名ばかりの　またの　昔ながらの
ある　とある　心ある　心ない
最たる　そうそうたる　微々たる
あらゆる　いかなる　聖なる　しかるべき

第55回 練習問題

（解答 p244）

（　）に入れるのに最もよいものを、1・2・3・4から一つ選びなさい。

1　化学薬品の（　　）管理が事故を引き起こした。
　　1　ずさんな　　2　ありがちな　　3　ぼろぼろな　　4　がむしゃらな

2　夜遅く帰宅しても子供たちの（　　）寝顔を見ると、また明日も頑張ろうと思う。
　　1　ゆるやかな　　2　すこやかな　　3　あざやかな　　4　かろやかな

3　2月下旬に街を歩くと、どこからか梅の花の（　　）香りが漂ってきた。
　　1　ちっぽけな　　2　もの欲しそうな　　3　ほのかな　　4　ほやほやな

4　つまらない物ですが、私の（　　）気持ちのしるしです。お受け取りください。
　　1　ささやかな　　2　ひややかな　　3　きよらかな　　4　おごそかな

5　外で働く母親の場合、家事が（　　）になるのはしかたがない。
　　1　しとやか　　2　まばら　　3　のどか　　4　おろそか

6　この服は（　　）肌ざわりで、とても着心地が良い。
　　1　うららかな　　2　やすらかな　　3　にこやかな　　4　なめらかな

7　今度の試合で日本チームの弱点が（　　）になった。
　　1　まっぴら　　2　こりごり　　3　あらわ　　4　目ざわり

8　彼はだれにも知られず、（　　）に自分の夢を追い続けている。
　　1　うかつ　　2　おおげさ　　3　ひそか　　4　はるか

9　彼は風邪のためか、ボーッとして（　　）目をしていた。
　　1　つぶらな　　2　うつろな　　3　きよらかな　　4　きざな

10　すし屋で料理人の（　　）包丁さばきを見せてもらった。
　　1　たからかな　　2　おそまつな　　3　さかんな　　4　たくみな

11　彼は時間には遅れるし貸したお金は返さないし、本当に（　　）だ。
　　1　いいかげん　　2　ざっくばらん　　3　ばらばら　　4　むじゃき

12　「この件に関しては（　　）例外も認めない」と部長に厳しく言われた。
　　1　しかるべき　　2　最たる　　3　もってのほかな　　4　いかなる

その他の語彙

形容詞 ②

な形容詞 漢字による分類

漢字	
不	不快　不吉　不遇　不実　不順　不純　不審　不当　不能　不評　不服　不変 不法　不満　不滅　不毛　不要　不躾❷　不安定　不可解　不可能　不可避　不機嫌 不謹慎　不健康　不健全　不公平　不合理　不自然　不十分　不条理　不親切 不相応　不確か　不注意　不都合　不適格　不適当　不透明　不得意　不慣れ 不必要　不平等　不本意　不満足　不向き　不名誉　不明瞭　不愉快　不気味❷ 不器用❷　不細工❷　不用心
無	無様　無精❷　無難❷　無礼　無益　無害　無効　無残　無知　無茶　無能　無謀 無欲　無力　無愛想❷　無遠慮　無意識　無意味　無関係　無関心　無気力 無計画　無作為　無差別　無自覚　無邪気　無神経　無尽蔵　無制限　無責任 無造作　無秩序　無抵抗　無頓着　無能力　無表情　無防備　／　皆無
有	有益　有害　有能　有望　有用　有力
実	確実　堅実　誠実　切実　着実　忠実
密	密接　／　過密　緊密　厳密　親密　精密　緻密　濃密　綿密
明	明白　明瞭　明朗　／　簡明　賢明　克明　鮮明　聡明
重	重厚❷　重宝　／　貴重　慎重　丁重
大	大胆　／　過大　寛大　強大　甚大　盛大　絶大　壮大　多大　長大　雄大
高	高潔　高尚　高慢　高名　／　崇高

な形容詞 類似語・類義語

安静－安泰－安価　円滑－円満　過激－過酷－過敏　豪快－爽快　心外－論外
肝心－肝要　簡易－簡潔－簡素－簡略　頑丈－頑強　奇異－奇遇　早急－性急
強硬－強固　軽率－軽快－軽薄　純潔－清潔－潔白　厳格－厳粛－厳正－荘厳❷
詳細－些細　繊細　煩雑－乱雑　貧弱－薄弱　軟弱－病弱－脆弱　未熟－早熟
質素－素朴　閑静－静寂－静粛－平静　多忙　多様　多才－多彩　雑多　単一－単調
著名－顕著　低俗－低調　適格－適正－最適　対等－均等　唐突－突飛　丹念－入念
敏捷－敏速　鋭敏－機敏－俊敏　巧妙－絶妙－神妙　優位－優美－優雅
良質－良好　善良－優良　強烈－痛烈－熱烈－猛烈

第56回 練習問題

（解答p244）

（　）に入れるのに最もよいものを、1・2・3・4から一つ選びなさい。

1 審判の判定に（　　　）場合は、申し立てをすることができる。
　1 不実な　　　2 不安な　　　3 不服な　　　4 不快な

2 推定無罪の原則を逸脱した（　　　）判決が下された。
　1 不信な　　　2 不当な　　　3 不全な　　　4 不遇な

3 彼は会社を辞めたと言っているが、（　　　）に言うと辞めさせられたのだった。
　1 親密　　　　2 厳密　　　　3 精密　　　　4 緻密

4 犯行は、世間をあっと言わせるほどの（　　　）手口だった。
　1 好調な　　　2 優良な　　　3 巧妙な　　　4 神妙な

5 彼は日々努力を重ね、（　　　）に成績を伸ばしていった。
　1 明朗　　　　2 簡明　　　　3 切実　　　　4 着実

6 監督から実力以上の（　　　）評価を受け恐縮した。
　1 大胆な　　　2 雄大な　　　3 過大な　　　4 盛大な

7 本番が始まる前に、何度も（　　　）に舞台のチェックをした。
　1 観念　　　　2 肝要　　　　3 入念　　　　4 肝心

8 偉い方からのお誘いだったので、（　　　）にお断りした。
　1 丁重　　　　2 貴重　　　　3 重宝　　　　4 濃厚

9 こんな悪天候の日に海に出るなんて（　　　）だ。
　1 無力　　　　2 無効　　　　3 無謀　　　　4 無害

10 彼は、妊娠7か月の（　　　）体で生まれたという。
　1 無能な　　　2 無欲な　　　3 早熟な　　　4 未熟な

11 彼は何でも人のせいにする（　　　）男だ。
　1 無責任な　　2 無制限な　　3 無意識な　　4 無防備な

12 彼の言う根拠は（　　　）で、当てにならなかった。
　1 病弱　　　　2 虚弱　　　　3 軟弱　　　　4 薄弱

その他の語彙

形容詞 ③

人の性格や行動などに関わる な形容詞

プラスイメージ	温厚(おんこう)	温和(おんわ)	穏健(おんけん)	寛容(かんよう)	活発(かっぱつ)	健全(けんぜん)	勤勉(きんべん)	謙虚(けんきょ)	従順(じゅうじゅん)	清純(せいじゅん)
マイナスイメージ	頑固(がんこ) 悪質(あくしつ)	強情(ごうじょう) 険悪(けんあく)	傲慢(ごうまん) 邪悪(じゃあく)	短気(たんき) 醜悪(しゅうあく)	残酷(ざんこく) 劣悪(れつあく)	残虐(ざんぎゃく) 凶悪(きょうあく)	冷酷(れいこく) 凶暴(きょうぼう)	冷淡(れいたん) 卑劣(ひれつ)	薄情(はくじょう) 陰気(いんき)	狡猾(こうかつ) 陰険(いんけん)	怠惰(たいだ) 陰湿(いんしつ)	野蛮(やばん)
対義語	勇敢(ゆうかん)⇔臆病(おくびょう)	敏感(びんかん)⇔鈍感(どんかん)	雄弁(ゆうべん)⇔寡黙(かもく)	平凡(へいぼん)⇔非凡(ひぼん)							

音読みの な形容詞

遺憾(いかん)	一様(いちよう)	婉曲(えんきょく)	旺盛(おうせい)	果敢(かかん)	格別(かくべつ)	完璧(かんぺき)	華奢(きゃしゃ)	窮屈(きゅうくつ)	極端(きょくたん)	堅固(けんご)	幸運(こううん)	光栄(こうえい)
好調(こうちょう)	滑稽(こっけい)	孤独(こどく)	古風(こふう)	斬新(ざんしん)	自在(じざい)	執拗(しつよう)	周到(しゅうとう)	柔軟(じゅうなん)	神聖(しんせい)	辛辣(しんらつ)	正常(せいじょう)	正当(せいとう)
壮絶(そうぜつ)	達者(たっしゃ)	達筆(たっぴつ)	端正(たんせい)	陳腐(ちんぷ)	特殊(とくしゅ)	貪欲(どんよく)	難解(なんかい)	悲惨(ひさん)	頻繁(ひんぱん)	平穏(へいおん)	辺鄙(へんぴ)	名誉(めいよ)
面倒(めんどう)	憂鬱(ゆううつ)	露骨(ろこつ)	迅速(じんそく)⇔緩慢(かんまん)		懇意(こんい)⇔疎遠(そえん)		重厚(じゅうこう)⇔軽薄(けいはく)		濃厚(のうこう)⇔希薄(きはく)		貧乏(びんぼう)⇔裕福(ゆうふく)	

訓読みの な形容詞

内気(うちき)ー弱気(よわき)	気長(きなが)ー気軽(きがる)ー気弱(きよわ)	手薄(てうす)ー手軽(てがる)ー手近(てぢか)ー手頃(てごろ)	身近(みぢか)ー身軽(みがる)	割高(わりだか)ー割安(わりやす)
大幅(おおはば)	半端(はんぱ)	無口(むくち)	大柄(おおがら)⇔小柄(こがら) 派手(はで)⇔地味(じみ) 粋(いき)⇔野暮(やぼ)	

漢字3字の な形容詞

～的	圧倒的(あっとうてき)	画期的(かっきてき)	規範的(きはんてき)	精力的(せいりょくてき)	本格的(ほんかくてき)	楽観的(らっかんてき)	理性的(りせいてき)	革新的(かくしんてき)⇔保守的(ほしゅてき)
	主観的(しゅかんてき)⇔客観的(きゃっかんてき)		能動的(のうどうてき)⇔受動的(じゅどうてき)		楽観的(らっかんてき)⇔悲観的(ひかんてき)		社交的(しゃこうてき)≒外向的(がいこうてき)⇔内向的(ないこうてき)	
	具体的(ぐたいてき)⇔抽象的(ちゅうしょうてき)		精神的(せいしんてき)⇔物質的(ぶっしつてき)		観念的(かんねんてき)⇔物理的(ぶつりてき)		偶発的(ぐうはつてき)⇔必然的(ひつぜんてき)	
	理想的(りそうてき)⇔現実的(げんじつてき)		規則的(きそくてき)⇔変則的(へんそくてき)		開放的(かいほうてき)⇔閉鎖的(へいさてき)		直接的(ちょくせつてき)⇔間接的(かんせつてき)	
その他	親孝行(おやこうこう)	親不孝(おやふこう)	過保護(かほご)	几帳面(きちょうめん)	口下手(くちべた)	好都合(こうつごう)	広範囲(こうはんい)	上機嫌(じょうきげん)	上出来(じょうでき)
	神経質(しんけいしつ)	大規模(だいきぼ)	生半可(なまはんか)	寝不足(ねぶそく)	非常識(ひじょうしき)	身勝手(みがって)	有意義(ゆういぎ)	理不尽(りふじん)	両極端(りょうきょくたん)

+α 「～的」の語彙は、p38も参照のこと。

い形容詞 ～＋～い

心強(こころづよ)い	心細(こころぼそ)い ／ 手厚(てあつ)い	手荒(てあら)い	手痛(ていた)い	手堅(てがた)い	手厳(てきび)しい	手ごわい	手っ取(と)り早(ばや)い
手早(てばや)い ／ きまりわるい	素早(すばや)い	名高(なだか)い	生(なま)ぬるい ／ 遠慮深(えんりょぶか)い	奥深(おくぶか)い	執念深(しゅうねんぶか)い		
慎(つつし)み深(ぶか)い	罪深(つみぶか)い	情(なさ)け深(ぶか)い	根深(ねぶか)い	用心深(ようじんぶか)い	欲深(よくぶか)い ／ 我慢強(がまんづよ)い	辛抱強(しんぼうづよ)い	根強(ねづよ)い
粘(ねば)り強(づよ)い ／ うさんくさい	焦(こ)げくさい	照(て)れくさい	古(ふる)くさい	水(みず)くさい			

第57回 練習問題

（解答p244）

（　）に入れるのに最もよいものを、1・2・3・4から一つ選びなさい。

1. くつろいでいるときの彼は、とても（　　）な表情をしている。
   1　緩和　　　2　温和　　　3　安静　　　4　閑静

2. 年が明けて、この地方も（　　）冬の寒さを迎えるころとなった。
   1　抜本的な　2　根本的な　3　本格的な　4　本質的な

3. 誰も自分にとって（　　）ことには触れてほしくないものだ。
   1　不機嫌な　2　不都合な　3　不可解な　4　不明瞭な

4. 彼は、夜中に一人ではトイレにも行けないほどの（　　）子供だった。
   1　臆病な　　2　薄弱な　　3　軽薄な　　4　低調

5. 彼は一度言い出したら絶対に自己の主張を曲げない（　　）男だ。
   1　強固な　　2　薄情な　　3　強情な　　4　頑丈な

6. ストライキは労働者に認められた（　　）行為である。
   1　正常な　　2　正当な　　3　正式な　　4　適宜な

7. 今度の車のデザインは、驚くほど（　　）で洗練されている。
   1　唐突　　　2　斬新　　　3　先進　　　4　先端

8. 不用意な発言により人々に誤解を与えたことを（　　）に思う。
   1　遺憾　　　2　残酷　　　3　空虚　　　4　僭越

9. 友人と巡り合えたおかげで、学問にも遊びにも充実した、（　　）学生生活を送ることができた。
   1　有意義な　2　感傷的な　3　上機嫌な　4　過保護な

10. この小説は、どこにでもあるような（　　）内容で、つまらない。
    1　雑多な　　2　壮絶な　　3　陳腐な　　4　奇妙な

11. 次の試合では、優勝候補にも挙がっている（　　）相手を迎えることになる。
    1　手厳しい　2　手痛い　　3　手荒い　　4　手ごわい

12. あの店の品物はどれも（　　）な値段で買いやすい。
    1　手薄　　　2　手引き　　3　手抜き　　4　手頃

形容詞 ④

その他の語彙

い形容詞 ～しい

重要度	
★★★	いやらしい　うっとうしい　おびただしい　すがすがしい　たくましい　乏（とぼ）しい　なれなれしい　望（のぞ）ましい　ばかばかしい　ふさわしい　見苦（みぐる）しい　むなしい　目覚（めざ）ましい　ややこしい　煩（わずら）わしい
★★	あさましい　著（いちじる）しい　卑（いや）しい　けがらわしい　好（この）ましい　悩（なや）ましい　華々（はなばな）しい　久（ひさ）しい　紛（まぎ）らわしい　待ち遠（まちどお）しい　みすぼらしい
★	あぶなっかしい　いかがわしい　痛（いた）ましい　いらだたしい　疑（うたが）わしい　うとましい　おこがましい　輝（かがや）かしい　汚（きたな）らしい　香（こう）ばしい　つつましい　嘆（なげ）かわしい　涙（なみだ）ぐましい　腹立（はらだ）たしい　誇（ほこ）らしい　ほほえましい　もっともらしい　もどかしい　やましい　喜（よろこ）ばしい／息苦（いきぐる）しい　重苦（おもくる）しい　堅苦（かたくる）しい　心苦（こころぐる）しい　狭苦（せまくる）しい　寝苦（ねぐる）しい／荒々（あらあら）しい　重々（おもおも）しい　生々（なまなま）しい　苦々（にがにが）しい　弱々（よわよわ）しい／押し付（おしつ）けがましい　恩着（おんき）せがましい　差し出（さしで）がましい／名残（なご）り惜（お）しい　生易（なまやさ）しい　真新（まあたら）しい　目（め）ぼしい　目（め）まぐるしい　もの悲（がな）しい／しらじらしい　たどたどしい　ふてぶてしい　みずみずしい　よそよそしい

い形容詞 ～ない

重要度	
★★★	あっけない　せつない　そっけない　だらしない　なにげない
★★	おっかない　かなわない　たまらない　なさけない　ものたりない
★	味気（あじけ）ない　あぶなげない　大人（おとな）げない　おぼつかない　限（かぎ）りない　極（きわ）まりない　心（こころ）ない　心（こころ）もとない　さりげない　そぐわない　頼（たよ）りない　たわいない　とてつもない　何気（なにげ）ない　煮（に）え切（き）らない　はしたない　果（は）てしない　ふがいない　ろくでもない

い形容詞 ～い

重要度	
★★★	あくどい　淡（あわ）い　潔（いさぎよ）い　(口が)かたい　けむたい　快（こころよ）い　しぶとい　すばしっこい　だるい　もろい
★★	荒（あら）っぽい　くすぐったい　渋（しぶ）い　たやすい　でかい　尊（とうと）い　眠（ねむ）たい　儚（はかな）い　平（ひら）たい　安（やす）っぽい
★	きわどい　じれったい　しんどい　すさまじい　せこい　つたない　むごい　やばい

第58回 練習問題

(解答 p244)

（　）に入れるのに最もよいものを、1・2・3・4から一つ選びなさい。

1 日本経済は1970年代に（　　）発展を遂げた。
　　1　おびただしい　　2　わずらわしい　　3　はなはだしい　　4　いちじるしい

2 彼こそがこの任務に（　　）人材だと思う。
　　1　めざましい　　2　ふさわしい　　3　たくましい　　4　待ち遠しい

3 彼はいかにも（　　）ことを言っていたが全部うそだった。
　　1　こころよい　　2　すがすがしい　　3　もっともらしい　　4　うたがわしい

4 彼は容疑をかけられたが、（　　）ことは何もしていなかったので恐くなかった。
　　1　やましい　　2　なやましい　　3　むなしい　　4　とぼしい

5 けんかした翌日、彼は妙に（　　）態度を示した。
　　1　なまやさしい　　2　みすぼらしい　　3　よそよそしい　　4　みずみずしい

6 作文の得意な彼にとっては、原稿用紙2枚程度なら（　　）ことだ。
　　1　ひらたい　　2　もろい　　3　やすっぽい　　4　たやすい

7 友を事故で失い、人の命は（　　）ものだとつくづく思った。
　　1　きわどい　　2　はかない　　3　あぶなっかしい　　4　せつない

8 日本人は情に（　　）、困っている人を助けずにはいられない。
　　1　もろく　　2　だるく　　3　ゆるく　　4　でかく

9 いざというとき、すぐに冷静さを失ってしまう自分が（　　）。
　　1　あっけなかった　　2　かなわなかった　　3　だらしなかった　　4　なさけなかった

10 彼女の（　　）うそを彼は知っていて聞き流した。
　　1　すばしこい　　2　あわい　　3　さりげない　　4　あぶなげない

11 みんなの前でうそがばれて、（　　）思いをした。
　　1　なまぬるい　　2　きまりわるい　　3　うさんくさい　　4　気難しい

12 もう60歳を超えるあの歌手は、今も（　　）人気がある。
　　1　根強い　　2　しんぼう強い　　3　根深い　　4　執念深い

その他の語彙

副詞 ①

副詞は、「ふらふら」「ぶらぶら」などの擬音語・擬態語の使い分けや、「しっかり」「きっぱり」「さっぱり」などの似た語の判別を問われることがあります。類義語・類似語を整理しておきましょう。

漢字のみの副詞

重要度	
★★★	案の定　一見　大方　終日　到底　突如　目下
★★	依然　一切　終始　断然　適宜　日夜　無論
★	一躍　急遽　極力　至極　所詮　随時　漸次　即刻　断固　逐一　当分　別段 別途／延々　重々　多々

音による分類①

擬音語 擬態語	いそいそ　おどおど　きょろきょろ　ぎりぎり　ぐずぐず　ぐらぐら　くるくる ぐるぐる　ぐんぐん　こそこそ　こつこつ　ごろごろ　ざあざあ　さらさら ざわざわ　しとしと　じゃんじゃん　じろじろ　すいすい　すくすく　ずけずけ ずるずる　ぞろぞろ　だらだら　ちらちら　つるつる　てくてく　どしどし とぼとぼ　どろどろ　にやにや　ねちねち　のこのこ　のそのそ　のびのび ばたばた　びくびく　ひしひし　ひそひそ　ひらひら　ふらふら　ぶらぶら ぶるぶる　ぺこぺこ　ぽつぽつ　めきめき　もたもた　ゆらゆら
その他	恐る恐る　おちおち　かれこれ　こわごわ　さんざん　しぶしぶ　そこそこ そもそも　ちやほや　ちょくちょく　ちらほら　つくづく　てきぱき とぎれとぎれ　のらりくらり　はるばる　まずまず　よくよく　まだまだ まるまる　みすみす　みるみる　わざわざ

音による分類②

○っ○○	あっさり　うっとり　がっくり　がっしり　がっちり　きっかり　きっちり きっぱり　くっきり　ぐっすり　ぐったり　げっそり　こっそり　ごっそり こってり　さっぱり　じっくり　しっとり　ずっしり　ちゃっかり　ちょっぴり てっきり　どっさり　どっしり　どっぷり　のっそり　びっしり　ひっそり ぽっかり　ほっそり　むっつり　ゆったり
○ん○○	うんざり　こんがり　こんもり　しんみり　すんなり　どんより　ほんのり やんわり

第59回 練習問題

(解答 p244)

（　）に入れるのに最もよいものを、1・2・3・4から一つ選びなさい。

1. 半年前から毎日勉強しているが（　　）成績は伸びないままだ。
    1　一概に　　　　2　一向に　　　　3　早急に　　　　4　至急

2. 道を歩いていると（　　）昔の歌を思い出した。
    1　未然に　　　　2　即座に　　　　3　故意に　　　　4　不意に

3. たまたま路上で歌っていたのがテレビに映り、彼は（　　）有名になった。
    1　目下　　　　　2　極力　　　　　3　一躍　　　　　4　一見

4. 彼は手術のため入院したので、（　　）職場に復帰できないとのことだ。
    1　当分　　　　　2　即刻　　　　　3　随時　　　　　4　適宜

5. 曖昧な言い訳をするのでなく、（　　）とした態度を示すべきだ。
    1　整然　　　　　2　騒然　　　　　3　断然　　　　　4　毅然

6. 試験の日が（　　）と迫っている。
    1　延々　　　　　2　刻々　　　　　3　早々　　　　　4　黙々

7. どれも似たり寄ったりだが（　　）候補を挙げるなら田中さんだ。
    1　極めて　　　　2　努めて　　　　3　強いて　　　　4　先だって

8. 地震でビルが（　　）揺れた。
    1　ぐらぐら　　　2　ぶらぶら　　　3　ぐるぐる　　　4　ぶるぶる

9. そんなに（　　）見ないでください。
    1　ぎらぎら　　　2　ぎりぎり　　　3　じりじり　　　4　じろじろ

10. 彼は仕事を（　　）かたづけていった。
    1　つくづく　　　2　めきめき　　　3　てきぱき　　　4　ちらほら

11. 彼女は新しい服を着て（　　）出かけていった。
    1　らくらく　　　2　わくわく　　　3　いそいそ　　　4　そわそわ

12. 今週はスケジュールが（　　）詰まっている。
    1　どっしり　　　2　びっしり　　　3　ぐったり　　　4　そっくり

その他の語彙

副詞 ②

音による分類③

～に	一概に　一律に　一挙に　一向に　故意に　早急に　早々に　即座に　それ相応に 丹念に　念入りに　ひとえに　日増しに　不意に　未然に　無性に　無理に 暗に　仮に　殊に　実に　真に　切に あまりに　いかに　いやに　おまけに　おもむろに　こまめに　しきりに たちどころに　ちなみに　とっさに　にわかに　はるかに　ひっきりなしに ふんだんに　ほどほどに　まことに　まめに　みだりに　むやみに　もろに やけに　やたらに　やみくもに　ろくに
～と	愕然と　閑散と　敢然と　毅然と　混沌と　雑然と　颯爽と　整然と　騒然と 二度と　漠然と　軽々と　刻々と　淡々と　長々と　早々と　脈々と　黙々と ぎょっと　ぐっと　さっと　ほっと　むっと　きちっと　くるっと　ぐるっと ずらっと　ちらっと　からりと　がらりと　くるりと　ぐるりと　ころりと さらりと　じろりと　ちらりと　どきりと　にこりと　にやりと　ぴしゃりと ひやりと　ひらりと　ふわりと　がくんと　がらんと　きょとんと　ぐんと ぽかんと　ぽつんと　すらすらと　はつらつと　まざまざと うっすらと　ことによると　ともすると　何かと
～て	敢えて　あわせて　いたって　追って　概して　かつて　かねて　かろうじて 決まって　極めて　心して　こぞって　好んで　さして　強いて　主として 総じて　断じて　誓って　務めて　晴れて　ひいて(は)　前もって　まして もって うってかわって　得てして　思い切って　折り入って　差し当たって　さて置いて

第60回 練習問題

(解答 p244)

（　）に入れるのに最もよいものを、1・2・3・4から一つ選びなさい。

1. 電車が揺れて倒れそうになったので（　　）吊り革に手を伸ばした。
   1 まめに　　　2 やけに　　　3 とっさに　　　4 にわかに

2. 水分の取りすぎだろうか、今日は（　　）汗が出る。
   1 ちなみに　　2 はるかに　　3 おまけに　　4 やたらに

3. 酒がおいしくて何杯でも飲めそうだったが、（　　）にしておいた。
   1 じきじき　　2 ほどほど　　3 ぐでんぐでん　　4 ひっきりなし

4. この南の島で雪が降るのは（　　）珍しいことなのです。
   1 実に　　　2 切に　　　3 俗に　　　4 優に

5. 老母が病気だと聞いて心配したが、ただの風邪だと分かり（　　）した。
   1 ぐっと　　2 むっと　　3 はっと　　4 ほっと

6. ほんの一瞬、すごい人ごみの中から人気スターが車に乗り込むのが（　　）見えた。
   1 ちらっと　　2 どきっと　　3 さらっと　　4 ずらっと

7. 彼は恋人が出来てからというもの性格が（　　）と変わってしまった。
   1 ぐるり　　2 がらり　　3 じろり　　4 ふわり

8. この道具を使えばリンゴの皮をむくのも（　　）簡単だ。
   1 きまって　　2 いたって　　3 かねて　　4 まして

9. 駅まで走って、（　　）出発時刻に間に合った。
   1 あらかじめ　　2 ことによると　　3 いまさら　　4 かろうじて

10. この場所は（　　）古代都市が栄えていたという。
    1 しいて　　2 あえて　　3 かつて　　4 かねて

11. 実力の差を（　　）と見せつけられた。
    1 すらすら　　2 まざまざ　　3 がくん　　4 ぴしゃり

12. 努力の末、（　　）第一志望の大学に合格できた。
    1 はれて　　2 もって　　3 ひいて　　4 まして

その他の語彙

副詞 ③

音による分類④

〜ず	あしからず　思いがけず　知らず知らず　すかさず　少なからず　遠からず とりあえず　なりふりかまわず　にもかかわらず　人知れず　やむをえず
〜も	いかにも　いやでも　惜しくも　辛くも　仮にも　さも　それにしても それにつけても　中でも　図らずも　またしても　まだしも　夢にも　よくも
〜く	危うく　勢いよく　いち早く　同じく　間断なく　気安く　ことごとく　首尾よく 順序良く　それとなく　絶えまなく　止めどなく　長らく　難なく　にべもなく もれなく　容赦なく
〜や	あわや　今や　必ずや　何やかや　またもや　よもや
〜か	いくらか　いささか　いつしか　心なしか　それどころか　そればかりか
〜で	腕ずくで　死に物狂いで　総出で　即興で　速攻で　力ずくで　道理で

その他の副詞①

どうにか　どうやら
何とぞ　何もかも　何やら　何ゆえ　何より　何だか　何だかんだ　何だって　何とか
何なら　何のその　何ら　何らか

その他の副詞②

あたかも　あながち　あらかじめ　いざ　いっそ　いまいち　いまさら　いまひとつ
おおむね　おのずから　かつ　ことさら　ことのほか　さしずめ　さぞ　さながら　さほど
しょっちゅう　すこぶる　ずばり　たかが　たらふく　てんで　とかく　とことん
とやかく　とりわけ　なおかつ　なおさら　なおのこと　なまじ　のきなみ　はなはだ
ひたすら　ひとまず　まさしく　まるごと　まるっきり　もっぱら　もはや　よほど

第61回 練習問題

(解答 p244)

（　　）に入れるのに最もよいものを、1・2・3・4から一つ選びなさい。

1 合格できて、彼の両親も（　　）喜んでいることだろう。
1　よほど　　　2　さも　　　3　さぞ　　　4　いざ

2 人間は一度失敗すると、（　　）弱気になりやすいものだ。
1　いっそ　　　2　とかく　　　3　もっぱら　　　4　まるごと

3 あの兄弟は対照的で、性格が（　　）異なる。
1　あたかも　　　2　まるっきり　　　3　のきなみ　　　4　ひたすら

4 この着色料は口に入れても、（　　）健康に害はありません。
1　何とぞ　　　2　何なら　　　3　何ゆえ　　　4　何ら

5 女性に向かって（　　）あんな汚い言葉が言えるものだ。
1　仮にも　　　2　よくも　　　3　夢にも　　　4　惜しくも

6 応募者には（　　）記念品を贈呈します。
1　気安く　　　2　止めどなく　　　3　もれなく　　　4　難なく

7 運転士の居眠りで（　　）大惨事を引き起こすところだった。
1　あわや　　　2　よもや　　　3　今や　　　4　必ずや

8 最初は気にも留めていなかった彼女のことが（　　）好きになっていた。
1　いきおいよく　　　2　長らく　　　3　いつしか　　　4　いささか

9 カーテンを開けたら外は雪だった。（　　）で寒いわけだと納得した。
1　論理　　　2　心理　　　3　真理　　　4　道理

10 昨日見た映画はよさそうにも思えたが、（　　）気に入らなかった。
1　ひとしきり　　　2　いまいち　　　3　根こそぎ　　　4　頭から

11 試験が終わったので、彼は（　　）遊んで羽を伸ばすつもりだ。
1　力ずくで　　　2　根っから　　　3　思う存分　　　4　思いのほか

12 空に虹がかかっているのを見て、彼は（　　）携帯電話で写真を撮った。
1　思いがけず　　　2　人知れず　　　3　すかさず　　　4　あしからず

その他の語彙

カタカナ語 ①

な形容詞

～3音	フェア／クール　シック　シビア　シャープ　ジャスト　ジャンボ　ショック　スリム　ドライ　ビッグ　ホット　ルーズ
4音	オープン　オーバー　ノーマル　ローカル　ユニーク　クリーン　スムーズ　ラッキー　カラフル　シンプル　スペシャル
5音～	エレガント　オリジナル　グローバル　コンパクト　ストレート　タイムリー　デラックス　デリケート　ナンセンス／アンバランス　ダイナミック　プライベート　ロマンチック　ワンパターン
対義語	ハード⇔ソフト　ネガティブ⇔ポジティブ　ヘビー⇔ライト　ポピュラー⇔マイナー

する動詞

～3音	ケアする　シェアする　ロスする／アップする　カットする　キャッチする　タッチする　バックする　ヒットする　フィットする　ダウンする　ジャンプする　チェンジする　パンクする　ガイドする　ファイルする　マークする　セーブする　リードする　エラーする　デビューする　フォローする
4音	オープンする　オーケーする　オーダーする　オーバーする　アピールする　サポートする　ディベートする　トレードする　リコールする　マスターする　エンジョイする　キャンセルする　コメントする　カウントする　ダビングする　デザインする　アクセスする　クリックする　ミックスする　リセットする
5音～	アプローチする　アンケートする　マッサージする　ゴールインする　エントリーする　カムバックする　インプットする　ダイエットする　リラックスする　ボイコットする　カンニングする　アドバイスする　リクエストする／クローズアップする　コントロールする

第62回 練習問題

（　）に入れるのに最もよいものを、1・2・3・4から一つ選びなさい。

1 両親の離婚は息子にとって大変（　　）ことだった。
　1　ドライな　　　2　ユニークな　　　3　シャープな　　　4　ショックな

2 書類の大事な部分には赤ペンで（　　）しておいた。
　1　フォロー　　　2　リード　　　3　マーク　　　4　セーブ

3 カラオケで田中さんに「花」という歌を（　　）したら、すぐに歌ってくれた。
　1　オーダー　　　2　インプット　　　3　インタビュー　　　4　リクエスト

4 サッカー選手の彼はボールを足先で自在に（　　）できる。
　1　ゴールイン　　　2　カムバック　　　3　コントロール　　　4　リラックス

5 仕事の場に（　　）話を持ち出すべきではない。
　1　オリジナルな　　　2　スペシャルな　　　3　プライベートな　　　4　タイムリーな

6 電車に乗って降りる駅を間違え、30分も（　　）してしまった。
　1　ダウン　　　2　パンク　　　3　ケア　　　4　ロス

7 会社は経営改善のため広告費を（　　）することにした。
　1　バック　　　2　カット　　　3　ジャンプ　　　4　チェンジ

8 試合前にわざわざ先輩が来てくれて、敵の攻め方について（　　）してくれた。
　1　アンケート　　　2　エントリー　　　3　アプローチ　　　4　アドバイス

9 記者会見で首相は、今回の事件について（　　）するよう求められた。
　1　コメント　　　2　カウント　　　3　マスター　　　4　メッセージ

10 彼は、授業で紹介されたネットのサイトにさっそく（　　）してみた。
　1　クリック　　　2　アクセス　　　3　リセット　　　4　オープン

11 この歌は幅広い層の反響を呼び、大（　　）した。
　1　キャッチ　　　2　タッチ　　　3　アップ　　　4　ヒット

12 これは非常に（　　）問題で、議論するまでもないことです。
　1　クリーンな　　　2　シンプルな　　　3　デリケートな　　　4　ストレートな

カタカナ語 ②

2音の名詞

イン オフ オン キー ケア シェア ショー デマ(ゴギー) デモ(ンストレーション) テロ(リズム) ノブ ファン ペア ボス ロス

3音の名詞

○ー○ ○○ー	アート　オート　ケース　シール　シーン　ジョーク　ショート　セーフ　セール　チェーン　データ　トーン　ニーズ　ハード　ピーク　ブーム　フォーム　ベース　ベール　ホース　ポーズ　マーク　ムード　モード　リード　ルート　ルーム　ルール　レース　レール　ロープ　ローン／エラー　タブー　タワー　ツアー　デビュー　パワー　ブザー　マナー　マネー　レバー
○ッ○	アップ　カット　キャッチ　ギャップ　ショック　タッチ　ネック　ネット　バッグ　ヒット　マップ
○ン○ ○○ン	ジャンプ　ジャンル　センス　タンク　チェンジ　パンク　ピンチ　ヒント　フェンス　ポンプ　ランク　ランプ　ロング コイン　ダウン　メイン　ライン
その他	ディスク　デスク　リスク／クイズ　サイズ／ギフト　ゲスト　コスト　ジャスト　ファイト　ベスト　ラスト　リスト　ガイド　サイド／ライフ　ライブ／コラム　タイム　チャイム／スペル　スリル　ダブル　ファイル　ペダル　ボトル　メダル　ラベル　レベル／エリア　キャリア　スコア　ストア　スペア　メディア／アニメ　エキス　カルテ　レジュメ

4音の名詞①

○○ー○ ○ー○ー ○ー○○ ○○○ー	アピール　エリート　ガレージ　グレード　サポート　スクープ　スケール　スペース　ダメージ　ディベート　デザート　トレード　ボリューム　モチーフ　リコール　リフォーム／オーケー　オーダー　オーナー　オーバー　コーナー　ヒーター　ヒーロー　メーカー　リーダー　レーダー／オープン　ケーブル　サービス　トータル　ノーマル　ユーモア／カルチャー　ギャラリー　ジェスチャー　スプレー　タイマー　パトカー　ハンガー　ファミリー　フォルダー　メモリー　メロディー　モニター　レギュラー
○ッ○○ ○○ッ○	エッセイ　カップル　クッション　ミックス　レッスン　レッテル／コミック　サミット　ステップ　ストック　トリック　マジック　メリット　リセット　ロボット

第63回 練習問題

（解答p244）

（　）に入れるのに最もよいものを、1・2・3・4から一つ選びなさい。

1 プロの司会者を雇ったおかげで、会はとても（　　）に進行した。
　1　スリム　　　　2　ジャスト　　　　3　スムーズ　　　　4　ジグザグ

2 電力消費量は毎年8月の午後の時間帯に（　　）に達する。
　1　ハード　　　　2　ピーク　　　　　3　ジョーク　　　　4　エラー

3 予算を抑えるため（　　）を必要最低限にまで削った。
　1　ゲスト　　　　2　ギフト　　　　　3　コスト　　　　　4　サイズ

4 関係書類をまとめて一つの（　　）にした。
　1　ファイル　　　2　ショート　　　　3　ミクロ　　　　　4　ラベル

5 彼はファッションの（　　）がいい。
　1　レベル　　　　2　センス　　　　　3　ランク　　　　　4　ジャンル

6 利益を得るためには何らかの（　　）を負わなければならない。
　1　ドリル　　　　2　スリル　　　　　3　デスク　　　　　4　リスク

7 彼は出世して、車も一つ上の（　　）のものに買い替えた。
　1　スケール　　　2　ボリューム　　　3　グレード　　　　4　ガレージ

8 デパートの催し物（　　）で北海道の物産展が開かれている。
　1　ポジション　　2　コーナー　　　　3　スペース　　　　4　ブランク

9 彼は、この春サッカー部に入ったばかりの1年生だったが（　　）に選ばれた。
　1　ファミリー　　2　ヒーロー　　　　3　ノーマル　　　　4　レギュラー

10 A社の製品は全世界で40％の（　　）を誇る。
　1　シェア　　　　2　ケア　　　　　　3　ファン　　　　　4　イン

11 消費者の（　　）に応えるのが商売である。
　1　マネー　　　　2　パワー　　　　　3　ニーズ　　　　　4　コスト

12 彼の友人は山の中の電波の届かない（　　）に住んでいる。
　1　サイド　　　　2　エリア　　　　　3　メディア　　　　4　ライフ

その他の語彙

カタカナ語 ③

4音の名詞②

○○ン○ ○○○ン ○ン○○	カウント　コメント　ジレンマ　スタンプ　スランプ　タレント　トランク ニュアンス　ブランク　ブランド　フロント　ポイント／セクション デザイン　フィクション　ポジション　ワクチン／インフレ　コンビニ
○○○ル	アイドル　カプセル　キャンセル　ギャンブル　サイクル　シグナル　シングル シンボル　スタイル　タイトル　チャンネル　デジタル　トラブル　マニュアル ライバル
その他	アクセス　アドレス　ウイルス　ストレス　ビジネス　プロセス／アナログ システム　シナリオ　スタジオ　スタミナ　ピリオド　プライド　マスコミ

5音以上の名詞

5音	アプローチ　アベレージ　アンケート　アンコール　エピソード　キャンペーン コマーシャル　ストーリー　ストレート　スローガン　パスワード プロフィール　マッサージ　マネージャー　メッセージ　ユニフォーム リハーサル／オークション　キーボード　キーワード　フィーリング ポータブル　ミュージック／アレルギー　エコロジー　エントリー　カウンター カテゴリー　キャラクター　コミュニティー　スポンサー　バッテリー／ インテリア　インパクト　オンライン　コンセプト　コンタクト(レンズ) コンディション　コンテスト　ランキング　レントゲン／アドバイス ガイダンス　カリキュラム　スキャンダル　スタンバイ　ストライキ セキュリティ　タイミング　テクニック　デメリット　ハイライト　フェスティバル プロジェクト　マスメディア　リクエスト　リサイクル　レイアウト
6音	アクシデント　アシスタント　インスタント　インデックス　ガイドブック ガイドライン　コントラスト　コントロール　ジャーナリズム　シンポジウム スペシャリスト　チームワーク　ディスカッション　ディスカウント　テクノロジー デフレーション　トーナメント　ナンバーワン　ネットワーク　ノンフィクション パンフレット　プライバシー　プラスアルファ　ホームステイ　ホームページ マグニチュード
7音〜	イントネーション　インフォメーション　オリエンテーション　コンビネーション スローモーション　プレゼンテーション　リハビリテーション／インフルエンザ カウンセリング　クレジットカード　コンサルタント　コンプレックス スポットライト　セルフサービス　ドキュメンタリー　ボーダーライン

第64回 練習問題

（解答 p244）

（　）に入れるのに最もよいものを、1・2・3・4から一つ選びなさい。

[1] 田中選手は試合で負傷した膝の（　　）が大きく、再起不能となった。
　　1　ショック　　　　2　デメリット　　　3　スランプ　　　　4　ダメージ

[2] 結婚する二人に友人から（　　）が届けられた。
　　1　スローガン　　　2　キャンペーン　　3　マッサージ　　　4　メッセージ

[3] この企画の最大の（　　）は、当社の知名度が上がることです。
　　1　トリック　　　　2　マジック　　　　3　メリット　　　　4　コミック

[4] 事件を起こし、マスコミに「不正な会社」という（　　）を貼られてしまった。
　　1　レッテル　　　　2　タイトル　　　　3　マニュアル　　　4　ラベル

[5] 出場選手は試合前に各自グランドの（　　）を確認した。
　　1　インパクト　　　2　コンセプト　　　3　タイミング　　　4　コンディション

[6] 彼はたまたまそばを通りかかっただけで（　　）に巻き込まれてしまった。
　　1　キャンセル　　　2　ギャンブル　　　3　トラブル　　　　4　クイズ

[7] A社の衰退は社長個人の問題ではなく、会社全体の（　　）に問題があったためだ。
　　1　シナリオ　　　　2　システム　　　　3　スタミナ　　　　4　サイクル

[8] 計画を実行していく（　　）では、さまざまな問題が生じる。
　　1　アドレス　　　　2　アクセス　　　　3　プロセス　　　　4　ピリオド

[9] あの大学は人気があり、常に（　　）の上位を占めている。
　　1　コンテスト　　　2　オークション　　3　ランキング　　　4　スキャンダル

[10] 彼に聴きたいことがあったとき、（　　）よく彼から電話がかかって来た。
　　1　タイムリー　　　2　タイミング　　　3　スタンバイ　　　4　キーワード

[11] 彼は、車の運転の（　　）にかけてはだれにも負けなかった。
　　1　ライセンス　　　2　テクニック　　　3　ハイライト　　　4　ストライキ

[12] 彼は太陽光発電を普及させる（　　）を立ち上げた。
　　1　カリキュラム　　2　セキュリティ　　3　テクノロジー　　4　プロジェクト

その他の語彙

名詞・接頭語・接尾語 ①

形容詞の名詞形

明るみ　ありがたみ　いやみ　うまみ　重み　悲しみ　強み　苦み　憎しみ　丸み　弱み／台無し　善し悪し

動詞の名詞形①

重要度	
★★★	試み　互い　粘り　狙い　誇り
★★	諦め　憧れ　味わい　扱い　過ち　歩み　争い　怒り　祈り　動き　訴え　教え　驚き　覚え　賭け　構え　狩り　借り　調べ　救い　勧め　育ち　助け　償い　悩み　盗み
★	証し　甘え　憤り　偽り　急ぎ　飢え　疑い　潤い　遅れ　訪れ　兆し　切り　悔い　断り　支え　蓄え　足し　企み　頼り　詰め　訛り　並び　守り　迷い　儲け　許し

動詞の名詞形②

重要度	
★★★	行き違い　気兼ね　仕掛け　仕組み　手がかり　手際　取り締まり　振り出し　見込み
★★	顔付き　体付き　目付き　片付け　仕上がり　仕上げ　お手上げ　手当て　手遅れ　後回し　根回し　遠回し　裏返し　宙返り　下調べ　下取り　戸締まり　戸惑い　共稼ぎ　共働き　値打ち　値引き　日取り　日焼け　前売り　前置き　受け入れ　受け持ち　打ち消し　生まれつき　売り出し　落ち着き　思いつき　差し引き　すれ違い　出直し　取り扱い　取り替え　待ち合わせ　見合い　見積もり　見通し　見晴らし　見張り　結び付き　申し込み　申し出　持ち切り　割り当て
★	跡継ぎ　箇条書き　片思い　区切り　くじ引き　首飾り　心掛け　度忘れ　荷造り　橋渡し　振る舞い　身振り　無駄遣い　目盛り　夕暮れ　夕焼け　よそ見　夜更かし　夜更け

第65回 練習問題

（解答p244）

（　）に入れるのに最もよいものを、1・2・3・4から一つ選びなさい。

1 会議で自分の意見を通そうとするなら事前の（　　　）が必要だ。
 1 遠回り　　　2 根回し　　　3 裏返し　　　4 後回し

2 転んでけがをしたので保健室で（　　　）をしてもらった。
 1 手引き　　　2 手取り　　　3 手当て　　　4 手抜き

3 「常に一歩前へ進もう」という（　　　）が良い結果を導いてくれる。
 1 心当たり　　2 心がけ　　　3 気がかり　　4 気配り

4 職場では、新婚旅行中の同僚のうわさ話で（　　　）だった。
 1 持ち切り　　2 売り切れ　　3 受け持ち　　4 落ち着き

5 今度の転職は一か八かの（　　　）だった。
 1 儲け　　　　2 賭け　　　　3 占い　　　　4 疑い

6 台風のためせっかくの計画が（　　　）になった。
 1 打ち消し　　2 台無し　　　3 片思い　　　4 ど忘れ

7 彼は仕事の（　　　）が甘く、最後の最後に失敗することが多い。
 1 果て　　　　2 切り　　　　3 詰め　　　　4 結び

8 寝食を忘れボランティア活動を続ける息子のことを（　　　）に思う。
 1 栄え　　　　2 輝き　　　　3 憧れ　　　　4 誇り

9 敵の弱点に（　　　）を定め攻撃した。
 1 ねらい　　　2 にらみ　　　3 目安　　　　4 目印

10 試合に負けはしたが、ベストを尽くしたので少しも（　　　）は残らなかった。
 1 苦み　　　　2 疑い　　　　3 悔い　　　　4 迷い

11 野党は首相の発言に対し徹底的に追及する（　　　）を見せている。
 1 構え　　　　2 責め　　　　3 守り　　　　4 控え

12 彼は目上の人に対して失礼な（　　　）をした。
 1 身振り　　　2 振る舞い　　3 見張り　　　4 見合い

その他の語彙

名詞・接頭語・接尾語 ②

その他 名詞

重要度	
★★★	ありのまま 趣き かたわら こつ さじ つじつま 身なり 身の上 身の回り めど ゆとり
★★	言い訳 生きがい おまけ
★	あらまし ありか ありさま いきさつ おせっかい おなじみ かけら しきたり しぐさ しつけ ひいき ひび まぐれ もくろみ もてなし やりくり

接尾語

漢字	(民)営 (水彩)画 (繁華)街 (多国)間 (優越)感 (人生)観 (太陽)系 (著作)権 (漢字)圏 (太陽)光 (文化)財 (解決)策 (弁護)士 (調理)師 (未熟)児 (処世)術 (解説)書 (感染)症 (免許)証 (向上)心 (単位)制 (知事)選 (暴走)族 (時間)帯 (自衛)隊 (本人)著 (就職)難 (賛成)派 (現実)味 (情報)網 (女性)用 (支配)欲 (哺乳)類
数詞接続	(一時間)強 (1メートル)弱 〜画 〜件 〜項 〜次 〜種 〜升 〜条 〜畳 〜陣 〜坪 〜棟 〜班 〜版 〜票 〜回忌 〜次元 〜ダース
和語	(社長)宛 (世帯)主 (掘り出し)物 (金)まみれ (連休)明け (帰り)がけ (二人)きり (五割)増し (五分)刻み (左)寄り (最新)型 (星)形

接頭語

漢字	亜(熱帯) 核(家族) 故〜氏 実(体験) 超(高速) 当(大学) 被(扶養者) 猛(攻撃) 片(手) 真(正面) 御(社) 貴(校) 義(父) 準(決勝) 某(政治家)
カタカナ語	オール(電化) ハイ(レベル) フル(稼働) マイ(ホーム) ミニ(カー)

第66回 練習問題

（解答p244）

（　　）に入れるのに最もよいものを、1・2・3・4から一つ選びなさい。

1 子供じゃないんだから、目覚ましが鳴らなかったなんて（　　）は通用しない。
　1　言い伝え　　　2　言い回し　　　3　言いがかり　　　4　言いわけ

2 日本人の友人の家を訪ねたら、すき焼きをごちそうしてくれ、（　　）にお土産まで持たせてくれた。
　1　おせじ　　　2　おわび　　　3　おまけ　　　4　おとも

3 同じ賛成派だが、二人の見解には（　　）がある。
　1　すき　　　2　こすれ　　　3　ずれ　　　4　きしみ

4 ささいなことで二人の関係に（　　）が入った。
　1　とげ　　　2　へり　　　3　ぐち　　　4　ひび

5 都会を離れ、自然の中で解放（　　）を味わった。
　1　観　　　2　念　　　3　感　　　4　覚

6 初対面の際は、あまり先入（　　）を持たないようにしたいと思う。
　1　視　　　2　観　　　3　見　　　4　心

7 日本では、20歳になると選挙（　　）が与えられる。
　1　券　　　2　証　　　3　制　　　4　権

8 市長の方針に沿って市は具体（　　）を講じた。
　1　案　　　2　術　　　3　策　　　4　画

9 このかばんの持ち（　　）はだれだろう。
　1　者　　　2　方　　　3　身　　　4　主

10 朝8時前後の時間（　　）は混むので、できるだけ避けて出勤している。
　1　帯　　　2　隔　　　3　幅　　　4　部

11 友人に裏切られた彼は一転して反対（　　）に回った。
　1　団　　　2　閥　　　3　派　　　4　脈

12 さまざまなソーシャルメディアを（　　）活用して情報を収集した。
　1　ハイ　　　2　マクロ　　　3　フル　　　4　オール

問題2　文脈規定　147

問題2 復習問題　　　(解答 p245)

（　）に入れるのに最もよいものを、1・2・3・4から一つ選びなさい。

1 新しいプロジェクトのために人員を（　　）する必要がある。
　　1　起立　　　　2　起動　　　　3　配置　　　　4　措置

2 彼は状況の（　　）を見守ることにした。
　　1　移動　　　　2　移植　　　　3　転移　　　　4　推移

3 彼はガンの治療のため（　　）研究に励んでいる。
　　1　夜勤　　　　2　夜分　　　　3　日夜　　　　4　深夜

4 彼の話は何を（　　）しているのかつかめなかった。
　　1　図示　　　　2　図解　　　　3　絵図　　　　4　意図

5 あまり細かいことに（　　）すると全体が見えなくなる。
　　1　固執　　　　2　固有　　　　3　誇張　　　　4　誇示

6 ノートの（　　）にメモをしておいた。
　　1　余地　　　　2　余剰　　　　3　余談　　　　4　余白

7 学力の競争激化は、差別を（　　）することになりかねない。
　　1　協力　　　　2　助長　　　　3　支援　　　　4　是正

8 法の改悪を（　　）するため多くの人が署名した。
　　1　損害　　　　2　中止　　　　3　阻害　　　　4　阻止

9 厚いカーテンで光を（　　）した。
　　1　遮断　　　　2　切断　　　　3　屈折　　　　4　曲折

10 同僚に疑われるとは（　　）だ。
　　1　心労　　　　2　心外　　　　3　心中　　　　4　心境

11 正確に時を刻んでいたこの時計も（　　）遅れるようになった。
　　1　少数　　　　2　一時　　　　3　瞬間　　　　4　若干

12 人間も動物である以上、生まれつきの（　　）が備わっている。
　　1　才能　　　　2　本能　　　　3　本気　　　　4　本質

13 娘にクイズを出されたが、正解がわからなかったので（　　）して教えてもらった。
　　1　参拝　　　　2　参照　　　　3　参上　　　　4　降参

14 遺跡を基に約1万年前の生活が（　　）された。
　　1　復旧　　　　2　復元　　　　3　旧来　　　　4　元来

15 彼はいつも約束が守れず、（　　）ばかりしている。
　　1　弁論　　　　2　弁解　　　　3　勘弁　　　　4　詭弁

16 時代の（　　）とともに、流行も移り変わる。
　　1　変革　　　　2　変装　　　　3　変遷　　　　4　変異

17 彼が事件の犯人であることが（　　）した。
　　1　判定　　　　2　判明　　　　3　判決　　　　4　審判

18 仕事のやり方を変えるだけで、残業時間を（　　）できる。
　　1　短縮　　　　2　長短　　　　3　担任　　　　4　分担

19 ジャーナリストは大企業の社会的責任を（　　）した。
　　1　追及　　　　2　追放　　　　3　追従　　　　4　追突

20 犯人の特徴に（　　）する人物は、捜査線上に挙がらなかった。
　　1　適当　　　　2　該当　　　　3　合成　　　　4　整形

21 中央線は通常通り（　　）しております。
　　1　施行　　　　2　現行　　　　3　連行　　　　4　運行

22 日本全国に商品の（　　）網が敷かれている。
　　1　流行　　　　2　流用　　　　3　流通　　　　4　流出

23 台風の被害で通行止めになった道路の（　　）が急がれる。
　　1　復帰　　　　2　復旧　　　　3　回復　　　　4　重複

24 政府は太陽光発電の（　　）を推進している。
　　1　普及　　　　2　普遍　　　　3　追及　　　　4　追放

25 この村では自然環境と（　　）のとれた農業生産活動に取り組んでいる。
　　1　調和　　　　2　調合　　　　3　調整　　　　4　調停

26 ついに事件の黒幕が（　　）を現した。
　　1　誠実　　　　2　正気　　　　3　真正　　　　4　正体

27 若いうちは、何にでも遠慮せず（　　）したいものだ。
　　1　抗戦　　　　2　挑戦　　　　3　攻撃　　　　4　征服

28 このテレビ番組は10年前に（　　）されたものだ。
　　1　目録　　　　2　収録　　　　3　付録　　　　4　登録

29 若者に人気のバンドが（　　）解散を発表した。
　　1　突如　　　　2　突発　　　　3　突破　　　　4　突撃

30 彼は人生に（　　）し自殺を図った。
　　1　気絶　　　　2　謝絶　　　　3　絶縁　　　　4　絶望

31 本を読みながら静かにページを（　　）。
　　1　つかんだ　　2　ひねった　　3　めくった　　4　つねった

32 最近は流行の移り変わりが速く、はやってもすぐに（　　）しまう。
　　1　廃れて　　　2　投げて　　　3　除いて　　　4　薄れて

33 この町の人口は急に（　　）上がった。
　　1　増え　　　　2　肥え　　　　3　膨れ　　　　4　腫れ

34 知らない人にいきなり名前を呼ばれ握手を求められたら、（　　）のも無理はない。
　　1　落ちこむ　　2　とまどう　　3　うらやむ　　4　あなどる

35 この問題には腰を（　　）取り組むべきだ。
　　1　曲げて　　　2　伸ばして　　3　据えて　　　4　掛けて

36 この教育プログラムは協調性を（　　）ためのものです。
　　1　しぼる　　　2　つのる　　　3　つちかう　　4　きそう

37 教授は私との面接のため、わざわざ時間を（　　）くれた。
　　1　割って　　　2　割いて　　　3　分けて　　　4　切って

38 敵を（　　）ために、わざと油断しているふうに装った。
　　1　うらぎる　　2　いつわる　　3　しいたげる　　4　あざむく

39 この事件には闇の組織が（　　　）とうわさされている。
　　1　めぐっている　　2　からんでいる　　3　ねばっている　　4　つらなっている

40 人前では失礼のないように、言葉を（　　　）べきだ。
　　1　こめる　　　　2　とざす　　　　3　つつしむ　　　　4　つぐむ

41 人を褒めることより（　　　）ことの方が得意な彼に友だちは少ない。
　　1　下す　　　　　2　みだす　　　　3　荒らす　　　　　4　けなす

42 （　　　）彼は時間にも正確で、約束は必ず守る。
　　1　はんぱな　　　2　うやむやな　　3　きちょうめんな　4　あやふやな

43 仕事に失敗しても、逆にそれを利用して成功に結び付ける、彼は（　　　）男だ。
　　1　しとやかな　　2　したたかな　　3　しなやかな　　　4　太っ腹な

44 彼は、非常に（　　　）で、他人の話を最後まで聞かず、次から次に質問する。
　　1　すみやか　　　2　ひたむき　　　3　ぺらぺら　　　　4　せっかち

45 会社を告発した彼は、転職という（　　　）結果に至っても後悔はしなかった。
　　1　無差別な　　　2　無愛想な　　　3　不得意な　　　　4　不本意な

46 食欲が（　　　）な彼は、一度に3杯もご飯をお代わりする。
　　1　旺盛　　　　　2　繁盛　　　　　3　強大　　　　　　4　壮大

47 （　　　）ことしか言えませんが、どうか頑張ってください。
　　1　無口な　　　　2　月並みな　　　3　気軽な　　　　　4　内気な

48 写真には、なぞの人影が（　　　）と写っていた。
　　1　くっきり　　　2　じっくり　　　3　きっぱり　　　　4　さっぱり

49 会議は意外にも（　　　）進んで、良かったと思う。
　　1　ほんのり　　　2　やんわり　　　3　すんなり　　　　4　しんみり

50 同じ（　　　）を二度と繰り返さぬように注意した。
　　1　あきらめ　　　2　つぐない　　　3　ならわし　　　　4　あやまち

51 苦境に立たされた彼には家族の（　　　）が必要だった。
　　1　甘え　　　　　2　支え　　　　　3　足し　　　　　　4　借り

52 二人が別れるに至った（　　）を教えてもらった。
　　1　やりくり　　　2　からくり　　　3　ふるまい　　　4　いきさつ

53 夜遅くなったので、仕事は（　　）のいいところで終わりにした。
　　1　行い　　　　　2　扱い　　　　　3　切り　　　　　4　断り

54 テレビで（　　）のアナウンサーが急死したという。
　　1　まなざし　　　2　おなじみ　　　3　おざなり　　　4　おしまい

55 この事故は偶然が重なった非常にまれな（　　）である。
　　1　データ　　　　2　フォーム　　　3　ブーム　　　　4　ケース

56 若者は理想と現実の（　　）に驚き、悩むものだ。
　　1　ギャップ　　　2　ネック　　　　3　ビッグ　　　　4　ロング

57 自己紹介として簡単な（　　）をホームページに載せた。
　　1　キャラクター　2　ガイダンス　　3　コマーシャル　4　プロフィール

58 コンサートの本番前に入念な（　　）が行われた。
　　1　マネージャー　2　アプローチ　　3　リハーサル　　4　エピソード

59 彼の話は真実（　　）に欠けていた。
　　1　音　　　　　　2　味　　　　　　3　香　　　　　　4　臭

60 お客様に（　　）ホテルのご案内をさせていただきます。
　　1　現　　　　　　2　自　　　　　　3　本　　　　　　4　当

問題3
言い換え類義

例題　＿＿の言葉に意味が最も近いものを、1・2・3・4から一つ選びなさい。

1 放送後、テレビ局に電話が殺到した。
　1　抗議した　　　2　鳴り響いた　　　3　苦情を述べた　　**4　大量に集まった**

2 彼はせっかちな人だ。
　1　うるさい　　　**2　気が短い**　　　3　すばしこい　　　4　いらいらした

3 映画のシーンを思い出す。
　1　場合　　　　　**2　場面**　　　　　3　設定　　　　　　4　施設

　問題3は、文の＿＿部分の言葉に対して、最も近い意味の言葉を選ぶ問題です。

　出題の可能性が高いのは、ひらがなで表記される動詞、形容詞、副詞です。さらに、カタカナ語、漢字2字の語彙、和語および訓読みの名詞、複合動詞も考えられます。

　例えば、次のような言い換えがあります。

　　動詞：　　　　たくらむ ⇒ 悪いことを計画する
　　形容詞：　　　すがすがしい ⇒ さわやかな／爽快（そうかい）な
　　副詞：　　　　すっかり ⇒ 全部
　　カタカナ語：　カットする ⇒ 削減（さくげん）する
　　漢字語彙：　　無難（ぶなん）だ ⇒ 危なくない／安全だ
　　名詞：　　　　ゆとり ⇒ 余裕（よゆう）
　　複合動詞：　　落ち合う ⇒ 合流する

　これは基本的に、日本語を他の日本語で説明する問題と言えます。ですから、国語辞典を引くのが一番の練習になります。普段から国語辞典を引く癖（くせ）をつけていれば、この問題は難しくありません。語彙力もどんどんアップするでしょう。

ひらがなの語彙

動詞 ①

問題3に動詞、形容詞、副詞が出題される場合、日本語として不自然にならない程度に**ひらがなで表記される場合が多い**です（ただし、選択肢はその限りではありません）。そのため、ひらがなだけで意味がわかるよう、整理しておきましょう。

重要度の高い語彙から、意味と、選択肢になる可能性のある類義語をまとめました。文脈によって意味が変わる場合もありますから、気をつけましょう。

重要度★★★の漢字

動詞	意味・類義語	
なじむ(馴染む)	合う	▶ ペンが手になじむ
	慣れて親しくなる	▶ 職場になじむ
はかどる(捗る)	順調に、どんどん進む	
もくろむ(目論む)	計画する／たくらむ	

重要度★★の語彙

動詞	意味・類義語	
あざむく(欺く)	だます／うそをつく／いつわる／うらぎる	
あやつる(操る)	操作する／コントロールする	
いたわる(労る)	大切に扱う／労う	
うながす(促す)	する気にさせる／呼びかける／働きかける	
おとろえる(衰える)	弱まる／老化する	
かばう(庇う)	守る／助ける	
からむ(絡む)	関係する	▶ お金がからんだ話
かわす	やりとりする	▶ 言葉を交わす
	よける	▶ 攻撃をかわす
きずく(築く)	建築する	
	作り上げる／構築する	▶ 財産を／人脈をきずく
くつがえす(覆す)	ひっくりかえす	⇒くつがえる(覆る)
こじれる	問題などが悪化する	▶ 風邪がこじれる
さかえる(栄える)	繁栄する	⇔すたれる(廃れる)
しのぐ(凌ぐ)	乗り越える	▶ 急場をしのぐ
	我慢する	▶ 飢えをしのぐ
	超える	▶ 前作をしのぐ

第67回 練習問題　　　　　　　　　　　　　　　　　　　　（解答p245）

___の言葉に意味が最も近いものを、1・2・3・4から一つ選びなさい。

1　関係がこじれないように気を遣った。
　　1　判明しない　　2　消滅しない　　3　悪化しない　　4　薄まらない

2　彼は、仕事で失敗した部下をいたわった。
　　1　首にした　　2　叱りつけた　　3　無視した　　4　なぐさめた

3　雪山で遭難した彼はチョコレート一枚で飢えをしのいだ。
　　1　防いだ　　2　耐えた　　3　忘れた　　4　勝った

4　この包丁はよく手になじんで使いやすい。
　　1　タッチして　　2　セットして　　3　カットして　　4　フィットして

5　彼は友人をかばった。
　　1　疑った　　2　弁護した　　3　勧めた　　4　介護した

6　妻は夫を上手にあやつった。
　　1　紹介した　　2　説得した　　3　コメントした　　4　コントロールした

7　この事件にはいろいろな利権がからんでいる。
　　1　巡っている　　2　争っている　　3　関係している　　4　解明している

8　母も80歳をすぎ、足腰がおとろえてきた。
　　1　よわって　　2　かばって　　3　こじれて　　4　かたくなって

9　夫婦仲良く、よい家庭をきずいてください。
　　1　ひらいて　　2　つくって　　3　たくらんで　　4　さかえて

10　あの会社は、新しい事業をもくろんでいるらしい。
　　1　展開している　　2　拡大している　　3　くわだてている　　4　たばねている

11　彼は自分の家族をあざむいていた。
　　1　だまして　　2　いたわって　　3　頼りすぎて　　4　距離を置いて

12　テレビのクイズ番組で司会者は視聴者に参加をうながした。
　　1　約束した　　2　呼びかけた　　3　推薦した　　4　勧誘した

問題3　言い換え類義　155

ひらがなの語彙

動詞 ②

重要度★★の漢字

動詞	意味・類義語	
そこなう (損なう)	失う／害する	▶ 社長の機嫌を損なう
そびえる	高く立っている	▶ 高層ビルがそびえる
つくろう (繕う)	直す／きちんとする	▶ 場の雰囲気をつくろう
とどこおる (滞る)	進まず遅れる／停滞する	
なつく (懐く)	慣れて親しくなる	▶ 犬が飼い主になつく
になう (担う)	背負う／負担する／引き受ける	
ねたむ (妬む)	嫉妬(しっと)する／うらやましく思う／うらやむ	
へだたる (隔たる)	大きくあく／離れる	
ほうむる (葬る)	埋葬(まいそう)する／始末(しまつ)する	▶ 事件を闇(やみ)に葬る
ほころびる (綻びる)	ほどける	
ほころぶ (綻ぶ)	(表情が)やわらぐ	▶ 顔がほころぶ
ほどこす (施す)	与える／行う	
ほろびる (滅びる)	死に絶える	
ほろぶ (滅ぶ)		
もよおす (催す)	開催する	▶ 会を催す
	感じ始める	▶ 眠気をもよおす
ゆがむ (歪む)	形が崩れる／曲がる／ねじれる	
よみがえる (甦る)	生き返る	
	思い出される	▶ 過去の記憶がよみがえる

重要度★の漢字

動詞	意味・類義語	
あおる (煽る)	気持ちが強くなるように影響を与える／扇動(せんどう)する	
あざける (嘲る)	ばかにする／嘲笑(ちょうしょう)する	
あなどる (侮る)	軽視する／下に見る	
いつわる (偽る)	嘘を言う／だます／ごまかす／あざむく	
うぬぼれる	自信過剰(かじょう)になる／得意になる／思い上がる	
うるおす (潤す)	水分を与える	⇒ うるおう
うろつく	あてもなく歩きまわる	

第68回 練習問題　(解答p245)

___の言葉に意味が最も近いものを、1・2・3・4から一つ選びなさい。

1. 妹は姉をねたんでいた。
   1 うらやんで　2 尊敬して　3 ばかにして　4 あわれんで

2. 日本の将来をになう子どもたちを大切に育てよう。
   1 創造する　2 決定する　3 占う　4 背負う

3. 彼は眠気をもよおしたようだ。
   1 乗り越えた　2 引き締めた　3 感じ始めた　4 陥った

4. 彼は少しうぬぼれていると思う。
   1 謙遜して　2 恐縮して　3 思い切って　4 思い上がって

5. 冗談を言って場の雰囲気をつくろった。
   1 偽装した　2 装飾した　3 取り戻した　4 盛り上げた

6. 警察は事件を闇にほうむった。
   1 暴露した　2 取り引きした　3 取り締まった　4 始末した

7. 彼は名前をいつわって会に参加した。
   1 登録して　2 署名して　3 うそを言って　4 掲げて

8. 相手が主婦だからといってあなどってはいけない。
   1 笑って　2 差別して　3 軽蔑して　4 軽く見て

9. 彼はどこをうろついているのだろう。
   1 勘違いして　2 狙って　3 歩き回って　4 観察して

10. アルバムを開くと、忘れていた記憶がよみがえった。
    1 もどった　2 かえった　3 きえた　4 こえた

11. 彼は取引先の信用をそこなった。
    1 獲得した　2 害した　3 キャッチした　4 カットした

12. トラブルのせいで、計画がとどこおるかもしれない。
    1 中止になる　2 終了する　3 止まる　4 戻る

問題3　言い換え類義

ひらがなの語彙

動詞 ③

重要度★の漢字

動詞	意味・類義語
くじける (挫ける)	問題に立ち向かう気持ちがなくなる ／ へこたれる
くつろぐ	リラックスする ／ 楽にする
くわだてる (企てる)	計画する ／ たくらむ ／ もくろむ
こうむる (被る)	受ける
こらしめる (懲らしめる)	罰を与える
さびれる (寂れる)	人が少なくなり荒れていく ／ 廃れる
ざわめく	大勢の人の声で騒がしくなる
しりぞく (退く)	後ろにさがる ／ 引退する
せがむ	無理に要求する ／ ねだる
たたえる (称える)	りっぱだとほめる ／ 称賛(しょうさん)する
だらける	気持ちがゆるんでだらしなくなる ／ だらだらする
つかえる	詰まって通らなくなる ／ うまく進まなくなる
つぐなう (償う)	犯した罪を金や労働でうめ合わせる
つぐむ	口を固く閉じて話そうとしない
てこずる (手こずる)	思いどおりに行かなくて苦労する ／ 手を焼く
とまどう (戸惑う)	どうしていいかわからず迷う ／ まごつく
とらわれる (囚われる)	感情や考え方にしばられて自由に発想できない
なだめる	相手の気持ちを落ち着かせる ／ なごやかにする
ばれる	明らかになる ／ 公(おおやけ)になる
ひたる (浸る)	感情で心がいっぱいになる ／ つかる
ひらめく (閃く)	考えが不意に浮かぶ
へこたれる	我慢できず、やる気をなくす ／ くじける ／ へこむ
ほぐれる	固くなった物がやわらかくなる
ほのめかす (仄めかす)	それとなく気持ちを表す ／ におわせる
みなぎる (漲る)	満ちる ／ いっぱいになる ／ あふれる
むくいる (報いる)	応える ／ 返す　　▶ 恩にむくいる 仕返しをする　　▶ 一矢むくいる
ゆだねる (委ねる)	すっかり任せる

第69回 練習問題 (解答p245)

____の言葉に意味が最も近いものを、1・2・3・4から一つ選びなさい。

1 彼女は大学時代の先生に多大な影響をこうむった。
    1 与えた   2 受けた   3 授けた   4 承った

2 たった一回の失敗でくじけることはない。
    1 落ち着く   2 落ち込む   3 悩む   4 やめる

3 彼は代表の座をしりぞくつもりでいる。
    1 征服する   2 挑戦する   3 辞する   4 決する

4 彼は今度の仕事にてこずっていた。
    1 がっかりして   2 苦労して   3 感激して   4 感謝して

5 いい案がひらめいた。
    1 浮かんだ   2 輝いた   3 響いた   4 割れた

6 彼の体は、力がみなぎっていた。
    1 回復して   2 満ちて   3 不足して   4 衰えて

7 彼は上司の判断にゆだねた。
    1 逆らった   2 不満があった   3 任せた   4 まとめた

8 子どもは父におもちゃを買ってほしいとせがんだ。
    1 要求した   2 接近した   3 抱きついた   4 困らせた

9 あまり伝統にとらわれないようにしたい。
    1 尊重しない   2 受け継がない   3 のっとらない   4 しばられない

10 年のせいか最近、話していて言葉がつかえるようになった。
    1 スムーズになる   2 上達する   3 詰まる   4 単調になる

11 彼は犯行をほのめかした。
    1 におわせた   2 打ち明けた   3 反省した   4 くやんだ

12 試験前、先生に声をかけられて緊張がほぐれた。
    1 募った   2 解けた   3 走った   4 崩れた

ひらがなの語彙

な形容詞 ①

な形容詞 ～か

な形容詞	意味・類義語
あざやか(鮮やか)	鮮明／くっきり
おおまか	おおざっぱ／だいたい
おごそか(厳か)	厳粛／荘厳
おろか(愚か)	ばかな／ばかばかしい
おろそか(疎か)	粗末／ぞんざい
かすか(微か)	ほんの少し／ほのか
きよらか(清らか)	澄んだ／きれいな／汚れのない
きらびやか	きらきらした／豪華／華やか
こまやか(細やか)	細かい／繊細／敏感／神経質
ささやか	ひかえめで目立たない／わずかな／ほんの少し
しとやか	上品／品がいい
しなやか	柔軟／やわらかく強い
すこやか(健やか)	健康／健全
すみやか(速やか)	早急に／直ちに／至急
なごやか(和やか)	温かい／温和
なめらか(滑らか)	すべすべしている／スムーズ
のどか	のんびりしている／平和
ひそか(密か)	秘密裏に／内緒で
やすらか(安らか)	安心した／おだやか
ゆるやか(緩やか)	ゆるい／なだらか

その他の な形容詞①

な形容詞	意味・類義語
あらわ	明らか／表に出ている様子
ありがち	ありきたり／ざら／よくある
いいかげん(いい加減)	ぞんざい／責任感がない
いんちき	不正／いかさま／ごまかし
うかつ	不注意／気が抜けた
うつろ	空虚／ぼんやり

第70回 練習問題

(解答 p245)

___の言葉に意味が最も近いものを、1・2・3・4から一つ選びなさい。

1 子供は、すこやかに育ってほしいと思う。
　　1　安全に　　　　2　平和に　　　　3　健康に　　　　4　温厚に

2 彼は、ひそかに計画を練っている。
　　1　綿密に　　　　2　着実に　　　　3　急いで　　　　4　ないしょで

3 食べ物をおろそかに扱ってはいけない。
　　1　粗末に　　　　2　乱暴に　　　　3　素朴に　　　　4　単純に

4 彼はいいかげんな男だ。
　　1　適当な　　　　2　ふさわしい　　3　信頼できる　　4　陽気な

5 彼女にささやかなプレゼントをした。
　　1　小さな　　　　2　ありきたりの　3　まずしい　　　4　みすぼらしい

6 虫の声がかすかに聞こえる。
　　1　心地よく　　　2　一帯に　　　　3　ほんの少し　　4　とぎれとぎれに

7 その辺は、ゆるやかな丘が広がって、野の花が一面に咲いていた。
　　1　かたむいた　　2　なだらかな　　3　はてしない　　4　なめらかな

8 彼は感情をあらわにした。
　　1　激しくした　　2　腹を立てた　　3　コントロールした　4　はっきり見せた

9 彼女のしとやかなふるまいにひかれた。
　　1　魅力的な　　　2　柔軟な　　　　3　上品な　　　　4　婉曲な

10 そんなことはおろかなことだ。
　　1　ばかばかしい　2　ばかにした　　3　だらしない　　4　なさけない

11 あの件にはうかつに手を出さないほうがいい。
　　1　あわてて　　　2　冗談に　　　　3　さっそく　　　4　不注意に

12 彼の話はいんちきだった。
　　1　あやしかった　　　　　　　　　　2　うそだった
　　3　信じられなかった　　　　　　　　4　まともじゃなかった

な形容詞 ②

ひらがなの語彙

その他の な形容詞②

な形容詞	意味・類義語
きまぐれ(気まぐれ)	気分が変わりやすい／気まま
ざら	ありがち／普通／珍しくない
したたか	経験豊富で手ごわい／かしこい
ずさん	いいかげん／おおざっぱ
せっかち	性急／短気
ぞんざい	おろそか／そまつ／雑
たくみ(巧み)	巧妙／精巧／技術が優れている
てきめん	効果的／ききめが速い
ひたむき	一生懸命／一途
まし	少しは良い
まっぴら	絶対嫌だ
まとも	正常／普通
まばら	数が少ない
ろく	まとも／普通／十分

その他の な形容詞③

な形容詞	意味・類義語
あやふや	あいまい／はっきりしない
うやむや	あいまい／いいかげん
がらがら	人が少ない／空いている
くたくた	ひどく疲れている／へとへと
こりごり	二度と経験したくない
ちぐはぐ	食い違っている／かみ合わない
ばらばら	別々／まとまらない
ぺこぺこ	空腹
ぺらぺら	言葉が流暢(りゅうちょう)
ほやほや	できたばかり／できたて
ぼろぼろ	ひどく傷んでいる／あちこち壊れている
まちまち	さまざま／人それぞれ

第71回 練習問題

(解答 p245)

___の言葉に意味が最も近いものを、1・2・3・4から一つ選びなさい。

1 みんなに聞いたら、意見はまちまちだった。
　　1　半々だった　　2　少なかった　　3　弱かった　　4　一人一人ちがった

2 電車の中はがらがらだった。
　　1　にぎやかだった　2　空いていた　　3　においがした　4　乾燥していた

3 事件の真相はうやむやになった。
　　1　延期に　　　　2　保留に　　　　3　曖昧に　　　　4　疑問に

4 あの男と仕事をするとろくなことがない。
　　1　良くも悪くもない　　　　　　2　良かったり悪かったりだ
　　3　普通のことばかりだ　　　　　4　悪いことばかりだ

5 もうこの仕事はこりごりだ。
　　1　終わりだ　　　2　いやだ　　　　3　順調だ　　　　4　かんぺきだ

6 彼の家はぼろぼろだった。
　　1　あちこち壊れていた　　　　　2　二つに分かれていた
　　3　とても汚かった　　　　　　　4　とても古かった

7 部下たちは、ばらばらに行動した。
　　1　速やかに　　　2　別々に　　　　3　的確に　　　　4　てきぱきと

8 あの会社の危機管理はずさんだ。
　　1　不十分だ　　　2　未完成だ　　　3　いいかげんだ　4　無意識だ

9 都会では、そのような話はざらだ。
　　1　普通だ　　　　2　めずらしい　　3　貴重だ　　　　4　無意味だ

10 彼は話し方がたくみだ。
　　1　ずるい　　　　2　巧妙だ　　　　3　かしこい　　　4　優秀だ

11 早朝から一日中働いて、もうくたくただった。
　　1　のどがかわいていた　　　　　2　おなかがすいていた
　　3　眠かった　　　　　　　　　　4　疲れていた

12 彼女と話すと、どこかちぐはぐな感じがする。
　　1　よそよそしい　2　ややこしい　　3　かみ合わない　4　ろくでもない

い形容詞 ①

い形容詞 ～しい

い形容詞	意味・類義語
いちじるしい(著しい)	明白／顕著／目立っている
いやしい(卑しい)	品性が下等／下品
うっとうしい	心が晴れない／邪魔でわずらわしい
おびただしい	非常に多い／大量の
すがすがしい(清々しい)	心地よい／さわやか／爽快
たくましい	体ががっしりしていて強い
つつましい	遠慮深い／控えめ／質素
とぼしい(乏しい)	少ない／足りない／貧しい
なれなれしい	関係が浅いのに遠慮がない
のぞましい(望ましい)	できればそのほうがよい／みんなが望む
ばかばかしい(馬鹿馬鹿しい)	無意味／くだらない
はなばなしい(華々しい)	華やか／豪華
ひさしい(久しい)	長い間／継続している
ふさわしい	適当だ／相応だ
まぎらわしい(紛らわしい)	見分けにくい／区別しにくい
みすぼらしい	外見が粗末だ
みずみずしい(瑞々しい)	新鮮
むなしい	内容がない／役に立たない／価値がない
めざましい	驚くほど目立った
もっともらしい	いかにも本当らしい／正しく聞こえる
もどかしい	思いどおりにならず、いらいらする
やましい	悪いことをして罪悪感がある／後ろめたい
ややこしい	やっかいだ／面倒だ
よそよそしい	他人行儀で、そっけない／つれない
わずらわしい(煩わしい)	めんどうくさい／邪魔

第72回 練習問題

(解答 p245)

＿＿の言葉に意味が最も近いものを、1・2・3・4から一つ選びなさい。

1　次の日、彼の態度はよそよそしかった。
　　1　そっけなかった　2　落ち着かなかった　3　みっともなかった　4　さりげなかった

2　チームを勝利に導き、投手としてはなばなしいデビューを飾った。
　　1　見事な　　　　　2　明瞭な　　　　　3　新鮮な　　　　　4　適当な

3　毎日遅くまで働いても、むなしい気持ちになるだけだ。
　　1　充実した　　　　2　興奮した　　　　3　空虚な　　　　　4　邪魔な

4　家族3人、つつましい生活を送っている。
　　1　質素な　　　　　2　貧乏な　　　　　3　遠慮がちな　　　4　消極的な

5　ここ数年で、この地域の環境はいちじるしく変化した。
　　1　急激に　　　　　2　自然に　　　　　3　人工的に　　　　4　顕著に

6　携帯電話の機能はこの10年でめざましい進化をとげた。
　　1　おそるべき　　　2　おどろくべき　　3　知るに値する　　4　ものたりない

7　決して、やましいことをした覚えはなかった。
　　1　照れくさい　　　2　恥をかくような　3　はしたない　　　4　後ろめたい

8　彼女を見ていると、もどかしい気持ちになる。
　　1　面倒な　　　　　2　ゆううつな　　　3　いらいらした　　4　はらはらした

9　彼は初めて会ったのに、なんだかなれなれしい人だ。
　　1　遠慮がない　　　2　遠慮深い　　　　3　おとなしい　　　4　やかましい

10　この商品の表示はまぎらわしい。
　　1　読みにくい　　　2　使いにくい　　　3　間違いやすい　　4　忘れやすい

11　そんなことをされても、ますますややこしくなるだけだ。
　　1　複雑に　　　　　2　粗末に　　　　　3　悪く　　　　　　4　遅く

12　講義の前に、この資料を読んでおくことがのぞましい。
　　1　必須だ　　　　　2　重要だ　　　　　3　したほうがよい　4　しなくてもよい

ひらがなの語彙

い形容詞 ②

い形容詞 ～ない

い形容詞	意味・類義語
あっけない	思ったより簡単で、もの足りない
おっかない	こわい／恐ろしい
さりげない	その気がないようにふるまう様子
せつない(切ない)	悲しい／胸が痛むほどつらい
そっけない	思いやりがない／冷たい
つたない(拙い)	技術が低い／下手
とてつもない	常識を超えた／途方もない
なさけない(情けない)	期待はずれで残念／ふがいない
なにげない(何気ない)	不意／意図しない／さりげない
はしたない	見苦しい／下品／みっともない
はてしない(果てしない)	無限／限りない／延々

その他の い形容詞

い形容詞	意味・類義語
あくどい	悪質／性格が悪い
あわい(淡い)	薄くて、あっさりしている／はかない
いさぎよい(潔い)	思い切りがいい／立派
きわどい(際どい)	微妙／すれすれ
こころよい(快い)	気持ちがいい
しぶい(渋い)	地味だが味わいがある
しぶとい	ねばり強い
しんどい	辛く苦しい／くたびれる
すさまじい(凄まじい)	ものすごい
すばしこい	すばやい／動きが速い
たやすい	やさしい／簡単
だるい	体が重く元気が出ない
とうとい(尊い)	貴重／尊敬すべき
むごい	ひどい／残酷／痛ましい
もろい	壊れやすい／影響を受けやすい

第73回 練習問題   (解答 p245)

___の言葉に意味が最も近いものを、1・2・3・4から一つ選びなさい。

1. 勝つことは勝ったが、判定はきわどかった。
   1 疑問だった　　2 困難だった　　3 ぎりぎりだった　　4 ぐらぐらだった

2. なんてむごいことをするのだろう。
   1 みじめな　　2 残酷な　　3 下品な　　4 おろかな

3. 二人の議論は、はてしなく続いた。
   1 おおざっぱに　　2 延々と　　3 マナーを無視して　　4 不規則に

4. この小説を読んで、とてもせつない気持ちになった。
   1 楽しい　　2 悲しい　　3 明るい　　4 暗い

5. 彼女はなにげない気配りができる女性だ。
   1 細かい　　2 やさしい　　3 そっけない　　4 さりげない

6. 娘の料理の技術はつたない。
   1 おとっている　　2 有望だ　　3 粗末だ　　4 乱暴だ

7. これまで、何度もなさけない思いをしてきた。
   1 死にそうな　　2 くやしい　　3 はずかしい　　4 みじめな

8. 彼はおっかない顔をしていた。
   1 こわい　　2 大きい　　3 なまいきな　　4 ふざけた

9. 彼は彼女に、自分のはしたないところを見せてしまった。
   1 未熟な　　2 見苦しい　　3 不満な　　4 なれなれしい

10. こんなことに金を払わせるなんて、あくどい商売だ。
    1 信じられない　　2 許せない　　3 わるい　　4 なさけない

11. 友人は、こころよく引き受けてくれた。
    1 やさしく　　2 喜んで　　3 きっぱり　　4 さっぱり

12. それぐらい、たやすいことだ。
    1 安心な　　2 安易な　　3 安価な　　4 気楽な

ひらがなの語彙

副詞 ①

くり返しの副詞

副詞	意味・類義語	副詞	意味・類義語
いそいそ	喜んで／うきうき	いやいや	しかたなく／しぶしぶ
ぎりぎり	かろうじて／すれすれ	こそこそ	密かに／こっそり
こつこつ	休まず／地道(じみち)に	さんざん	はなはだしく／ひどく
すくすく	元気に成長する	ちょくちょく	しょっちゅう／何度も
つくづく	よくよく／しみじみ	てきぱき	手際(てぎわ)良く／次から次へ
どしどし	次々に／どんどん	のろのろ	ゆっくりと／ぐずぐず
ひしひし	強く迫る	びしびし	厳しく／手加減(てかげん)なしに
ぽつぽつ	少しずつ／そろそろ	みすみす	わかっていながら
みるみる	すぐに／たちまち	めきめき	目に見えて／ぐんぐん

くり返しの副詞＋する

副詞	意味・類義語	副詞	意味・類義語
うとうと	居眠りする	おどおど	不安で自信がない
おろおろ	うろたえる	くよくよ	思い悩む
くらくら	めまいがする	ぐらぐら	大きく揺れる
ごろごろ	くつろぐ／休む	ぞくぞく	寒気がする
そわそわ	落ち着かない	だらだら	休む／怠惰(たいだ)に過ごす
ちやほや	甘やかす	はらはら	心配する／どきどきする
びくびく	おびえる	ひやひや	危険を感じる
ふらふら	歩けず、倒れそう	ぶらぶら	うろつく
ぶるぶる	震える	ぺこぺこ	何度も頭を下げる
もたもた	先に進まない／遅い	わくわく	期待する

第74回 練習問題

(解答 p245)

____の言葉に意味が最も近いものを、1・2・3・4から一つ選びなさい。

1 彼はいそいそ出かけて行った。
　　1 陽気に　　　2 うれしそうに　　3 あわてて　　　4 忙しく

2 上司と話すときはいつもびくびくしてしまう。
　　1 おどろいて　　2 悲しんで　　　3 なげいて　　　4 おびえて

3 毎日こつこつ仕事に励んだ。
　　1 休まず　　　2 やむをえず　　3 とりあえず　　4 はからずも

4 友人は仕事で失敗し、いつまでもくよくよしていた。
　　1 いらだって　　2 つぶやいて　　3 くやんで　　　4 なやんで

5 今日は用事があったので、てきぱき仕事をこなした。
　　1 勢いよく　　2 手際よく　　　3 心地よく　　　4 快く

6 午後の会議中、ついうとうとしてしまった。
　　1 安心して　　2 くつろいで　　3 ゆっくりして　4 居眠りして

7 今日はなんだか体がぞくぞくする。
　　1 寒気がする　　2 熱くほてる　　3 痛みがある　　4 疲れている

8 今日の彼女は仕事中、ずっとそわそわしていた。
　　1 いらいらしていた　　　　2 だらだらしていた
　　3 落ち着かなかった　　　　4 急いでいた

9 素敵なプレゼントがあたります。どしどしご応募ください。
　　1 ぜひ　　　　2 かならず　　　3 たくさん　　　4 すぐに

10 お皿を落とすのではないかとひやひやした。
　　1 心配した　　2 期待した　　　3 震えた　　　　4 疑った

11 彼とはちょくちょく飲みに行く間柄だ。
　　1 たまに　　　2 ひさしぶりに　3 よく　　　　　4 まれに

12 さんざん苦労したのに、ねぎらいの言葉もないなんて。
　　1 一人で　　　2 ずっと　　　　3 ひどく　　　　4 むなしく

副詞 ②

副詞 ○っ／○ん＋○り

副詞	意味・類義語	副詞	意味・類義語
あっさり	簡単に	きっぱり	はっきり
くっきり	鮮明に	ぐっすり	よく／深く寝る
こっそり	密かに	じっくり	丹念に
てっきり	間違いなく	びっしり	隙間なく
うんざり	飽き飽きして	すんなり	スムーズに／抵抗なく
どんより	曇っている／暗い	やんわり	やわらかに／遠回しに

副詞～と／～に

副詞	意味・類義語	副詞	意味・類義語
おのずと	自然に	がらりと	急に大きく
ぐんと	一段と	さっと	すばやく
ちらっと	わずかに	ほっと	安心する
いやに	妙に／やけに	ちなみに	ついでに言うと
とっさに	すぐに／反射的に	にわかに	すぐに
はるかに	ずっと	ふんだんに	たっぷり
まめに	まじめに／頻繁に	もろに	まともに
やたらに	むやみに	ろくに	十分に

その他の副詞

副詞	意味・類義語	副詞	意味・類義語
あたかも	まるで	あらかじめ	前もって
案の定	思ったとおり	いかにも	まるで／本当に
いっそ	むしろ／かえって	ことごとく	すべて／何もかも
さぞ	きっと	さも	いかにも
しょっちゅう	常に／ちょくちょく	とかく	ともすると
どっちみち	どうせ／しょせん	とりあえず	一応
とりわけ	中でも／特に	のきなみ	どれもこれも
やむをえず	しかたなく	よほど	だいぶ／そうとう

第75回 練習問題

(解答 p245)

____の言葉に意味が最も近いものを、1・2・3・4から一つ選びなさい。

1 車の窓から富士山がくっきり見えた。
　　1　鮮明に　　　　2　完全に　　　　3　満足に　　　　4　円満に

2 彼のうわさがちらっと耳に入った。
　　1　しばらく　　　2　瞬時に　　　　3　ほんの少し　　4　少しずつ

3 彼のほうがはるかに大きい。
　　1　長々と　　　　2　余計に　　　　3　比較的　　　　4　ずっと

4 彼は、あんのじょう大丈夫だった。
　　1　意外に　　　　2　心外に　　　　3　思ったとおり　4　思いどおりに

5 彼はしょっちゅうトラブルを起こす。
　　1　またもや　　　2　いつもいつも　3　たまたま　　　4　たまに

6 彼はノートにびっしりと書き込んだ。
　　1　きちんと　　　2　確実に　　　　3　忘れることなく　4　すき間なく

7 交渉はすんなり進んだ。
　　1　なごやかに　　2　ゆるやかに　　3　スムーズに　　4　スローに

8 彼の成績はぐんと伸びた。
　　1　一段と　　　　2　迅速に　　　　3　勢いよく　　　4　一躍

9 何度も読めばおのずと意味はわかってくる。
　　1　明白に　　　　2　ひとりでに　　3　なんとなく　　4　なんとか

10 彼はまめに親と連絡を取っている。
　　1　よく　　　　　2　気持ちを込めて　3　心から　　　　4　正直に

11 相手の会社について、あらかじめ調べておいた。
　　1　とりあえず　　2　詳細に　　　　3　前もって　　　4　徹底的に

12 彼もさぞ喜んでいることだろう。
　　1　よほど　　　　2　大幅に　　　　3　きっと　　　　4　一層

その他の語彙

カタカナ語 ①

カタカナ語を和語、漢語に言い換えたときの語を覚えておくようにしましょう。

な形容詞

な形容詞	意味・類義語	な形容詞	意味・類義語
オリジナル	独自の	シビア	厳しい
シャープ	するどい	ジャスト	ちょうどいい／ぴったり
シンプル	単純	ストレート	直接／率直
デリケート	微妙／繊細	ハード	きつい／過酷
フェア	公平／公正	ベスト	最善
ユニーク	独特	ルーズ	だらしない

する動詞

＋する	意味・類義語	＋する	意味・類義語
アップ	上がる⇔ダウン	カット	削減する
セーブ	抑える	チェンジ	変える／交替する
ヒット	人気が出る	マーク	印をつける／監視する
リード	先導する	ロス	浪費する
アピール	訴える	オープン	開店する
キャンセル	取り消す	サポート	補う／支援する
マスター	習得する	リセット	やり直す／再生する
アドバイス	忠告／助言する	アプローチ	接近する
インプット	入力する⇔アウトプット	エントリー	登録する
コントロール	操作／制御する	リラックス	くつろぐ

名詞① ○ー○

名詞	意味・類義語	名詞	意味・類義語
オート	自動	ケース	場合
シーン	場面	ジョーク	冗談
データ	資料／情報	ニーズ	需要
ピーク	頂点	ブーム	流行
フォーム	型／形式	ベース	基礎
ルート	経路	ルール	規則

第76回 練習問題 (解答p245)

___の言葉に意味が最も近いものを、1・2・3・4から一つ選びなさい。

1 こんなやり方はフェアじゃない。
　　1　公式　　　　2　公平　　　　3　純粋　　　　4　単純

2 友人はジャストのタイミングで現れた。
　　1　正確な　　　2　ちょうどいい　3　すばやい　　4　早めの

3 緊張したが、リラックスするよう心がけた。
　　1　やわらぐ　　2　くつろぐ　　3　横たわる　　4　寝そべる

4 視聴者のニーズを調査した。
　　1　欲求　　　　2　必要　　　　3　請求　　　　4　需要

5 これはデリケートな問題だ。
　　1　鋭敏な　　　2　個人的な　　3　感情的な　　4　微妙な

6 今の仕事はハードだ。
　　1　重要だ　　　2　深刻だ　　　3　とうとい　　4　きつい

7 これは彼のオリジナルな作品だ。
　　1　代表的な　　2　独自の　　　3　特殊な　　　4　単独の

8 私の上司はストレートにものを言う。
　　1　まっすぐ　　2　論理的に　　3　一貫して　　4　ずばずば

9 彼はとてもユニークな男だ。
　　1　ゆかいな　　2　独特な　　　3　貴重な　　　4　有能な

10 隣の人と場所をチェンジした。
　　1　交換した　　2　交替した　　3　混合した　　4　混同した

11 彼はプログラミングの技術をマスターした。
　　1　研究した　　2　習得した　　3　修業した　　4　訓練した

12 一生懸命、自分の存在をアピールした。
　　1　試みた　　　2　挑んだ　　　3　訴えた　　　4　唱えた

その他の語彙

カタカナ語 ②

名詞② 3音・4音

名詞	意味・類義語	名詞	意味・類義語
エリア	地域／領域	ギャップ	差異
キャリア	経歴	コスト	費用
サイズ	寸法	ジャンル	分野／種類
ショック	衝撃	スコア	得点／成績
スペア	予備	スリル	緊張感
センス	感覚	ネック	妨げ
ピンチ	危機	ヒント	手がかり
リスク	危険	リスト	一覧
レベル	水準／段階	―	―
スケール	規模	スペース	空間
ダメージ	被害／損害	ボリューム	量／音量
オーナー	所有者／持ち主	メーカー	生産者
サイクル	周期	シンボル	象徴
タイトル	題名	トラブル	問題
プライド	誇り	ブランド	商標／銘柄
セクション	部門／部分	フィクション	創作
ポジション	位置／地位	システム	体系／仕組み
ストック	在庫	スランプ	不振
プロセス	過程	メリット	利点⇔デメリット

名詞③ 5音～

名詞	意味・類義語	名詞	意味・類義語
アポイント	予約／約束	インデックス	索引
インパクト	衝撃／印象	ガイドライン	指針／方針
キャンペーン	運動	コンセプト	概念／理念
コンプレックス	劣等感	セレモニー	式典
テクニック	技術	プロジェクト	企画
メッセージ	伝言	レイアウト	構成

第77回 練習問題

（解答 p245）

___の言葉に意味が最も近いものを、1・2・3・4から一つ選びなさい。

1 彼女は外見と中身に<u>ギャップ</u>がある。
　1　間隔　　　2　差　　　　3　隙　　　　4　幅

2 映画を見て<u>スリル</u>を味わった。
　1　緊張感　　2　罪悪感　　3　危機感　　4　快感

3 彼は<u>リスク</u>をかえりみず行動した。
　1　過去　　　2　失敗　　　3　危険　　　4　障害

4 私にも<u>プライド</u>はある。
　1　栄え　　　2　誇り　　　3　自慢　　　4　得意

5 電球の<u>スペア</u>を用意した。
　1　配備　　　2　整備　　　3　予備　　　4　準備

6 大きな<u>ダメージ</u>を受けた。
　1　衝動　　　2　受動　　　3　損害　　　4　妨害

7 ホームページの<u>レイアウト</u>を考えた。
　1　枠組み　　2　色合い　　3　構成　　　4　書式

8 さくらは日本の<u>シンボル</u>だ。
　1　印象　　　2　表象　　　3　象徴　　　4　観念

9 これはあくまでも<u>フィクション</u>です。
　1　創作　　　2　想定　　　3　芸術　　　4　模倣

10 田中選手は<u>スランプ</u>におちいった。
　1　不振　　　2　不信　　　3　空白　　　4　暗闇

11 課長は企画の<u>コンセプト</u>を説明した。
　1　理念　　　2　理想　　　3　手順　　　4　手段

12 あの人はこの<u>プロジェクト</u>のリーダーだ。
　1　集団　　　2　班　　　　3　制作　　　4　企画

その他の語彙

漢字語彙 ①

　漢字語彙は、ひらがなの和語やカタカナの外来語に言い換えられることが少なくありません。選択肢も、同じ漢字語彙だけでなくいろいろなタイプが考えられます。

な形容詞

重要度	な形容詞	意味・類義語	な形容詞	意味・類義語
★★★	円滑（えんかつ）	便利	円満（えんまん）	平和
	温厚（おんこう）	おだやか／温和	頑固（がんこ）	強情／頭がかたい
	肝心（かんじん）	最重要	貴重（きちょう）	大切
	極端（きょくたん）	非常に偏っている	質素（しっそ）	つつましい／控えめ
	順調（じゅんちょう）	スムーズ	慎重（しんちょう）	注意深い⇔軽率
	切実（せつじつ）	深刻	大胆（だいたん）	度胸がある
	丹念（たんねん）	じっくり	忠実（ちゅうじつ）	逆らわない／従順
	重宝（ちょうほう）	便利	皮肉（ひにく）	いやみ
	敏感（びんかん）	鋭い⇔鈍感	頻繁（ひんぱん）	しきりに
	不備（ふび）	用意が不十分	膨大（ぼうだい）	おびただしい／大量
	明白（めいはく）	疑いない	面倒（めんどう）	わずらわしい
	綿密（めんみつ）	念入り／緻密	露骨（ろこつ）	あらわ／はっきり
★★	臆病（おくびょう）	気が弱い／怖がり	活発（かっぱつ）	元気がいい
	潔白（けっぱく）	無実	光栄（こうえい）	名誉／誇らしい
	斬新（ざんしん）	画期的	執拗（しつよう）	しつこい
	繊細（せんさい）	デリケート	鮮明（せんめい）	くっきり
	存分（ぞんぶん）	思いきり	唐突（とうとつ）	いきなり／突然
	薄情（はくじょう）	冷淡	不審（ふしん）	あやしい
	不毛（ふもう）	無意味	無口（むくち）	おとなしい／寡黙

副詞

副詞	意味・類義語	副詞	意味・類義語
極力（きょくりょく）	できるかぎり	終始（しゅうし）	最初から最後まで
即刻（そっこく）	すぐに	断固（だんこ）	絶対に
断然（だんぜん）	圧倒的に／まったく	逐一（ちくいち）	いちいち
到底（とうてい）	どうしても／絶対に	堂々と（どうどう）	自信を持って／胸を張って
当分／当面（とうぶん／とうめん）	しばらく／さしあたり	漠然と（ばくぜん）	ぼんやりと／あいまいに

第78回 練習問題　(解答p245)

___の言葉に意味が最も近いものを、1・2・3・4から一つ選びなさい。

1. 小さなアパートで質素に暮らしている。
   1　とぼしく　　2　かくれて　　3　孤立して　　4　つつましく

2. うちの部長は何事に対しても慎重だ。
   1　動じない　　2　信じない　　3　注意深い　　4　情け深い

3. 私の祖父は頑固な男だ。
   1　強情な　　2　手ごわい　　3　たくましい　　4　さっぱりした

4. 彼は新人だが、大胆な発言をする。
   1　オーバーな　　2　誇張した　　3　おおざっぱな　　4　思い切った

5. みんなの模範となれるようにがんばりたい。
   1　人気者　　2　師匠　　3　代表　　4　手本

6. あの犬はとても臆病だ。
   1　きゃしゃだ　　2　気が弱い　　3　病気がちだ　　4　のろい

7. 彼女は繊細な感覚の持ち主だ。
   1　デリケートな　　2　スリムな　　3　ほっそりした　　4　けちな

8. 休みの日は存分に遊びまわりたい。
   1　思いきり　　2　ゆったり　　3　わくわく　　4　まるっきり

9. あの発言は唐突だった。
   1　無理やりだった　　2　たまたまだった　　3　不意のことだった　　4　性急だった

10. この議論は不毛だと思う。
    1　非常に激しい　　2　無意味だ　　3　はてしない　　4　はしたない

11. 課長は、当面外出禁止だそうだ。
    1　さしあたり　　2　つかのま　　3　やがて　　4　そのうち

12. 部下は逐一上司に報告した。
    1　つくづく　　2　まちまち　　3　ぽつぽつ　　4　いちいち

その他の語彙

漢字語彙 ②

2音・3音の漢字語彙

する動詞	意味・類義語	名詞	意味・類義語
依存（いぞん）	頼る／よりかかる	異議（いぎ）	反対意見／異論
棄権（きけん）	権利を放棄する	犠牲（ぎせい）	代償／身代わり
懸念（けねん）	心配する	起伏（きふく）	でこぼこ／浮き沈み
固執（こしつ）	こだわる	口調（くちょう）	話しぶり
誇張（こちょう）	おおげさに言う	作用（さよう）	働き
示唆（しさ）	暗示／ほのめかす	資格（しかく）	ライセンス
自首（じしゅ）	自ら警察に行く／出頭する	時効（じこう）	無効／リミット
自負（じふ）	誇りに思う	首脳（しゅのう）	国の指導者／リーダー
始末（しまつ）	捨てる／処分する	趣旨（しゅし）	ねらい／意図／内容
樹立（じゅりつ）	記録を作る／達成する	措置（そち）	対処／処置
処置（しょち）	手当て／治療	蛇足（だそく）	余計
是正（ぜせい）	改める	度胸（どきょう）	強い心／勇気
妥協（だきょう）	譲歩する	土足（どそく）	靴をはいたままの状態
打診（だしん）	様子を探る／反応を見る	秘訣（ひけつ）	こつ／ポイント
派生（はせい）	広がる／波及する	悲鳴（ひめい）	叫び声
非難（ひなん）	とがめる／批判する	不振（ふしん）	調子が悪い状態
披露（ひろう）	発表する	模範（もはん）	手本／見本
模索（もさく）	探す	余地（よち）	可能性
和解（わかい）	仲直りする	—	—

漢字語彙 ○ん～

する動詞	意味・類義語	名詞	意味・類義語
干渉（かんしょう）	口出しする	縁談（えんだん）	結婚／見合い話
吟味（ぎんみ）	よく調べる	均衡（きんこう）	バランス
暫定（ざんてい）	一時的に決まる	禁物（きんもつ）	してはいけないこと
辛抱（しんぼう）	我慢する	権威（けんい）	優れた専門家／大家
点検（てんけん）	(設備を)チェックする	旋律（せんりつ）	メロディー
添削（てんさく）	(文章を)チェックする	偏見（へんけん）	先入観
便乗（びんじょう）	都合よく利用する	面目（めんもく）	名誉／メンツ

第79回 練習問題

(解答 p245)

____の言葉に意味が最も近いものを、1・2・3・4から一つ選びなさい。

1 プライベートな問題に干渉しないでほしい。
 1 取り組み 2 口出し 3 割り込み 4 頭出し

2 両国間の均衡が破れた。
 1 アベレージ 2 スケール 3 ボーダーライン 4 バランス

3 岡本選手が暫定のチャンピオンだ。
 1 公認された 2 選ばれた 3 歴史的な 4 一時的な

4 おいしい料理の秘訣を母に伝授してもらった。
 1 たち 2 きも 3 こつ 4 いき

5 公共料金の値上げに便乗するのは良くないと思う。
 1 賛成する 2 無関心である 3 宣伝する 4 都合よく利用する

6 両者の間に和解が成立した。
 1 協力 2 契約 3 譲り合い 4 思いやり

7 この曲の旋律は胸にしみる。
 1 音色 2 響き 3 コーラス 4 メロディー

8 最後の発言は蛇足だった。
 1 いつわり 2 ごまかし 3 空想 4 余計

9 彼はおだやかな口調だったが、怒っていたと思う。
 1 声の感じ 2 アクセント 3 話しぶり 4 リズム

10 日本人の友達に作文の添削を頼んだ。
 1 修正 2 校正 3 書き直し 4 チェック

11 首相は新しい事業計画に懸念を表明した。
 1 方針 2 コンセプト 3 デメリット 4 心配

12 もう少し辛抱が必要だ。
 1 きびしさ 2 ぬくもり 3 がまん 4 こころざし

その他の語彙

漢字語彙 ③

漢字語彙 ○い～

する動詞	意味・類義語	名詞	意味・類義語
解雇（かいこ）	クビにする	会心（かいしん）	満足のいく
該当（がいとう）	あてはまる	経緯（けいい）	いきさつ
介抱（かいほう）	世話する／手当てする	経費（けいひ）	コスト
敬遠（けいえん）	避ける	歳暮（せいぼ）	年末の贈り物
推敲（すいこう）	（文章を）考える／書き直す	待遇（たいぐう）	もてなし
退治（たいじ）	倒す／やっつける	体裁（ていさい）	外見／見かけ／世間体
台頭（たいとう）	勢力を伸ばす	定年（ていねん）	退職年齢
閉口（へいこう）	困る／辟易（へきえき）する	弊社（へいしゃ）	わが社

漢字語彙 ○う～

する動詞	意味・類義語	名詞	意味・類義語
強行（きょうこう）	無理やり実行する	急所（きゅうしょ）	弱点
交渉（こうしょう）	話し合う／駆け引きする	厚意（こうい）	親切心
仲介（ちゅうかい）	間をとりもつ	口論（こうろん）	けんか／言い争い
中傷（ちゅうしょう）	非難する／悪口を言う	賞与（しょうよ）	ボーナス
挑発（ちょうはつ）	刺激する	常連（じょうれん）	おなじみ／お得意さん
痛感（つうかん）	強く感じる	相応（そうおう）	ふさわしい
動揺（どうよう）	不安で心が揺れる	動機（どうき）	理由／モチベーション
放置（ほうち）	ほうっておく	脳裏（のうり）	頭の中／記憶
亡命（ぼうめい）	他国へ逃げる	容体（ようたい）	体調／状態
飽和（ほうわ）	いっぱいになる	朗報（ろうほう）	よい知らせ

漢字語彙 ○く～／○つ～／○っ～

する動詞	意味・類義語	名詞	意味・類義語
割愛（かつあい）	省略する	逸話（いつわ）	エピソード
錯覚（さっかく）	勘違いする／見間違う	雑踏（ざっとう）	人混み
失神（しっしん）	気絶する／意識を失う	毒舌（どくぜつ）	口が悪い
脱帽（だつぼう）	驚き、感心する	匿名（とくめい）	名前を伏せる

第80回 練習問題

(解答p245)

____の言葉に意味が最も近いものを、1・2・3・4から一つ選びなさい。

1 私はあの店の常連だ。
　　1　オーナー　　　2　ライバル　　　3　おなじみ　　　4　取り引き先

2 今年の賞与には期待している。
　　1　景品　　　　　2　表彰　　　　　3　ボーナス　　　4　ギフト

3 あの二人は口論が絶えない。
　　1　おしゃべり　　2　私語　　　　　3　言い争い　　　4　ディベート

4 試合に勝って、会心の笑みをもらした。
　　1　にがにがしい　2　大満足の　　　3　照れくさい　　4　ほがらかな

5 彼の容体を聞いてみた。
　　1　最近の状況　　2　仕事の様子　　3　健康状態　　　4　病気の状態

6 彼女は体裁ばかり気にしている。
　　1　見た目　　　　2　流行　　　　　3　ファッション　4　ムード

7 うちの課の先輩は交渉がうまい。
　　1　やりくり　　　2　駆け引き　　　3　お世辞　　　　4　世間話

8 年齢相応の知識を身につけたい。
　　1　ふさわしい　　2　つき合った　　3　ジャストの　　4　きっかりの

9 どうも、ちょっとした錯覚をしていたようだ。
　　1　勘違い　　　　2　めまい　　　　3　ミス　　　　　4　ロス

10 彼は女性に話しかけられ、動揺を見せた。
　　1　怒り　　　　　2　恥じらい　　　3　照れくささ　　4　不安な様子

11 講演会の会場は飽和状態だった。
　　1　きわどい　　　2　すれすれの　　3　はなはだしい　4　いっぱいの

12 このようなときは、冷静に情勢を見守るのが一番いい。
　　1　なりゆき　　　2　いきさつ　　　3　ゆくえ　　　　4　行く手

その他の語彙

和語・訓読みの名詞

動詞の名詞形①

名詞形	意味・類義語	名詞形	意味・類義語
あかし(証し)	証拠	あて(当て)	頼り
あまえ(甘え)	依存	あやまち(過ち)	間違い／ミス
あゆみ(歩み)	過程	うごき(動き)	変化
おどし(脅し)	脅迫	おぼえ(覚え)	記憶
かかわり(関わり)	関係	かまえ(構え)	姿勢
きざし(兆し)	兆候	きわみ(極み)	究極
くい(悔い)	後悔	ことわり(断り)	事前連絡／拒否
さだめ(定め)	運命	ずれ	違い／差
せめ(攻め)	攻撃⇔まもり(守り)	そだち(育ち)	育った環境
たくらみ(企み)	計画／もくろみ	たくわえ(蓄え)	貯蓄
たすけ(助け)	支援	ねばり(粘り)	忍耐
ねらい(狙い)	目的	はて(果て)	終わり
ひかえ(控え)	写し／補欠	まとめ	結論／要約
ゆるし(許し)	許可	わび(詫び)	謝罪

動詞の名詞形②

名詞形	意味・類義語	名詞形	意味・類義語
後継ぎ(あとつぎ)	相続人	打ち上げ(うちあげ)	宴会
生い立ち(おいたち)	育ち／身の上	思いやり(おもいやり)	気づかい／やさしさ
顔つき(かおつき)	表情	気がね(きがね)	遠慮
仕返し(しかえし)	復讐	値打ち(ねうち)	価値
飲み込み(のみこみ)	理解	日取り(ひどり)	日程
振り出し(ふりだし)	出発点／スタート	見込み(みこみ)	予想／見通し
見晴らし(みはらし)	眺め／眺望	申し込み(もうしこみ)	申請

その他の名詞

名詞形	意味・類義語	名詞形	意味・類義語
ありか	場所	いざこざ	トラブル
きずな(絆)	つながり	しきたり	習慣／おきて
つかのま	短い時間	まぐれ	偶然の出来事

第81回 練習問題

(解答p245)

____の言葉に意味が最も近いものを、1・2・3・4から一つ選びなさい。

1 彼らの本当のねらいが何なのか探ってみた。
　　1　理想　　　　2　希望　　　　3　作戦　　　　4　目的

2 今度の上司はあてにならない。
　　1　予定　　　　2　候補　　　　3　頼り　　　　4　証し

3 私の母親は思いやりのある人だ。
　　1　信用　　　　2　理性　　　　3　決断力　　　4　気づかい

4 入院していた父にも回復のきざしが見えてきた。
　　1　兆候　　　　2　望み　　　　3　想像　　　　4　症状

5 しかたなくしきたりに従った。
　　1　規則　　　　2　秩序　　　　3　習慣　　　　4　運命

6 家族のきずなは強い。
　　1　共感　　　　2　嫉妬　　　　3　つながり　　4　なさけ

7 今回の成功はまぐれかもしれない。
　　1　偶然　　　　2　奇跡　　　　3　念願　　　　4　宿命

8 迷惑をかけた伯父にわびを入れた。
　　1　お礼　　　　2　お世話　　　3　謝罪　　　　4　感謝

9 彼は親に対する甘えがある。
　　1　負担　　　　2　責任　　　　3　敬意　　　　4　依存

10 昨年から、ひそかなたくらみを持っている。
　　1　設計　　　　2　推測　　　　3　見通し　　　4　策略

11 私と彼の間では、何の気がねもいらない。
　　1　恐れ　　　　2　遠慮　　　　3　意地　　　　4　熱意

12 赤ちゃんがやっと眠りにつき、つかのまの自由を味わった。
　　1　独身　　　　2　青春　　　　3　一瞬　　　　4　一息

複合動詞

名詞＋動詞

名詞＋動詞	意味・類義語	名詞＋動詞	意味・類義語
相次ぐ	連続する	垣間見る	一部見える
気負う	張り切る	気取る	かっこつける
牛耳る	支配する	際立つ	目立つ
心がける	注意する	楯突く	反抗する
手間取る	時間がかかる	名乗る	名前を言う
並はずれる	抜群の／非凡な	値切る	安くさせる
頬張る	口いっぱいに入れる	目がける	目標にする
面くらう	おどろく	横たわる	体を横にする／寝る

動詞＋動詞

名詞＋動詞	意味・類義語	名詞＋動詞	意味・類義語
編み出す	考案する	行き詰まる	先に進まなくなる
打ち明ける	告白する	打ち解ける	親しくなる
落ち合う	待ち合わせる	思い切る	決心する
決めつける	思い込む	食い違う	一致しない
込み入る	複雑になる	立て替える	先にお金を払う
立て込む	忙しい	突き止める	見つける
取り組む	対処する／取りかかる	取り立てる	特別に扱う
投げ出す	諦める／放棄する	似通う	類似する
のめり込む	夢中になる	乗り越える	克服する
張り合う	競争する／対決する	引きつける	魅了する
引き取る	持ち帰る／立ち去る	見合う	相当する
見合わせる	中止する	見落とす	見過ごす／見逃す
見限る	諦める／見放す	見損なう	評価を誤る
見張る	監視する	持ち直す	回復する／保つ

第82回 練習問題

(解答 p245)

____の言葉に意味が最も近いものを、1・2・3・4から一つ選びなさい。

1 労力に見合う報酬を要求するのは当然だ。
　　1　匹敵する　　　　2　比較する　　　　3　相当する　　　　4　該当する

2 実は込み入った事情があるらしい。
　　1　複雑な　　　　　2　プライベートな　3　内面的な　　　　4　家庭内の

3 彼女に自分の気持ちを打ち明けることにした。
　　1　取り調べる　　　2　正直に言う　　　3　仲よくする　　　4　理解する

4 この子は並はずれた記憶力の持ち主だ。
　　1　ユニークな　　　2　未完成の　　　　3　孤独な　　　　　4　非凡な

5 今週は仕事で立て込んでいる。
　　1　暇がない　　　　　　　　　　　　　2　仕事に集中している
　　3　仕事が進まない　　　　　　　　　　4　予定が入っている

6 二人の主張はくいちがっていた。
　　1　争っていた　　　　　　　　　　　　2　誤っていた
　　3　ゆずりあわなかった　　　　　　　　4　かみあわなかった

7 政府は税金の削減に取り組むべきだ。
　　1　約束する　　　　2　対処する　　　　3　開始する　　　　4　採用する

8 まさか、彼が仕事を投げ出すことはないだろう。
　　1　冒険する　　　　2　挑戦する　　　　3　拡大する　　　　4　放棄する

9 今回だけは、見逃してもらった。
　　1　自由にして　　　2　将来を占って　　3　大目に見て　　　4　負けて

10 計画は早くも行き詰まった。
　　1　完了した　　　　　　　　　　　　　2　予定が一杯になった
　　3　やり直した　　　　　　　　　　　　4　進まなくなった

11 あの男が組織を牛耳っていたようだ。
　　1　リードしていた　2　支えていた　　　3　支配していた　　4　支援していた

12 真相を知った彼は面食らった顔をしていた。
　　1　なまいきな　　　2　とまどった　　　3　そわそわした　　4　はずかしそうな

問題3　言い換え類義

問題3 復習問題　　　　　　　　　　　　　　　　（解答 p246）

＿＿の言葉に意味が最も近いものを、1・2・3・4から一つ選びなさい。

1 君が手伝ってくれたおかげで、仕事がはかどった。
　　1　スムーズだった　2　ハードだった　3　ロスした　4　カットした

2 むかってくる敵を上手にかわした。
　　1　たおした　2　だました　3　よけた　4　しのいだ

3 郵便局は、この道路をへだてたところにある。
　　1　行った　2　渡った　3　通った　4　戻った

4 彼をなだめて、話をした。
　　1　笑わせて　2　止めて　3　おこって　4　おちつかせて

5 あの店は客へのこまやかな対応を心がけている。
　　1　神経質な　2　繊細な　3　鋭い　4　すばやい

6 この音楽を聞くと、やすらかな気持ちになる。
　　1　軽快な　2　落ちこんだ　3　低調な　4　安心した

7 彼女のしなやかな手の動きは独特だ。
　　1　たくましい　2　はげしい　3　柔軟な　4　迅速な

8 まだあわい希望をいだいていた。
　　1　きよらかな　2　ほがらかな　3　はかない　4　つたない

9 自然の力は、すさまじい。
　　1　偉大だ　2　ビューティフルだ　3　圧巻だ　4　ものすごい

10 彼はこっそり家を出た。
　　1　おとなしく　2　ひそかに　3　だまって　4　無断で

11 彼は、あたかも自分が被害者のように語った。
　　1　反対に　2　まちがいなく　3　もしかして　4　まるで

12 彼女の話を聞いてほっとした。
　　1　おどろいた　2　ひらめいた　3　安心した　4　熱くなった

13 この料理には海産物をふんだんに使っている。
　　1　たっぷり　　　　2　自由自在に　　　3　特別に　　　　　4　みずみずしく

14 この分野のトップ企業がのきなみ赤字経営に陥った。
　　1　象徴的に　　　　2　タイムリーに　　　3　一時的に　　　　4　どれもこれも

15 友人の中でもとりわけ彼が喜んだ。
　　1　珍しく　　　　　2　いかにも　　　　　3　さんざん　　　　4　殊に

16 彼は彼女の言うことにことごとく反対した。
　　1　冷静に　　　　　2　全体的に　　　　　3　何もかも　　　　4　大概

17 みんな彼にはうんざりしている。
　　1　あわれんで　　　2　にくんで　　　　　3　飽き飽きして　　4　浮き浮きして

18 彼は声をセーブした。
　　1　おさえた　　　　2　保存した　　　　　3　止めた　　　　　4　休めた

19 この問題はシンプルだ。
　　1　単純　　　　　　2　平凡　　　　　　　3　単独　　　　　　4　象徴

20 麻薬の撲滅キャンペーンが行われた。
　　1　作動　　　　　　2　運動　　　　　　　3　騒動　　　　　　4　行進

21 彼の作品はインパクトがあった。
　　1　人気が高かった　2　圧力が強かった　　3　満足度が高かった　4　印象が強かった

22 この会社は7つのセクションに分かれている。
　　1　部門　　　　　　2　範囲　　　　　　　3　関門　　　　　　4　規範

23 受付でアポイントの有無を聞かれた。
　　1　接点　　　　　　2　貴重品　　　　　　3　紹介　　　　　　4　予約

24 彼女の母は終始にこやかな顔をしていた。
　　1　ときおり　　　　2　初めと終わりは　　3　ずっと　　　　　4　一時的に

25 彼は無口だ。
　　1　とてもおとなしい　2　味がわからない　　3　声が小さい　　　4　話がへただ

26 昨晩、例の事件の犯人が自首した。
1　自分の首をくくった　　　　2　証拠を隠した
3　自ら警察に出向いた　　　　4　犯行を予告した

27 薬の広告は効きめを誇張したものが多い。
1　拡大した　　2　あやまった　　3　ごまかした　　4　大げさに言った

28 よく気をつけて火の始末をした。
1　つけた　　2　かたづけた　　3　点検をした　　4　準備をした

29 この製品は改善の余地がある。
1　目当て　　2　目安　　3　可能性　　4　予想

30 彼の腕前には脱帽した。
1　感謝した　　2　謝った　　3　恐れ入った　　4　頭を下げた

31 雑踏の中をあてもなく歩いた。
1　人ごみ　　2　行列　　3　デモ　　4　庭園

32 ここは土足厳禁です。
1　靴のまま　　2　はだし　　3　汚れた足　　4　スリッパ

33 争いは極力避けたいものだ。
1　あえて　　2　必ずしも　　3　むりやり　　4　できる限り

34 二人の認識にはずれがある。
1　ニュアンス　　2　境界　　3　差異　　4　果て

35 会社は人員削減の構えを見せている。
1　体系　　2　態勢　　3　組織　　4　計画

36 話を聞いて、彼女の顔つきが変わった。
1　化粧　　2　体面　　3　表情　　4　表層

37 彼はよく人のことを決めつけるきらいがある。
1　推測する　　　　　　　　2　疑い出す
3　敵味方に分ける　　　　　4　一方的に断定する

38 二人はだんだん打ち解けてきた。
1　対立し始めて　　2　親しくなって　　3　熱が入って　　4　息が合って

問題4 用法

例題 次の言葉の使い方として最もよいものを、1・2・3・4から一つ選びなさい。

意思
1 相手の意思に沿った案を提示した。
2 めまいがして倒れ、意思を失ってしまった。
3 まず筆者が何を意思しているかをつかもう。
4 社員間の意思の疎通を図った。

問題4は、語彙の使い方として正しい文を選ぶ問題です。
例題のように、「意思の疎通を図る」「意思の疎通を欠く」といった語彙の使い方を知っているかどうかがポイントです。
他の選択肢は、次のように言い換えることができます。

1 意向に沿う
2 意識を失う
3 意図する

選択肢3の場合、「意思」は名詞であり、動詞としては使われないので間違いです。このように、漢字2字の語彙では、動詞として使われるかどうかを知っているかが大きなポイントになります。
出題の可能性が高いのは、漢字2字の語彙と慣用表現、動詞、複合動詞、副詞、形容詞、そして和語および訓読みの語彙です。動詞、副詞、形容詞はひらがなで提示される場合が多いようです。次に、それぞれの例を挙げます。

漢字2字の語彙：発足

1 市民による環境保護委員会が発足した。
2 彼は出張の命を受け、南米へと発足した。
3 妊娠後30日を経過して胎児の発足が始まった。
4 難解な用語については発足説明が必要だ。

漢字2字の語彙の慣用表現：敬意

1 彼は彼女を敬意している。
2 彼はとても敬意な言葉を使う。
3 彼は彼女に敬意をはらった。
4 彼の申し出を彼女は敬意に断った。

ひらがなの動詞：いたわる

1 彼の話を聞いて、胸がいたわった。
2 部長は仕事で苦労した部下をいたわった。
3 音楽を聞いて、さびしさをいたわった。
4 彼は買ったばかりの高価なガラス食器をいたわった。

複合動詞：思い込む

1 彼は問題の答えがわからず、ずっと思い込んでいた。
2 彼はどっちに進むべきか思い込んだ。
3 彼は思い込んで日本へ留学することにした。
4 彼は彼女が賛成してくれるものと思い込んでいた。

ひらがなの副詞：きっぱり

1 彼女は彼の誘いをきっぱり断った。
2 彼が来たのは10時きっぱりだった。
3 応援していたチームはきっぱり負けてしまった。
4 いくら働いても景気はきっぱりだ。

形容詞：好ましい

1 彼はなかなか彼女に会えず、なおさら好ましくなった。
2 彼は明るく活発で好ましい青年だ。
3 最近、彼は体調がとても好ましい。
4 彼は新しいギターが好ましくてたまらなかった。

和語・訓読みの語彙：手配

1 彼は彼女が料理するのを手配した。
2 彼は今、大学受験の手配で忙しく、映画どころじゃなかった。
3 この料理にはとても手配がかかる。
4 社長が出かけると聞いて、部下はすぐに車を手配した。

問題4の練習問題を解いたあとは、正解以外の選択肢の文に別の語を使う場合、何が適当かを確認しておきましょう。正しく自然な例文にたくさん触れることで、語彙を使う力がアップします。

「発足」： **1 （組織／団体が）発足する**　　2 旅立った
　　　　　3 足が生えてきた　　　　　　　4 補足説明

「敬意」： 1 尊敬　　　　　　　　　　　　2 丁寧
　　　　　3 敬意を表す　　　　　　　　4 丁重に断る

「いたわる」： 1 胸が痛む　　　　　　　　**2 （人／体を）いたわる**
　　　　　　　3 まぎらす　　　　　　　　4 大事にあつかう

「思い込む」： 1 考え込む　　　　　　　　2 迷う／悩む
　　　　　　　3 思い切って　　　　　　　**4 （～）と思い込む**

「きっぱり」： **1 きっぱり（言う／断る）**　2 きっかり
　　　　　　　3 あっさり　　　　　　　　4 さっぱりだ

「好ましい」： 1 恋しくなった　　　　　　**2 好ましい（人物）**
　　　　　　　3 良い　　　　　　　　　　4 欲しくて

「手配」： 1 手伝った　　　　　　　　　　2 準備
　　　　　3 手間　　　　　　　　　　　　**4 （物を）手配する**

漢字2字の語彙

する動詞 ①

問題4で出題されるのは、**漢字を見ただけでは、すぐに意味や使い方がわからない語彙**です。例えば、「照合」という語彙がありますが、これは「元になる物と比較する。**照**らし**合**わせる」という意味です。

例　現場の指紋と容疑者の指紋を**照合**した。

それぞれの漢字の意味からはわかりにくい語彙ですが、意味と同時に使い方も覚えておきましょう。出題が予想される語彙を発音順に選定しました。

2音／3音の語彙

重要度											
★★★	いと 意図	／	かげん 加減	さしず 指図❷	さよう 作用	じかく 自覚	しこう 施行	しゅちょう 主張	ふにん 赴任		
★★	きよ 寄与	しき 指揮	しじ 支持	まひ 麻痺	／	いぞん 依存	かごう 化合	かにゅう 加入	こてい 固定	してき 指摘	しまつ 始末	じまん 自慢	しゅざい 取材
	しれい 指令	ぜせい 是正	はけん 派遣	ふきゅう 普及	ぶじょく 侮辱	ふはい 腐敗	むじゅん 矛盾	もさく 模索	もほう 模倣		
★	くし 駆使	くじょ 駆除	じふ 自負	／	きぜつ 気絶	ぎそう 偽装	じちょう 自重	じはく 自白	じゅちゅう 受注	たはつ 多発	はせい 派生	はたん 破綻	びこう 尾行
	ひやく 飛躍	ふじょう 浮上	ほせい 補正	ほりゅう 保留	ゆちゃく 癒着	ゆらい 由来	られつ 羅列	ろてい 露呈		

「○ん」で始まる語彙

重要度											
★★★	うんえい 運営	かんせん 感染	かんべん 勘弁	かんよ 関与	かんわ 緩和	さんしょう 参照	しんこう 進行	しんこう 振興	しんこく 申告	だんげん 断言	はんのう 反応	はんぱつ 反発
	へんかん 返還	まんきつ 満喫	れんけい 連携	れんたい 連帯							
★★	ぎんみ 吟味	けんとう 検討	こんらん 混乱	はんしゃ 反射	ぶんせき 分析	へんさい 返済					
★	いんそつ 引率	えんしゅつ 演出	かんかつ 管轄	かんげん 還元	かんさん 換算	かんゆう 勧誘	けんやく 倹約	こんどう 混同	せんにゅう 潜入	せんれん 洗練	だんねん 断念	てんけん 点検
	てんぼう 展望	てんめつ 点滅	なんこう 難航	にんめい 任命	はんめい 判明	はんらん 氾濫	ふんしつ 紛失	ぶんたん 分担	べんかい 弁解	めんじょ 免除		

「○い」で始まる語彙

重要度											
★★★	かいしゅう 回収	かいにゅう 介入	さいはつ 再発	たいしょ 対処	ていけい 提携	ていたい 停滞	はいりょ 配慮	るいすい 類推			
★★	かいたく 開拓	かいはつ 開発	けいぞく 継続	すいい 推移	すいしん 推進	すいたい 衰退	ていこう 抵抗	へいさ 閉鎖			
★	かいじ 開示	かいじょ 解除	かいしょう 解消	かいそう 回想	かいてい 改定	けいせい 形成	すいこう 遂行	せいじゅく 成熟	せいつう 精通	たいき 待機	たいじ 退治	たいしょう 対称
	ついきゅう 追及	ついとつ 追突	ていけつ 締結	ていじ 提示	ていちゃく 定着	ばいかい 媒介	はいし 廃止	ばいしゅう 買収	はいじょ 排除	へいまく 閉幕	るいせき 累積	わいきょく 歪曲

第83回 練習問題

(解答p246)

次の言葉の使い方として最もよいものを、1・2・3・4から一つ選びなさい。

1 支持
1. 部下に書類を作成するよう支持した。
2. 被災地に支持の物資が送られた。
3. 見事に第一支持の大学に合格した。
4. 彼は多くの市民から支持されている。

2 普及
1. 世界平和という普及的な問題に取り組む。
2. 会社は規模を普及した。
3. あっという間にうわさが普及した。
4. 携帯電話は世界中に普及している。

3 加入
1. 料理に調味料を加入した。
2. 彼は労働組合に加入している。
3. 交流パーティーに加入の申し込みをした。
4. 予備のためもう一つ注文を加入した。

4 演出
1. 彼はアメリカの映画に演出したことがある。
2. 彼女の涙は、ただの演出に過ぎなかった。
3. あの映画監督は演出が上手だ。
4. 政治家が街頭で演出を始めた。

5 反発
1. 鏡に光が反発してまぶしい。
2. 別々の溶液を混ぜて反発を観察した。
3. 彼は上司に対して反発を持っていた。
4. 彼は厳しい親に反発した。

6 回収
1. 趣味は切手の回収である。
2. この体育館は5000人の観客を回収できる。
3. 会の参加者から500円の会費を回収した。
4. 粗大ごみを回収してもらうとお金がかかる。

漢字2字の語彙

する動詞 ②

「○う」から始まる語彙

重要度											
★★★	きゅうよう 休養	きょうせい 強制	こうふ 交付	こうふん 興奮	しゅうしょく 修飾	しゅうちゃく 執着	しゅうよう 収容	しょうごう 照合	しょうしん 昇進	ちゅうこく 忠告	ちゅうしょう 中傷	ちょうたつ 調達
	どうい 同意	とうせん 当選	とうたつ 到達	とうにゅう 投入	どうにゅう 導入	ゆうずう 融通	ゆうせん 優先	ようせい 要請	りょうりつ 両立	ろうひ 浪費		
★★	きょうじゅ 享受	こうけん 貢献	こうじょ 控除	こうじょう 向上	ごうせい 合成	こうそく 拘束	じゅうじつ 充実	そうてい 想定	そうび 装備	つうかん 痛感	どうじょう 同情	どうちょう 同調
	ひょうめい 表明	ぼうえい 防衛	ほうき 放棄	ほうち 放置								
★	きょうかん 共感	きょうちょう 協調	きょうゆう 共有	こうさん 降参	こうとう 高騰	じょうりく 上陸	ひょうしょう 表彰	もうら 網羅	ゆうかい 誘拐	ゆうよ 猶予		

「○き」「○く」から始まる語彙

重要度											
★★★	てきおう 適応 ／	かくしん 革新	かくほ 確保	そくしん 促進	よくせい 抑制						
★★	かくさん 拡散	かくとく 獲得	きゃくしょく 脚色	ぎゃくてん 逆転	こくふく 克服	しゅくしょう 縮小	そくばく 束縛	ちくせき 蓄積	ちゃくしゅ 着手	ちゃくふく 着服	ちゃくもく 着目	ちゃくよう 着用
	ちょくめん 直面	ばくろ 暴露	よくあつ 抑圧									
★	てきちゅう 的中 ／	こくし 酷使	こくはつ 告発	しゃくめい 釈明	ぞくしゅつ 続出	ぞくはつ 続発	とくそく 督促	はくねつ 白熱	ふくげん 復元	ぼくめつ 撲滅	らくさつ 落札	

「○つ」「○っ」から始まる語彙

重要度											
★★★	あっとう 圧倒	いっかつ 一括	えつらん 閲覧	けつじょ 欠如	けっしょう 結晶	とっぱ 突破	ほっそく 発足	みっしゅう 密集	らっかん 楽観			
★★	あっか 悪化	あっせん 斡旋	いっぺん 一変	がっぺい 合併	くっせつ 屈折	けっせい 結成	けつだん 決断	さっかく 錯覚	しっかく 失格	しっきゃく 失脚	じっせん 実践	しゅつどう 出動
	せっしょく 接触	せっちゅう 折衷	せってい 設定	せっとく 説得	そっせん 率先	だっしゅつ 脱出	たっせい 達成	だったい 脱退	ちょっかん 直感	てってい 徹底	はっき 発揮	はっせい 発生
	ひってき 匹敵	ふっかつ 復活	ふっこう 復興	ぼっしゅう 没収	みつゆ 密輸							
★	いっかん 一貫	いっそう 一掃	いってん 一転	かっとう 葛藤	けっちゃく 決着	しゅつば 出馬	しゅつぼつ 出没	ぜっさん 絶賛	そっせん 率先	だつらく 脱落	てっかい 撤回	はっかく 発覚
	ばっすい 抜粋	はっちゅう 発注	ばってき 抜擢	ぼっとう 没頭								

第84回 練習問題

(解答 p246)

次の言葉の使い方として最もよいものを、1・2・3・4から一つ選びなさい。

1 向上
1. 彼の病気が向上した。
2. 生徒の学力が向上した。
3. 彼は世界記録を向上した。
4. 給料が向上した。

2 導入
1. ボランティア活動で新人を導入した。
2. 歩いていたら宗教を導入する人に声をかけられた。
3. カーテンの間から光が導入した。
4. 彼の会社は短時間正社員制度を導入した。

3 同情
1. 不運な友人に同情した。
2. 私も彼の意見に同情だ。
3. 彼女の提案に彼も同情した。
4. 田中先生と山田先生が同情で研究を進めた。

4 克服
1. 彼は自分の弱点を克服した。
2. 彼の国はとなりの国を克服した。
3. 列車は今、国境を克服したところだ。
4. 彼はチャンピオンを克服して栄冠を手にした。

5 落札
1. 電車の中で切符を落札してしまった。
2. 学期末の試験の成績が悪く、落札してしまった。
3. A社は市の道路工事を最低価格で落札した。
4. 大企業の不正が発覚し、株価は一気に落札した。

6 設定
1. 彼は自分の会社を設定した。
2. 環境保護のため安全委員会を設定した。
3. エアコンの温度を設定し直した。
4. コンサート会場の受付にはテントが設定されていた。

問題4 用法 195

漢字2字の語彙

名詞 ①

「する」のつかない漢字2字の語彙は、どんな語と結びつきやすいかを覚えておきましょう。

2音・3音の語彙

重要度	
★★★	異議(を唱える)　意地(を張る)　余地(がある)／意向(に沿う)　異論(を唱える)　規格(に合う) 固有(の財産)　(天候が)不順　不振(が続く)　不調(を訴える)　不服(を唱える)　不満(をぶつける) 無断(で休む)
★★	誤差(が生じる)　措置(を講じる)／架空(の人物)　姿勢(がいい)　魅力(がある)
★	義理(の母)　不意(の出来事)　未知(の世界)／犠牲(になる)　資格(がない)　事前(に伝える) 始発(電車)　首脳(会談)　仕様(を決める)　所定(の位置)　(発売)未定　理屈(をこねる)

「○ん」で始まる語彙

重要度	
★★★	元来　(無理は)禁物　見地　親善(試合)　単一(通貨)　品種(改良)　便宜(を図る) 偏見(を持つ)　面目(がつぶれる)
★★	印象(が強い)　感触(を得る)　歓声(を上げる)　(組織の)幹部　貫禄(がある)　原形(をとどめる) 権限(を持つ)　原点(に戻る)　根底(から覆る)　神経(が細かい)　真相(が明らかになる) (結婚を)前提(とする)　反感(を買う)　慢性(の風邪)

「○い」で始まる語彙

重要度	
★★★	愛想(をつかす)　採算(がとれる)　細心(の注意を払う)　背景(にある)
★★	経緯(を説明する)　最善(を尽くす)　成果(があがる)　正規(のルート)　生計(を立てる) 制裁(を加える)　声明(を出す)　勢力(を伸ばす)　態勢(をとる)　対等(な関係)　内緒(にする)

「○う」で始まる語彙

重要度	
★★★	応急(処置)　境遇(にある)　教訓(を得る)　協定(を結ぶ)　好意(を持つ)　口頭(で質問する) 好評(を博する)　効率(がいい)　生涯(を通して)　詳細(を伝える)　証人(になる) (それ)相応(の待遇)　中毒(に陥る)　(山の)中腹　優位(に立つ)　優勢(になる)　(新しい)領域
★★	公然(の秘密)　焦点(を合わせる)　中立(の立場)　動機(を探る)　動向(を探る)　(日本の)風土 盲点(となる)　用件(をうかがう)　様式(に従う)　良心(に従う)

第85回 練習問題

(解答p246)

次の言葉の使い方として最もよいものを、1・2・3・4から一つ選びなさい。

1 異議
1. 田中選手は不公平な審判に対して異議した。
2. 彼女の説に異議を唱えた。
3. 皆で原発について異議を戦わせた。
4. 彼は税金を上げることに異議だった。

2 所定
1. この件に関しては市の条例に所定されている。
2. 新幹線の切符は座席を所定できる。
3. リモコンで部屋の温度の所定を変えた。
4. 使った道具は所定の位置に戻した。

3 神経
1. 彼女はとても神経が良い。
2. 彼女は自由な神経の持ち主だ。
3. 健全な神経は健全な肉体に宿ると言う。
4. 彼女は非常に神経が細かい。

4 便宜
1. この辞書は持ち運びにとても便宜だ。
2. 彼の誘いは便宜が悪かったので断った。
3. 求職中の彼女のため便宜を図った。
4. 急いで家を出ると便宜良くタクシーが通りかかった。

5 正規
1. 正規な理由がない限り、無断欠勤は許されない。
2. 佐藤夫婦は正規に離婚することを発表した。
3. この品物は正規のルートの半額で売られていた。
4. 彼は自分で健康を管理し、正規に生活している。

6 用件
1. 彼は新入社員としての用件を満たしていた。
2. 何度も交渉したが双方の用件が合わなかった。
3. 部長は用件があって午後は退社した。
4. 訪問した会社の受付で用件を伝えた。

漢字2字の語彙

名詞 ②

「○き」「○く」「○ち」「○つ」「○っ」で始まる語彙

重要度	
★★★	一面(に広がる)　一連(の事件)／熱意(にあふれる)
★★	適性(を測る)／格差(が広がる)　極限(の状態)　作戦(を立てる)　独自(の調査)　(この地域)特有／圧力(をかける)　必然(の結果)　物議(をかもす)　密度(が濃い)／欠陥(が見つかる)　実態(調査)　特許(を申請する)　必死(の形相)　発作(を起こす)　若干(名)

その他の慣用表現

重要度	
★★	意思の疎通を図る　英気を養う　縁起を担ぐ 機先を制する　疑念を抱く　脚光を浴びる　行間を読む　胸中を察する 敬意を表する　警鐘を鳴らす　激論を戦わす　血相を変える　見聞を広める 支障をきたす　謝意を表する　常軌を逸する　照準を合わせる　寝食を忘れる 前後を忘れる　先手を打つ 大事を取る　知恵を絞る　途方に暮れる　途方もない 難色を示す　念頭に置く　濃淡をつける 場数を踏む　拍車をかける　悲鳴をあげる　不覚を取る　暴力をふるう 本領を発揮する 明暗を分ける　面倒を見る　文句を言う 勇気を奮い起こす　予断を許さない
★	異彩を放つ 家業を継ぐ　癇癪を起こす　軌跡をたどる　軍配を上げる 采配を振る　賛辞を贈る　失笑を買う　私腹を肥やす　邪念を捨てる 銃口を向ける　祝杯をあげる　趣向を凝らす　死力を尽くす　辛酸をなめる 全幅の信頼を置く　全貌を現す 他の追随を許さない　天下を取る　天命を待つ 難癖をつける 破局を迎える　発破をかける　反旗をひるがえす　悲哀を感じる　伏線を張る 片鱗を見せる　暴言を吐く　墓穴を掘る　歩調をそろえる 冥福を祈る　猛威をふるう 抑揚をつける

第86回 練習問題

(解答 p247)

次の言葉の使い方として最もよいものを、1・2・3・4から一つ選びなさい。

1 作戦
1 国境でにらみ合っていた両国の軍がいよいよ作戦した。
2 今度の試験で友人と成績を作戦することになった。
3 チームのみんなで試合に勝つための作戦を立てた。
4 警察は交通違反を取り締まるために作戦を計画した。

2 圧力
1 彼にとっては親の期待が圧力だった。
2 彼は周囲の期待の大きさに驚き、逆に圧力されてしまった。
3 政治家は田中教授の研究に陰で圧力をかけて来た。
4 彼は彼女の話す勢いに圧力されてしまった。

3 軌道
1 彼の言動は軌道を逸していた。
2 会社の経営がやっと軌道に乗って来た。
3 会社は今後規模を拡大する軌道らしい。
4 彼は最初から軌道を立てて論理的に話した。

4 適性
1 品物の値段が適性に保たれているか調査した。
2 彼は非常にいいかげんで適性だ。
3 救急隊員の適性な処置により、人の命が救われた。
4 彼は車の運転に適性を欠いている。

5 予断
1 受賞の知らせを聞く前から良い予断がしていた。
2 A国の金融危機は予断を許さない状況にある。
3 来月の本番までの予断を組んだ。
4 大地震が来る前に、何らかの予断があったと言う。

6 知恵
1 彼は母国で日本についての基礎知恵を学んだ。
2 みんなで問題解決のため知恵をしぼった。
3 彼女の話には知恵が感じられる。
4 非常に知恵のいい男だ。

その他の語彙

ひらがな動詞

問題4に動詞が出題される場合、問題3と同様、ひらがなで出題されることが多いと言えます。結びつきやすい語とともに覚えましょう。

重要度	
★★★	(食事を)おごる　(夢が)かなう　(話題を)そらす　(独り言を)つぶやく　(雰囲気に)なじむ (街が)にぎわう　(インクが)にじむ　(人を)ののしる　(仕事が)はかどる へりくだった(話し方)　(ひもが)ほどける　(一攫千金を)もくろむ
★★	(お年寄りを)いたわる (同僚を)かばう　(お金が)からむ　(攻撃を)かわす　(常識を)くつがえす (寒さを)しのぐ　(山が)そびえる (体裁を)つくろう　(工事が)とどこおる (人に)なつく　(人を)ねたむ (距離が)へだたる　(事件を)ほうむる　(顔が)ほころびる　(治療を)ほどこす　(国が)ほろびる (形が)ゆがむ　(記憶が)よみがえる
★	(不安を)あおる　(他人を)あざける　(子供を)あなどる　(正体を)あばく (不正に)いきどおる　(傷を)いやす　(渋滞に)いらつく　(その場に)うずくまる (成功して)うぬぼれる　(街を)うろつく (首を)かしげる　(ギターを)かなでる　(途中で)くじける　(ソファーで)くつろぐ (自信が)ぐらつく　(被害を)こうむる　(話が)こじれる　(課題を)こなす (悪者を)こらしめる　(頭の中が)こんがらかる (町が)さびれる　(人目に)さらす　(会場が)ざわめく　(花が)しおれる　(一線から)しりぞく (約束を)すっぽかす　(口を)すぼめる　(子供を)せかす　(親に)せがむ　(命令に)そむく (顔を)そむける (悪いことを)たくらむ　(勝者を)たたえる　(気持ちが)だらける　(猫と)たわむれる (宝石を)ちりばめる　(言葉が)つかえる　(口を)つぐむ　(準備に)てこずる　(胸が)ときめく (轟音が)とどろく　(灯が)ともる　(偏見に)とらわれる (雰囲気が)なごむ　(泣く子を)なだめる　(頭を)なでる　(言葉を)にごす　(汗を)ぬぐう (部下を)ねぎらう (ほめられて)はにかむ　(悪事が)ばれる　(陰に)ひそむ　(悲しみに)ひたる (アイデアが)ひらめく　(途中で)へこたれる　(気分が)へこむ　(緊張が)ほぐれる (責任を)まぬがれる　(元気が)みなぎる　(気持ちが)めげる　(話が)もつれる (判断を)ゆだねる　(不安が)よぎる

第87回 練習問題

(解答 p247)

次の言葉の使い方として最もよいものを、1・2・3・4から一つ選びなさい。

1 こなす
1. 食べすぎておなかをこなしてしまった。
2. その学生は課題を次々にこなしていった。
3. 彼は冷静に敵の攻撃をこなした。
4. 社長は命令に逆らった社員をこなした。

2 かばう
1. その女の子は傷ついた動物をかばった。
2. 彼は自分のせいだと言って弟をかばった。
3. 彼は災害から村をかばった。
4. 大量の落ち葉が歩道をかばった。

3 もつれる
1. 事故が起きて、車がもつれていた。
2. ショックで頭がもつれてしまった。
3. この事件にはお金がもつれていた。
4. 離婚の話がもつれて裁判になった。

4 しのぐ
1. 列車は早朝に国境をしのいだ。
2. １万人をしのぐ観客が会場に集まった。
3. やっと彼の夢がしのいだ。
4. 挑戦者の人気はチャンピオンをしのぐほどだった。

5 ひたる
1. 彼は朝から晩まで仕事にひたっている。
2. 彼は優勝の喜びにひたっていた。
3. 彼は今テレビゲームにひたっている。
4. 彼はベッドの上でけがの痛みにひたっていた。

6 ほどこす
1. 日々の努力が彼に成功をほどこした。
2. 父は娘にほうびをほどこした。
3. 市は市民の相談を直接受ける窓口をほどこした。
4. 医者は患者に最先端の治療をほどこした。

その他の語彙

複合動詞 ①

名詞など＋動詞

気＋	気負う　気取る　気張る
口＋	口ごもる　口ずさむ　口説く❶
仕＋	仕上げる　仕入れる　仕掛ける　仕切る　仕組む　仕込む　仕立てる
手＋	手掛ける　手なずける　手放す　手間取る　手渡す
目＋	目がける　目指す　目覚める
＋立つ／立てる	際立つ　先立つ　殺気立つ　巣立つ　旅立つ／荒立てる　役立てる
その他	相次ぐ　意気込む　威張る　上回る⇔下回る　傷つく−傷つける 心掛ける　遠ざかる　途絶える　名づける　指差す

動詞＋動詞 ★★

受け＋	受け入れる　受け継ぐ　受け付ける　受け止める
打ち＋	打ち明ける　打ち切る　打ち込む
押し＋	押し切る　押し込む　押し寄せる
立ち／立て＋	立ち去る　立ち寄る／立て替える
取り＋	取り扱う　取り組む　取り締まる　取り調べる　取り立てる 取り次ぐ　取り付ける　取り除く　取り巻く　取り戻す　取り寄せる
引き＋	引き上げる⇔引き下げる　引き起こす　引きずる　引き取る　引っかく❶
見＋	見合わせる　見落とす　見かける　見習う　見逃す　見計らう　見渡す
＋合わせる	組み合わせる　問い合わせる　見合わせる
＋入る／入れる	恐れ入る／受け入れる　申し入れる
＋込む	打ち込む　埋め込む　追い込む　押し込む　落ち込む　組み込む 飲み込む　乗り込む　踏み込む　放り込む　割り込む
＋付く／付ける	受け付ける　備え付ける　取り付ける　結び付く−結び付ける
＋出る／出す	申し出る／追い出す　差し出す　投げ出す　逃げ出す　抜け出す
その他	折り返す　かき回す　駆けつける　食い違う　差し支える　たどり着く 出くわす　成り立つ　似通う　乗っ取る　張り合う　引き起こす 引き取る　振り返る　待ち望む　盛り上がる　呼び止める　寄りかかる

第88回 練習問題

(解答 p247)

次の言葉の使い方として最もよいものを、1・2・3・4から一つ選びなさい。

1 相次ぐ
1. 取り引き先から電話があって田中部長に相次いだ。
2. この近くの交差点で交通事故が相次いだ。
3. 10分間の休憩をはさみ、会議は相次いだ。
4. 工事が終わり、やっとインターネットが相次いだ。

2 心がける
1. 妻の手術が成功するよう神に心がけた。
2. 母は息子の将来を心がけていた。
3. 彼は彼女が結婚しない理由を心がけていた。
4. 彼はだれに対しても笑顔で接するよう心がけている。

3 引き起こす
1. 父はいつまでも寝ている息子を引き起こした。
2. 教師は生徒の絵の才能を引き起こした。
3. 彼の不注意が事故を引き起こした。
4. 彼の歌声が観客を引き起こした。

4 差し支える
1. おしゃべりをして授業を差し支えないでほしい。
2. 彼の皮肉に彼女は気分を差し支えた。
3. 仕事で大変な父を家族全員が差し支えた。
4. 仕事に差し支えるので酒は控えた。

5 立て替える
1. 彼は切符を買うとき彼女の分を立て替えた。
2. 監督は動きが鈍くなってきた選手を立て替えた。
3. 病気で入院した社長は一時的に息子を社長に立て替えた。
4. ベンチがなかったのでスーツケースを立て替えて座った。

6 恐れ入る
1. 彼の能力の高さには恐れ入った。
2. 漁村の人々は津波に恐れ入っていた。
3. 彼は自分の学歴を恐れ入って話した。
4. 薬を飲んでいたので車の運転は恐れ入った。

その他の語彙

複合動詞 ②

動詞＋動詞 ★

言い＋	言い切る　言いそびれる　言い張る　言いふらす
追い＋	追い詰める　追い抜く
落ち＋	落ち合う　落ちぶれる
思い＋	思い上がる　思い当たる　思い浮かべる　思い切る　思いやる
切り＋	切り上げる　切り詰める
立ち＋	立ち会う　立ちのく　立ちはだかる
付き＋	付き添う　付きまとう
突き＋	突き止める　突っ込む❶　突っぱねる❶
取り＋	取り下げる　取り持つ
乗り＋	乗り切る　乗り越える
引き＋	引き締まる－引き締める　引き付ける　引っ込む❶－引っ込める❶
踏み＋	踏み切る　踏み止まる　踏み外す
見＋	見合う　見当たる　見出す　見え透く　見限る　見据える　見過ごす 見せかける　見積もる　見とれる　見抜く　見放す　見張る　見守る　見破る
持ち＋	持ちかける　持ち越す　持ちこたえる　持て余す
行き＋	行き過ぎる　行き詰まる　行き届く
＋込む	思い込む　滑り込む　座り込む　立て込む　なだれ込む　寝込む　のめり込む 振り込む　巻き込む　丸め込む
その他	明け渡す　請け負う　かけ離れる　駆り立てる　食い下がる　繰り広げる 差し押さえる　締めくくる　使いこなす　説き伏せる　伸び悩む

その他の複合動詞

いら立つ　ごった返す　こみ上げる　さらけ出す　しでかす　ずば抜ける
はみ出す－はみ出る　ひっくるめる　まかり通る　見くびる

第89回 練習問題　(解答p247〜248)

次の言葉の使い方として最もよいものを、1・2・3・4から一つ選びなさい。

1 言い切る
1　彼は彼女の誘いを言い切った。
2　彼は彼女に本当の気持ちを言い切った。
3　彼は彼女が犯人だと言い切った。
4　彼は話を途中で言い切った。

2 付き添う
1　メールといっしょに写真を付き添って送った。
2　この仕事には危険が付き添う。
3　彼は入院する彼女に付き添った。
4　あの政治家には常に悪いうわさが付き添っている。

3 見守る
1　母は何も言わず、息子のすることを見守っていた。
2　彼は必ず法律を見守る男だ。
3　監視カメラが泥棒の侵入を見守っていた。
4　火事を見守るために火災報知機を設置した。

4 追い抜く
1　急いでいた彼は前の車を追い抜いた。
2　彼は15分遅れて、山の頂上で休んでいた彼女に追い抜いた。
3　彼は先に出発した彼女の後を追い抜いた。
4　彼は今でも理想を追い抜いている。

5 落ち合う
1　彼と彼女は二人とも試験に落ち合った。
2　あの夫婦は結婚生活も長くお互いに良く落ち合っている。
3　あの夫婦は今離婚の危機に落ち合っている。
4　二人は駅で落ち合うことにした。

6 思い当たる
1　彼の予想はずばり思い当たった。
2　友人が急に会社を辞めたと聞いて、彼には思い当たることがあった。
3　成績が良いからといって思い当たってはいけない。
4　彼は今日駅で思い当たらず彼女の後ろ姿を見た。

その他の語彙

ひらがな副詞

くり返しの副詞

重要度	
★★★	ごろごろ　つくづく　ぽつぽつ　まるまる　めきめき　わざわざ
★★	いやいや　ちょくちょく
★	ぎりぎり　ころころ　こわごわ　さんざん　じろじろ　じわじわ　すくすく　ずけずけ　そこそこ　てきぱき　ひしひし　みるみる

＋「する」

重要度	
★★★	おどおどする　はらはらする　ふらふらする　ぶらぶらする　ぺこぺこする
★★	うとうとする　くよくよする　くらくらする　けちけちする　せいせいする　ぞくぞくする　ちやほやする　ひやひやする　ほれぼれする
★	おろおろする　ぐずぐずする　じめじめする　そわそわする　べたべたする　のびのびする　ぽかぽかする　むかむかする　わくわくする

○っ○り／○ん○り

重要度	
★★★	あっさり　きっちり　きっぱり　じっくり　てっきり／どんより　やんわり
★★	がっくり　がっしり　がっちり　きっかり　くっきり　さっぱり
★	うっとり　ぐったり　ずっしり　どっしり　どっぷり　びっしり　ひっそり　ゆったり／うんざり　しんみり　すんなり　ほんのり

～と／～に

重要度	
★★★	ずらっと／いかにも　いやに　とっさに　にわかに　もろに　ろくに
★★	きちっと　ぐっと　さっと　ちらっと　ほっと　むっと／いかに　ことに　はるかに　ふんだんに　むやみに　やけに　やたらに
★	がらりと　ぐんと　さらりと　にこりと　ぽかんと　ぽつんと／いまだに　まめに

その他の副詞

あえて　いたって　かつて　かねて　かろうじて　きわめて　しいて　ひいては　まして　もって／あたかも　あやうく　あらかじめ　いっそ　ことごとく　さぞ　さも　すかさず　ずばり　なおさら　なんなく　のきなみ　ひとまず　よほど

第90回 練習問題　(解答 p248)

次の言葉の使い方として最もよいものを、1・2・3・4から一つ選びなさい。

1 つくづく
1. 彼が成功する可能性はつくづくない。
2. 彼の計画はつくづく失敗した。
3. 考えられる手段はつくづく試してみたが、結局むだだった。
4. 彼は試験に失敗して、つくづく自分が情けなくなった。

2 きっかり
1. 彼はきっかり約束の時間に遅れた。
2. 彼は机の上をきっかりしてから寝ることにしている。
3. 彼は6時きっかりに目が覚めた。
4. 風呂の湯加減はきっかり良かった。

3 はるかに
1. 被害の実態は想像をはるかに超えていた。
2. 遠くで電車の走る音がはるかに聞こえた。
3. 彼は彼女をはるかに愛すと誓った。
4. 彼は彼女とはるかに会っていなかった。

4 がらりと
1. 彼が学校に着いたとき教室の中はがらりとしていた。
2. その事件の後、彼は顔つきががらりと変わった。
3. 突然ビルががらりと揺れた。
4. 暑くて暑くて、もうのどががらりとなった。

5 なおさら
1. 試験に失敗した後で、なおさら勉強しても始まらない。
2. 彼は彼女と別れてもなおさら彼女に手紙を書き続けた。
3. 彼は食事の間、なおさら黙っていた。
4. 練習でも緊張するのだから本番ならなおさらだろう。

6 さぞ
1. 孫が生まれて、彼もさぞ喜んでいることだろう。
2. 彼はさぞプロの選手になってみせると誓った。
3. 彼は試験に合格してさぞうれしかったようだ。
4. 彼は教師になるにはさぞ知識が不足していた。

その他の語彙

形容詞

い形容詞

～しい	あさましい　痛ましい　著しい　おびただしい　堅苦しい　心苦しい 好ましい　すがすがしい　乏しい　悩ましい　なれなれしい　望ましい 久しい　ふさわしい　紛らわしい　待ち遠しい　見苦しい　目覚ましい 目まぐるしい　やましい　ややこしい　喜ばしい　わずらわしい
～ない	あっけない　おぼつかない　心ない　切ない　そっけない　頼りない つれない　情けない　何気ない　はしたない　物足りない
その他	煙たい　眠たい　平たい／荒っぽい　安っぽい／あくどい (口が)かたい　しぶとい　たやすい　だるい　粘り強い　回りくどい

な形容詞①

～やか	あざやか　おだやか　かろやか　きめこまやか　きらびやか　こまやか ささやか　しとやか　しなやか　すこやか　すみやか　なごやか にこやか　はなやか　ひややか　ゆるやか
～か	おおまか　おおらか　おごそか　おろか　おろそか　かすか　きよらか なめらか　のどか　ひそか　ほがらか　ほのか　やすらか　やわらか
くり返し	あやふや　うやむや　がらがら　かんかん　くたくた　こりごり すれすれ　ちぐはぐ　ばらばら　ぶかぶか　へとへと　まちまち
その他	あらた　あらわ　ありがち　いいかげん　いき　いんちき　うかつ うつろ　おおげさ　お粗末　軽はずみ　きざ　気まぐれ　気まま こっけい　さかん　ざつ　ざら　ずさん　せっかち　ぞんざい　たくみ てきめん　はんぱ　ひたむき　まし　まとも　まばら　もってのほか ろく

な形容詞②

不	不自然　不順　不審　不当　不備　不服　不満　不毛
無	無難　無効　無残　無茶　無念　無謀　無意識　無計画　無神経
その他	安静　温厚　頑固　肝心　極端　軽率　健全　高尚　巧妙　心外　迅速　存分 単調　丹念　着実　濃厚　頻繁　明白　名誉　明朗　面倒　露骨

第91回 練習問題

(解答 p248)

次の言葉の使い方として最もよいものを、1・2・3・4から一つ選びなさい。

1 乏しい
1. 彼は乏しい生活を送っている。
2. この辺には乏しい人がたくさん住んでいる。
3. 彼はまだまだ人生経験に乏しい。
4. 女性が苦手な彼は恋愛が乏しい。

2 切ない
1. わずか1点の差で合格できず、切ない思いをした。
2. 彼は恋人と1か月も会うことができず、切ない思いをした。
3. みんなの見ている前で転んで、切ない思いをした。
4. 彼は1週間ぶりに恋人に会えるので、切ない思いをした。

3 たよりない
1. 彼は、イギリスへ行ったきり、たよりなくなってしまった。
2. この仕事は、彼のようなたよりない者には任せられない。
3. 彼は早く親から独立して、たよりなくなりたいと思っている。
4. 部長のようなたよりない存在になりたいと彼は言った。

4 こまやか
1. 彼はお金にこまやかでうるさい。
2. 彼はこまやかなことまで全部覚えていた。
3. 彼女はモデルのように手足がこまやかだ。
4. その絵は細部までこまやかに色が塗り分けられていた。

5 着実
1. 彼が試験に受かるのは着実だった。
2. 休み時間が終わったので、着実した。
3. 彼は彼女に対して着実な態度を示した。
4. 以前と比べ、着実に語学力が身についている。

6 濃厚
1. 新開発の車は走行性能が濃厚で、運転していて楽しい。
2. このままだと今度の選挙は、与党が敗れる可能性が濃厚だ。
3. 彼は経済的に安定しており、家族関係もよく、濃厚な人生を送っている。
4. 最近の彼は気力濃厚だ。

その他の語彙

和語・訓読みの語彙

漢字による分類

くち 口	くちぐせ 口癖	くちさき 口先／	いとぐち 糸口	かげぐち 陰口	からくち 辛口(な)	てぐち 手口	むくち 無口(な)		
て 手	てあて 手当て(する)	てうす 手薄(な)	てぎわ 手際	てごろ 手頃(な)	てした 手下	てじゅん 手順	てすう 手数	てはい 手配(する)	てびき 手引き
	てほん 手本	てまわし 手回し(する)	てわけ 手分け(する)／	おおて 大手	もとで 元手				
ひと 一	ひといき 一息	ひときわ 一際	ひところ 一頃	ひとすじ 一筋	ひと 人	ひとかげ 人影	ひとがら 人柄	ひとけ 人気	ひとじち 人質	ひとで 人手	ひとまえ 人前
おお 大	おおかた 大方	おおすじ 大筋	おおはば 大幅(な)	おおもの 大物	め 目	めさき 目先／	おおめ 大目	ひとめ 一目	ひとめ 人目
で 出	でき 出来	でさき 出先	でばん 出番	でまえ 出前	こころ 心	ここち 心地❼	こころえ 心得	しんそこ 心底／	したごころ 下心	まごころ 真心
す 素	すあし 素足	すがお 素顔	すで 素手	すはだ 素肌	じ 地	じぬし 地主	じはだ 地肌	じみち 地道	じもと 地元

読み方による分類

ゆとうよみ 湯桶読み	あかじ 赤字⇔	くろじ 黒字	あたまきん 頭金	うちき 内気(な)	かかりいん 係員	けしいん 消印	さらち 更地	しききん 敷金	わきやく 脇役	わるぎ 悪気
じゅうばこよみ 重箱読み	えんがわ 縁側	えんだか 円高⇔	えんやす 円安	きゅうば 急場	ざんだか 残高	ずぼし 図星	そうば 相場	そしな 粗品	どくみ 毒見(する)	めいがら 銘柄

その他の訓読み語彙

重要度										
★★★	あいま 合間	さしず 指図(する)	しばい 芝居	ほんね 本音	ほんば 本場	ものごと 物事				
★★	あいだがら 間柄	いなびかり 稲光	うちわけ 内訳	うでまえ 腕前	かって 勝手(な)	ことがら 事柄	したび 下火	たてまえ 建前	ときおり 時折	としごろ 年頃	とりひき 取引(する)
	なかほど 中程	なだれ 雪崩❼	ねいろ 音色	はだし 裸足❼	はつみみ 初耳	ひごろ 日頃	ひなた 日向	ひばな 火花	わるもの 悪者		
★	いしあたま 石頭	うちわ 内輪	うらおもて 裏表	おもかげ 面影	おやもと 親元	かおいろ 顔色	かたみ 形見	かなた 彼方	かわせ 為替❼	くろまく 黒幕	したみ 下見(する)
	しわざ 仕業❼	すじみち 筋道	たからもの 宝物	ちかみち 近道	にせもの 偽者	ねもと 根元	ふしめ 節目	まぎわ 間際	みうち 身内	みえ 見栄	みがら 身柄	みどころ 見所
	みもと 身元	やすもの 安物	よこめ 横目	わきみ 脇見	わきみち 脇道						

動詞の名詞形

あたまうち 頭打ち	いいなり 言いなり	いきぬき 息抜き	おいたち 生い立ち	おもいやり 思いやり	おもてむき 表向き	かけひき 駆け引き	かたがき 肩書き	かちめ 勝ち目
かわりめ 変わり目	きがかり 気がかり	きくばり 気配り	きめて 決め手	こころがまえ 心構え	しかえし 仕返し	だんどり 段取り	つきそい 付き添い	てぬき 手抜き
てばなし 手放し	とりあつかい 取り扱い	なりたち 成り立ち	なりゆき 成り行き	ひとなみ 人並み	ひもち 日持ち	ふみば 踏み場	まあい 間合い	まえぶれ 前触れ
まくあけ 幕開け	まくぎれ 幕切れ	みおぼえ 見覚え	みせかけ 見せかけ	みだしなみ 身だしなみ	みため 見た目	みなり 身なり	めあて 目当て	やまわけ 山分け
ゆくて 行く手								

第92回 練習問題

(解答 p248)

次の言葉の使い方として最もよいものを、1・2・3・4から一つ選びなさい。

1 身なり
1. 彼は身なりを使って通行人に危険を知らせた。
2. 彼は舞台に立つ前に身なりを整えた。
3. 彼にはだれも身なりがなかった。
4. 彼は身なりをいつわっていた。

2 大目
1. 部長は彼のミスを大目に見てくれた。
2. 仕事でミスをして部長から大目を食らった。
3. 切手を大目に買っておいた。
4. 彼はその指輪の値段を見て大目になった。

3 筋道
1. 休日には駅前の筋道は歩行者天国になる。
2. 彼は、わかりやすく筋道を立てて説明してくれた。
3. お寺の筋道には出店が並んでいた。
4. 映画を観る前に筋道に目を通しておいた。

4 手配
1. 言葉が通じない相手に手配でコミュニケーションを取った。
2. 秘書は社長のため新幹線の切符を手配した。
3. 彼は彼女に告白するために心の手配をした。
4. 彼は手配のかかる仕事はいつも部下にやらせる。

5 本場
1. パーティーの本場は、とても賑わっていた。
2. 沖縄で食事して、やはり本場の味はちがうと実感した。
3. 「市民の会」は東京に本場を置いている。
4. 本場で失敗しないように、しっかり練習した。

6 気がかり
1. 警察は犯人逮捕の気がかりをつかんだ。
2. 一人暮らしの老母のことが気がかりだ。
3. 帰宅して初めて、財布を落としたことに気がかりした。
4. 病気は一向に回復せず、彼は気がかりが増すばかりだった。

問題4 復習問題

(解答 p249～252)

次の言葉の使い方として最もよいものを、1・2・3・4から一つ選びなさい。

1 解除
1. 台風が通り過ぎ警戒警報が解除された。
2. 彼はレストランの予約を解除した。
3. 彼はまた彼女との約束を解除し、彼女を傷つけた。
4. 彼は歌を歌ってストレスを解除した。

2 由来
1. このお寺の名前は古くから伝わる民話に由来している。
2. 彼は仕事に失敗した由来を説明した。
3. 彼の話を信じたが由来に借金を抱える羽目になった。
4. 異常気象の由来は地球温暖化であった。

3 勘弁
1. 彼は約束を破っては、勘弁ばかりしている。
2. 彼にも言いたいことは山ほどあったが、ぐっと勘弁した。
3. 大人がそんな無責任なことをするのは勘弁されない。
4. 彼はたった1分の遅れも勘弁してくれなかった。

4 吟味
1. さっそく警察が事件の吟味を開始した。
2. 製品開発のため市場を吟味した。
3. 食事をおいしくするために材料を吟味した。
4. 健康診断で血液を吟味してもらった。

5 矛盾
1. 彼は彼女と性格が矛盾して別れた。
2. 彼には、この色は矛盾している。
3. 彼の話はつじつまが合わず矛盾していた。
4. 彼はどちらかというと矛盾的な人だ。

6 一貫
1. 復旧工事は夜を一貫して続けられた。
2. この署名運動は環境保護の一貫として行われている。
3. 容疑者は終始一貫して無実を訴えた。
4. 彼は長い論文をわずか一週間で一貫に書きあげた。

7 合併

1. この映画は日米合併によるものだ。
2. 今日はとなりのクラスと合併で授業をすることになった。
3. このプロジェクトでは両社の目的が合併した。
4. 彼の会社と彼女の会社が合併した。

8 融通

1. 道がわからなくて困っていると、通りがかりの人が融通してくれた。
2. 彼は手際よく仕事を融通していった。
3. 彼は融通がきかなくて困る。
4. 彼女は家計の融通が上手だ。

9 告発

1. 検査の結果、癌であることを医者に告発された。
2. 親友に悩みを告発した。
3. 首相は新内閣のメンバーを告発した。
4. 彼は匿名で会社の不正を告発した。

10 享受

1. 彼は彼女の主張を黙って享受した。
2. 実際に日本人と話して会話力を享受した。
3. 村の子どもたちは自然の恵みを享受して育った。
4. 自然災害により村は多大な被害を享受した。

11 着目

1. 彼は犯行現場を着目した。
2. 彼は外国人が増えていることに着目した企画を立てた。
3. あの先生は生徒の個性を着目している。
4. 山の頂上は晴れていて、とても着目が良かった。

12 浪費

1. これまでの努力を浪費にはできない。
2. 彼といくら話しあっても浪費だ。
3. 食べ物を浪費してはいけない。
4. 貴重な時間を浪費してしまった。

13 結晶

1. 試合に臨み、チームは固く結晶した。
2. この作品は彼の努力の結晶だ。
3. 水素と酸素が結晶して水が出来る。
4. 家族は固い結晶で結ばれている。

14 没頭
　　1　彼は今、病気の療養に没頭している。
　　2　彼は海に没頭するのが好きだ。
　　3　彼は今、仕事に没頭されている。
　　4　彼は今、研究に没頭している。

15 引率
　　1　プロ野球の選手だった田中さんは40歳で引率した。
　　2　彼は自分の論文に有名な哲学者の言葉を引率した。
　　3　担任教師が生徒を引率して工場を見学した。
　　4　職員が見守る中、部長自らが引率して職場の掃除を始めた。

16 氾濫
　　1　一部の隊員が隊長の指令に背き氾濫を起こした。
　　2　お風呂のお湯を止めるのを忘れてしまい、浴槽からお湯が氾濫していた。
　　3　インターネットには情報が氾濫している。
　　4　彼女の目から涙が氾濫した。

17 愛想
　　1　彼は愛想の証しに彼女にペンダントを贈った。
　　2　彼は彼女に愛想をつかされた。
　　3　彼は古いジーンズに愛想があった。
　　4　笑顔の素敵な彼は非常に良い愛想を人に与える。

18 先手
　　1　けんかの場合、先手を打ったほうが悪いとされる。
　　2　敵にこちらの弱点を知られる前に先手を打った。
　　3　彼は悪の道に入り、暴力団の先手となってしまった。
　　4　彼はとても先手が器用だ。

19 面目
　　1　彼は面目が整っていて若い女性に人気がある。
　　2　彼は友人の面目をつぶしてしまった。
　　3　記者は受付を通して社長との面目を申し込んだ。
　　4　彼は公衆の面目で恥をかいた。

20 見聞
　　1　彼は日本に留学して見聞を広めた。
　　2　彼には豊かな見聞が備わっていた。
　　3　彼と彼女に関する妙な見聞が広まった。
　　4　彼は主観的で見聞が狭い。

21 難色
1 彼女との結婚を両親に認めてもらうのは非常に難色だった。
2 彼はこちらが提示した条件に難色を示した。
3 彼女の意見には難色だった。
4 彼は難色の性格で、人付き合いも良くない。

22 拍車
1 締め切りが迫っていたので、仕事のスピードに拍車をかけた。
2 電気自動車が人気を呼び、両社の競争に拍車をかけた。
3 医者は入院中の患者に退院の拍車をかけた。
4 彼は友人が落ち込んでいるのを見てやさしく拍車をかけた。

23 採算
1 旅行のおおまかな採算を立てた。
2 到着駅で乗り越しの採算をした。
3 良い企画も広告費がかさむと採算が取れなくなる。
4 彼は悪い仲間との関係を採算した。

24 英気
1 努力して英気を育てた。
2 ひそかに英気を温めた。
3 部屋の英気を入れ換えた。
4 ３日間休んで英気を養った。

25 途方
1 彼は会社を出て帰宅途中に途方不明となってしまった。
2 知らない街で道に迷い、途方に参った。
3 彼は試合に勝つためなら途方を選ばなかった。
4 彼は事故で家族を失い途方に暮れていた。

26 明暗
1 夜の間、ここの信号は明暗する。
2 彼の人生にはいいことも悪いこともあり、明暗だった。
3 対照的な色を組み合わせて明暗を分けた。
4 情報の有無が被災者の明暗を分けた。

27 資格
1 パスポートに貼る写真は資格に合ったものでなければならない。
2 彼はスポーツ選手としての資格に恵まれている。
3 彼のような無責任な人は、親になる資格がない。
4 あのような低俗なテレビ番組は見る資格がない。

28 理屈
1 彼の思考は非常に理屈的である。
2 彼は何事にも変な理屈をこねて相手を困らせる。
3 感情的になって理屈を失うことのないようにしたいものだ。
4 彼は理屈を抱いて母国を後にした。

29 反感
1 うちの犬は音や光に鋭く反感する。
2 彼は自分の誤った行為を深く反感した。
3 彼の一方的な非難に対して、彼女も反感を開始した。
4 不用意な発言をして周囲の反感を買った。

30 中立
1 彼は多忙のため、朝から晩まで中立していた。
2 彼は最後まで中立の立場を守った。
3 彼は中立階級の家庭に育った。
4 彼は資金不足のため計画を中立であきらめた。

31 不覚
1 あと1点で合格できなくて、とても不覚だった。
2 彼は小学生相手に油断して不覚をとった。
3 道を歩いていると、不覚に後ろから肩を叩かれた。
4 人は通常、不覚にため息をついてしまう。

32 よみがえる
1 徹夜の工事のおかげで電車は通常の運行によみがえった。
2 不意に10年前の記憶がよみがえった。
3 彼は、信用していた友人をよみがえった。
4 子どもが脱いだ靴は片方がよみがえっていた。

33 せかす
1 母はぐずぐずしている子どもをせかした。
2 高速道路に入ると、彼は車のスピードをせかした。
3 残り1分と告げられて彼は内心せかした。
4 仕事の溜まっていた彼は食事もそこそこに先をせかした。

34 あおる
1 みんなの不安をあおるような言動は慎むべきだ。
2 暑いので彼はしょっちゅううちわで顔をあおった。
3 彼は顔を手であおって嘆き悲しんだ。
4 彼はくじけそうな友人を「がんばれ！」とあおった。

35 てこずる
  1 この作品は仕上げにてこずった。
  2 彼は道に迷って、てこずった。
  3 雪の降る日に仕事で外に出なければならず、てこずった。
  4 彼の失礼な態度にてこずった。

36 にごす
  1 彼は年齢をにごして登録した。
  2 彼は父親の名前をにごしてしまった。
  3 彼はその件に関して言葉をにごした。
  4 警察は事件の真相をにごした。

37 ばれる
  1 彼のうそはすぐにばれた。
  2 彼は犯人がだれかすぐにばれた。
  3 アカデミー賞を獲った映画が日本でもばれた。
  4 調査により古代の遺跡がばれた。

38 かしげる
  1 地震の影響で家が少しかしげた。
  2 彼の発言には首をかしげた。
  3 学生は先生の話に耳をかしげた。
  4 葉が木の枝いっぱいにかしげている。

39 そらす
  1 課長が田中さんと二人で話したいと言うので彼は席をそらした。
  2 彼はシャツのボタンをそらした。
  3 彼女がにらむと彼は目をそらした。
  4 準備が調ったので計画を行動にそらした。

40 仕組む
  1 彼は環境保護に仕組んでいる。
  2 この図書館は有名な建築家が仕組んだものだ。
  3 この事故は意図的に仕組まれたものだった。
  4 この辺は道が仕組んでいて分かりにくい。

41 割り込む
  1 後から来た人が行列に割り込んだ。
  2 彼はチケットの代金を銀行に割り込んだ。
  3 閉店前だったので店員は値段を割り込んでくれた。
  4 彼は酒のつきあいも仕事のうちだと割り込んで考えていた。

42 行き届く
1. 彼に関するうわさが本人の耳にまで行き届いた。
2. 客へのサービスも行き届くと迷惑になる。
3. 彼は半日かけてようやく頂上に行き届いた。
4. あの店は客への気配りが行き届いている。

43 受け止める
1. 彼は彼女の気持ちを受け止めた。
2. あの大学は後1週間入学願書を受け止めている。
3. みんなで役割分担し、彼は会場の案内役を受け止めた。
4. 彼は会社を辞めると言う彼女を受け止め、考え直させた。

44 打ち込む
1. 彼は試験に失敗し、打ち込んでしまった。
2. この件に関してはもっと打ち込んだ議論が必要だ。
3. 駅員は満員電車の中に客を打ち込んだ。
4. 彼は今、遺伝子の研究に打ち込んでいる。

45 際立つ
1. 彼の成績の悪さは際立っていた。
2. 2日かけてやっと山の頂上に際立った。
3. 彼は疑惑を際立って否定した。
4. 捜査の末、やっと真相が際立った。

46 取り組む
1. 会社は彼のアイデアを取り組んだ。
2. 部屋にエアコンを取り組んでもらった。
3. 彼はゴミ問題に取り組んでいる。
4. 研修には現地の観光も取り組んであった。

47 結びつける
1. 彼女は長い髪を後ろで結びつけていた。
2. 彼は友人と彼女の仲を結びつけた。
3. 彼を犯行に結びつける証拠は何もなかった。
4. 二人は手を結びつけて歩いた。

48 見出す
1. 友人に古いお寺へ連れて行ってもらい、お寺の中を見出した。
2. 会議で自分の案をみんなに見出した。
3. ついに問題の解決策を見出した。
4. 自分の書いた文章にタイトルを見出した。

49 巻き込む
1. 刑事は人ごみの中に巻き込んでいた。
2. 首相の発言は大きな反響を巻き込んだ。
3. 彼女は事件に巻き込まれた。
4. 首にマフラーを巻き込んで出かけた。

50 見逃す
1. 彼は今、目標を見逃してしまっている。
2. 顔がそっくりだったので兄を弟と見逃してしまった。
3. 彼は見逃すほど立派に成長した。
4. 部長は彼女のミスを見逃してくれた。

51 突っぱねる
1. 刑事は否認する容疑者に証拠を突っぱねた。
2. 社長は社員の要求を突っぱねた。
3. 警察は火事の原因を突っぱねた。
4. 彼はどろぼうを捕まえて警察に突っぱねた。

52 踏み切る
1. 空き缶を踏み切って捨てた。
2. あの会社は海外進出に踏み切った。
3. 大学を卒業し社会人としての第一歩を踏み切った。
4. 彼は借金を踏み切った。

53 立ちはだかる
1. 彼の行く手には大きな壁が立ちはだかっていた。
2. 何度失敗しても、また元気に立ちはだかった。
3. 行き詰まったときは原点に立ちはだかってやり直そう。
4. 夫は妻の出産に立ちはだかった。

54 こみ上げる
1. 電車はひどくこみ上げていた。
2. 彼は締め切りの1週間前に原稿をこみ上げた。
3. 海水がだんだんこみ上げてきた。
4. 悲しみが後から後からこみ上げてきた。

55 言いふらす
1. 自分の今の感情を言葉に言いふらすのは難しい。
2. 彼は彼女のうわさを言いふらした。
3. 難解な部分は分かりやすい言葉で言いふらして説明した。
4. 裁判長は被告人に刑を言いふらした。

56 持ち越す
1 この企画は来年度に持ち越された。
2 彼はとなりの町に持ち越してしまった。
3 彼は車のスピードを上げて、前の車を持ち越した。
4 入場者の数は１万人を持ち越した。

57 くよくよ
1 彼は自分の責任を認め、くよくよした。
2 新しいコピー機の使い方がわからずくよくよしていたら彼が助けてくれた。
3 彼は自分のミスを気にして、いつまでもくよくよしていた。
4 熱が出て、急に立ち上がると頭がくよくよした。

58 ひやひや
1 本番が近づくと、緊張して胸がひやひやした。
2 うそがばれるのではないかと内心ひやひやしていた。
3 寝ている子を起こさないように夫婦はひやひや話した。
4 彼は高い崖の上からひやひや下をのぞいてみた。

59 びっしり
1 彼女は彼に一日中びっしりとくっついて離れなかった。
2 彼は運動して、びっしり汗をかいた。
3 監督は選手たちをびっしり鍛えた。
4 仕事の予定は来週までびっしり詰まっている。

60 ゆったり
1 部屋を貸し切りにしてもらい、ゆったり食事した。
2 彼は過労で倒れ、ゆったりしていた。
3 彼はピアノを演奏する恋人の顔を見つめてゆったりしていた。
4 今度の休日は温泉でゆったり過ごすつもりだ。

61 ころころ
1 彼は部屋の中でころころするのが好きだ。
2 彼はあの大学ならころころ入れると思った。
3 他人の話をころころ信じるべきではない。
4 彼は言うことがころころ変わるので信用できない。

62 やたらに
1 急いでいて、やたらに考える暇もなかった。
2 彼女の前では緊張してやたらに口も利けなかった。
3 どこか具合でも悪いのか、彼はやたらに汗をかいていた。
4 強い者がやたらに勝つとは限らない。

63 さっと
1 彼女の気持ちを考えて、さっとしておいた。
2 彼の元気そうな様子を見て彼女はさっとした。
3 家に帰ると、子どもはさっと寝ていた。
4 握手を求め、さっと右手を差し出した。

64 みるみる
1 彼と話していると楽しくて1時間がみるみるだった。
2 恥ずかしさのあまり彼の顔はみるみる赤くなっていった。
3 通報があると消防隊員はみるみる現場に駆けつけた。
4 息子が困ると、みるみる母親が口を出した。

65 あたかも
1 彼女の気持ちをあたかも誤解していた。
2 彼女の話をあたかも真実だと直感した。
3 彼女のことをあたかも信用していなかった。
4 社長はあたかも自分が被害者であるかのような発言をした。

66 なんなく
1 原因はわからないが、なんなく体が重い感じがする。
2 彼ほどの実力があればなんなく合格できるはずだ。
3 大変な状況にもかかわらず、なんなくなるだろうと考えていた。
4 はっきり言うと傷つけてしまうので、彼の欠点をなんなく注意した。

67 かつて
1 彼が消息を絶ってから1か月経ったが、かつて行方は不明のままだ。
2 あの店にはかつて一度入ってみたいと思っていた。
3 会社を訪問する前に、かつて電話を入れておいた。
4 この地方はかつて海の底であった。

68 回りくどい
1 都会の道は狭い上に回りくどい。
2 彼は何とも回りくどい言い方をした。
3 あそこのカーブは車が回りくどいので注意が必要だ。
4 酒に酔って頭が回りくどくなってきた。

69 手厚い
1 彼は手厚い本を一気に読み上げた。
2 彼は性格が手厚いので、人に好かれる。
3 彼は彼女のために手厚く歌った。
4 彼は取引先の部長を手厚くもてなした。

[70] 著しい
1 彼は世界的にも著しい作家のサインをもらった。
2 今日の彼の服装は派手でとても著しい。
3 あの国はこの10年で著しい発展を遂げた。
4 彼の言動は非常識も著しい。

[71] 心細い
1 記者の心細い質問に、政治家は答えられなかった。
2 一人暮らしの彼女は、病気のとき心細かった。
3 彼は彼女のことが心細かったので家まで送って行った。
4 怒ったときの彼の顔はとても心細かった。

[72] 望ましい
1 この山の頂上からはとても景色が望ましい。
2 明日の朝には大雨になることが望ましい。
3 彼の望ましいことは一つも実現できなかった。
4 話し合いで解決することが望ましい。

[73] なめらか
1 彼はきれいな日本語でなめらかに話した。
2 道に氷が張って、なめらかで危険だ。
3 彼の頭はなめらかに光っていた。
4 浮き輪がないと泳げない彼のそばを彼女はなめらかに泳いで行った。

[74] ささやか
1 もう残り時間はささやかだ。
2 会社は規模をささやかにした。
3 彼は彼女の誕生日に二人きりでささやかなお祝いをした。
4 彼は彼女にささやかな皮肉を言った。

[75] さかん
1 お祭りで神社の境内はさかんだった。
2 マラソンのスタートラインに並んだ選手たちは、さかんに走り出した。
3 世界中でデモがさかんに行われるようになった。
4 この学校の生徒は勉強がさかんだ。

[76] もってのほか
1 今年の冬の寒さはもってのほかだった。
2 みんなから集めた募金を使いこむとは、もってのほかだ。
3 一般社員は遅刻は認められないのだが、彼の場合はもってのほかだった。
4 あのまじめな彼が遅刻するとは、もってのほかだ。

77 まし
1 病状は悪化する一方で、今週は先週よりさらにましだった。
2 彼はいつももっとましなテレビ番組はないものかと言っていた。
3 あの先生は気に入った学生だけましに面倒をみる。
4 親ならもっとましに自分の子どもを見てほしいものだ。

78 単調
1 この店の品物の値段は単調でどれも100円で売っている。
2 彼は単調で冬の富士山に登った。
3 彼は毎日単調な生活を送っている。
4 最近は体が単調で、健康になった。

79 気まま
1 彼は世間体は気にせず、気ままな人生を送っている。
2 彼はまだ高校生のくせに態度が気ままだ。
3 彼女のパソコンを気ままに使って怒られた。
4 彼は裕福で気まま放題の家庭に育った。

80 存分
1 今度の大会で、彼は実力を存分に発揮した。
2 彼はプレゼントなどもらわなくても、彼女の気持ちだけで存分だった。
3 今週は予定でいっぱいだが、来週末は存分だ。
4 彼女に弱みを握られている彼は、彼女の存分に動かされる。

81 不当
1 事故の現場を調査したが、原因は不当だった。
2 彼が買った宝くじは不当だった。
3 推定無罪を無視した不当な判決が下りた。
4 インターネットを使った不当な売買が取り締まられた。

82 無残
1 事故を起こした車は無残にも大破し裏返っていた。
2 精いっぱい努力した結果だから、試合に負けても無残だった。
3 出された料理を無残に食べつくした。
4 けんかに負けて、無残な思いをした。

83 建前
1 応募については、用紙の大きさの指定があるだけで建前は自由とのことだった。
2 当たり障りのない建前ばかり言っていては、交渉は成立しない。
3 社長が替わり、会社は新しい建前を発表した。
4 彼女は彼と一緒にいると建前が悪いと言い出した。

84 糸口
1　彼女は縫い針の糸口に糸を通した。
2　警察は犯人特定の糸口を見つけた。
3　この図書館の閲覧室が二人の出会った糸口だった。
4　彼も入社した糸口は何が何だか分からなかった。

85 間柄
1　彼は相手との間柄をはかって上手に会話を進めた。
2　彼と彼女の間柄を調べた。
3　この停留所には約10分の間柄でバスが来る。
4　この件は彼女とは間柄なかった。

86 下見
1　彼女は弟のことを下見していた。
2　この半年で会社の経営が下見になって来た。
3　コンサートを開くため、会場の下見に行った。
4　ベッドに下見に寝てください。

87 図星
1　教科書の大事な所に図星を付けた。
2　彼女は中年男性の図星だった。
3　彼のあわてようを見ると、彼女が言ったことは図星だったようだ。
4　彼はメールを書くとき、うれしさを図星で示した。

88 段取り
1　一つ一つ段取りを踏んで進まないと仕事はうまくいかない。
2　彼は仕事の段取りを組むのがうまい。
3　企画を進める段取りでいくつも問題が発生した。
4　友人が訪ねて来るので、夕食を段取りした。

89 駆け引き
1　彼の会社は輸入品の駆け引きをしている。
2　彼女は恋の駆け引きが上手だ。
3　彼は駆け引きに手を出して、借金を抱えてしまった。
4　収入と支出を計算したら、駆け引きゼロになった。

90 前触れ
1　化粧品メーカーの新製品の前触れがテレビに流れた。
2　彼は西暦3000年に人類は滅亡すると前触れした。
3　空に虹がかかったのは、何かいいことの前触れかもしれない。
4　彼はみんなの前触れを裏切って、試合に負けてしまった。

日本語能力試験　N1
言語知識（文字・語彙）
実戦模試

第1回 実戦模試

(解答 p253)

問題1 ＿＿＿の言葉の読み方として最もよいものを、1・2・3・4から一つ選びなさい。

1 配達された郵便物は切手に消印が押されている。
　　1 しょういん　　2 しょうじるし　　3 けしいん　　4 けしじるし

2 被災地がどんどん復興している。
　　1 ふくきょう　　2 ふくこう　　3 ふっきょう　　4 ふっこう

3 この茶碗は大小一対になっている。
　　1 いったい　　2 いってい　　3 いっとい　　4 いっつい

4 詳細については後ほど説明いたします。
　　1 ようさい　　2 しょうさい　　3 ちょうさい　　4 じょうさい

5 あせって判断を誤った。
　　1 まちがった　　2 あやまった　　3 いつわった　　4 ことなった

6 この国の将来を担う子どもたちを大切に育てたい。
　　1 おう　　2 やしなう　　3 かばう　　4 になう

問題2 （　　　）に入れるのに最もよいものを、1・2・3・4から一つ選びなさい。

7 インターネットで意味のわからない日本語を（　　　）した。
　　1 探検　　2 点検　　3 検索　　4 検討

8 彼には合格するだけの実力が（　　　）いる。
　　1 携わって　　2 蓄えて　　3 備わって　　4 預かって

9 彼はボランティアで、身障者を（　　　）する活動をしている。
　　1 サポート　　2 セーブ　　3 リラックス　　4 ビジネス

10 落ちていたカバンの持ち（　　　）をさがした。
　　1 者　　2 主　　3 員　　4 腕

11 講演が終わると客席から（　　　）拍手が沸き起こった。
　　1 膨大な　　2 甚大な　　3 多大な　　4 盛大な

12 1億円（　　　）の宝石が盗まれた。
　　1 相応　　2 相当　　3 適応　　4 妥当

13 議論は、まず相手の（　　　　）を確かめることから始まる。
　　1　思考　　　　2　頭脳　　　　3　知恵　　　　4　意向

問題3　＿＿の言葉に意味が最も近いものを、1・2・3・4から一つ選びなさい。

14 新機種は従来の3分の1の軽さになった。
　　1　相場　　　　2　市場　　　　3　もともと　　　4　これまで

15 ついに問題のありかを突き止めた。
　　1　理由　　　　2　所在　　　　3　影響　　　　4　解決策

16 プレゼン後、予想外の質問におろおろした。
　　1　かわした　　2　うろたえた　3　感心した　　4　閉口した

17 彼女が途中で加わって、話がこじれた。
　　1　複雑になった　2　速く進んだ　3　まとまった　4　壊れた

18 今週は仕事が立て込んでいる。
　　1　とても重要だ　2　出張が多い　3　滞っている　4　集中している

19 学生時代、彼の成績は抜群だった。
　　1　飛びぬけていた　　　　　2　ありふれていた
　　3　月並みだった　　　　　　4　パーフェクトだった

問題4　次の言葉の使い方として最もよいものを、1・2・3・4から一つ選びなさい。

20 自重
　　1　彼は良くできる息子のことをみんなに自重した。
　　2　彼はあまり病気の自重がなかった。
　　3　彼はあまりしゃべりすぎないように自重した。
　　4　彼は自重心が高く、その分、敵も多い。

21 措置
　　1　部屋にエアコンを措置した。
　　2　市長は環境問題に必要な措置を講じた。
　　3　駆けつけた救急隊員が彼のけがを措置した。
　　4　使わなくなった古い家具を措置することにした。

22 圧力
1 あの政治家はマスコミに圧力をかけた。
2 彼にとっては親の期待が圧力だった。
3 部長は部下に責任を圧力した。
4 あの企業グループはアジアに圧力を広げている。

23 ぎりぎり
1 景気がぎりぎり上向いてきた。
2 事故でぎりぎり死ぬところだった。
3 約束の時間にぎりぎり間に合った。
4 ほんのぎりぎり時間が足りなかった。

24 乏しい
1 中村君はまだ経験が乏しい。
2 私の両親は経済的に乏しい。
3 残り時間が乏しくなってきた。
4 今週は乏しいので友人の誘いを断った。

25 まぬがれる
1 せっかくのチャンスがまぬがれていった。
2 彼の予想はまるっきりまぬがれた。
3 彼の話はいつもテーマからまぬがれてしまう。
4 社員の犯行とはいえ、社長である以上責任はまぬがれない。

第2回 実戦模試

(解答 p253)

問題1 ＿＿の言葉の読み方として最もよいものを、1・2・3・4から一つ選びなさい。

1 彼女の素顔を見た者はだれもいない。
　　1　そがん　　　2　すがん　　　3　そがお　　　4　すがお

2 私の父は行政機関に勤めている。
　　1　こうせい　　2　ぎょうせい　3　こうしょう　4　ぎょうしょう

3 真っ暗な部屋の中に人の気配がした。
　　1　きはい　　　2　きばい　　　3　けはい　　　4　けばい

4 皆で活発に議論を戦わせた。
　　1　かつぱつ　　2　かつばつ　　3　かっぱつ　　4　かっばつ

5 あの大臣は官僚に操られていた。
　　1　あやつられて　2　いろどられて　3　あなどられて　4　ほうむられて

6 彼は会社を営んでいる。
　　1　たくらんで　2　いとなんで　3　とうとんで　4　もくろんで

問題2 （　　）に入れるのに最もよいものを、1・2・3・4から一つ選びなさい。

7 少子化が進んでいることに（　　）して企画を立てた。
　　1　着目　　　　2　着実　　　　3　密着　　　　4　決着

8 先生は生徒に質問を（　　）。
　　1　もたらした　2　せかした　　3　催した　　　4　促した

9 彼はファッションの（　　）がいい。
　　1　アクセント　2　ブーム　　　3　センス　　　4　ニュアンス

10 私には（　　）経験のことがたくさんある。
　　1　無　　　　　2　不　　　　　3　非　　　　　4　未

11 今日の試合では田中選手が最も（　　）だった。
　　1　高潮　　　　2　好調　　　　3　優勢　　　　4　絶頂

12 津波の警戒警報が（　　）された。
　　1　解除　　　　2　解消　　　　3　解放　　　　4　キャンセル

13 息子のことをみんなに（　　　）した。
　1　自尊　　　2　自慢　　　3　尊重　　　4　傲慢

問題3　＿＿の言葉に意味が最も近いものを、1・2・3・4から一つ選びなさい。

14 彼はとても繊細な人だ。
　1　ほっそりした　　　　　2　デリケートな
　3　いらいらした　　　　　4　おだやかな

15 周りに知られないよう、ひそかに計画を立てていた。
　1　ないしょで　2　綿密に　　3　注意深く　　4　おとなしく

16 今日の先輩は一日中そわそわしていた。
　1　うれしそうだった　　　2　疲れていた
　3　恐れていた　　　　　　4　落ち着かなかった

17 会社は倒産の危機をしのいだ。
　1　向かっていた　2　見守った　3　乗り越えた　4　挑戦した

18 クラスのみんなもだんだん打ち解けてきた。
　1　競争が激しくなって　　2　けんかするようになって
　3　なれなれしくなって　　4　親しくなって

19 友人のためを思い、自分なりにアドバイスした。
　1　宣言　　　2　非難　　　3　告白　　　4　忠告

問題4　次の言葉の使い方として最もよいものを、1・2・3・4から一つ選びなさい。

20 普及
　1　彼はごく普及の生活を送っている。
　2　地震の影響は関東一円に普及した。
　3　あの企業はどんどん勢力を普及している。
　4　インターネットは急速に普及した。

21 成果
　1　努力したが成果はあがらなかった。
　2　あの会社は成果が不振だ。
　3　彼はトップの成果で卒業した。
　4　やっと交渉が成果した。

22 多岐
1 彼は人生の多岐に立っていた。
2 この事件の影響は多岐にわたった。
3 仕事が多岐のため実家の両親に連絡が取れず心配をかけた。
4 生物の多岐性を大切にしなければならない。

23 見守る
1 彼は事件の成り行きを見守ることにした。
2 天気が悪くなったので出発を見守った。
3 先生は生徒にルールを見守るよう注意した。
4 労働時間に見守った報酬を社員は要求した。

24 ずさん
1 あの店は在庫の管理がずさんだ。
2 彼は上司に対し、ずさんな態度をとった。
3 アンケートにはずさんに答えておいた。
4 部屋の温度はずさんだった。

25 なぐさめる
1 温泉に入って疲れをなぐさめた。
2 医者は患者のけがをなぐさめた。
3 傷ついた友人をなぐさめた。
4 妻は怒る夫をなぐさめた。

第3回 実戦模試

(解答 p254)

問題1 ＿＿＿の言葉の読み方として最もよいものを、1・2・3・4から一つ選びなさい。

1 彼は負傷していたにもかかわらず自力で山を下りた。
　　1　じりょく　　2　じろく　　3　じろき　　4　じりき

2 この手帳はとても便利で、ビジネスマン必携です。
　　1　ひっけい　　2　しっけい　　3　ひったい　　4　しったい

3 時間をかけて人脈を築いた。
　　1　じんみゃく　　2　にんみゃく　　3　じんば　　4　みんぱ

4 彼女は昔から内気な性格だ。
　　1　ないき　　2　だいき　　3　うちき　　4　うっき

5 あまりの痛さに顔が歪んだ。
　　1　たるんだ　　2　ゆるんだ　　3　かすんだ　　4　ゆがんだ

6 二人は揃いのセーターを着ていた。
　　1　そろい　　2　つくろい　　3　いこい　　4　のろい

問題2 （　）に入れるのに最もよいものを、1・2・3・4から一つ選びなさい。

7 家族を（　）にしてまで仕事を優先したくはないものだ。
　　1　被害　　2　犠牲　　3　残酷　　4　代償

8 事前に文書を読み、趣旨を（　）しておいた。
　　1　把握　　2　捕獲　　3　確保　　4　奪取

9 事故が起きた後の1時間は記憶がなく（　）のままだ。
　　1　空席　　2　空洞　　3　空白　　4　空間

10 町の西には南北にかけて高山が（　）いる。
　　1　重なって　　2　接いで　　3　くり返して　　4　連なって

11 美しい音楽がすさんだ心を（　）くれる。
　　1　たるませて　　2　まるめて　　3　治めて　　4　いやして

12 10日でやせられるとテレビで言っていた商品は（　）だった。
　　1　ちぐはぐ　　2　とんちんかん　　3　せっかち　　4　いんちき

[13] あの二人は、互いに宿命の（　　　）として認めあった仲だ。
　　1　アイドル　　　2　ライバル　　　3　タレント　　　4　ブランド

問題3　＿＿＿の言葉に意味が最も近いものを、1・2・3・4から一つ選びなさい。

[14] 伊藤先生はこの分野の権威である。
　　1　大家　　　　2　首位　　　　3　先駆者　　　　4　創始者

[15] 彼に仕事を受ける気があるかどうか、打診することにした。
　　1　人に聞いてもらう　　　　　2　インタビューする
　　3　様子を探る　　　　　　　　4　様子を見守る

[16] 必ずあの男の正体をあばいてやる。
　　1　本心　　　　2　本当の姿　　　3　はだか　　　　4　事情

[17] 概要説明だけで、細かい内容は割愛した。
　　1　削減した　　2　引き取った　　3　カットした　　4　シャットした

[18] 彼女は夫のことを見限ったようだ。
　　1　観察した　　2　あきらめた　　3　期待した　　　4　ばかにした

[19] その光景は、にわかに信じがたいものだった。
　　1　すぐに　　　2　まったく　　　3　もはや　　　　4　およそ

問題4　次の言葉の使い方として最もよいものを、1・2・3・4から一つ選びなさい。

[20] 配慮
　　1　友人に誘われたが風邪気味なのでお酒は配慮した。
　　2　部長は部下の体調を配慮して早く家に帰らせた。
　　3　彼は「増税反対」のチラシを印刷し配慮した。
　　4　来年度から企画部に配慮されることになった。

[21] 口頭
　　1　乳牛の口頭数は北海道が最も多い。
　　2　法律では口頭での契約も認められている。
　　3　会議は口頭から激しい議論の応酬となり荒れた。
　　4　彼女は彼の話を口頭から信じていなかった。

22 大(だいじ)事
1 冬は火事が起こりやすいので火の大事を取ったほうがいい。
2 彼は長年の苦労の末、大事を取った。
3 あまり細かいことは気にせず、大事を取るべきだ。
4 具合の悪かった彼は大事を取って会社を休むことにした。

23 なごむ
1 台風が去って海の波もなごんだ。
2 休日は、なごんだ服装で近所を散歩することにしている。
3 新入生もやっとクラスの雰囲気になごんできた。
4 食事が始まると会場の雰囲気もなごんだ。

24 取り持つ
1 彼が二人の仲を取り持ったそうだ。
2 あのコンビニではお酒も取り持っている。
3 雨が降ってきたので洗濯物を取り持った。
4 アパートの大家と契約を取り持った。

25 あやうく
1 ずっと温めてきた夢があやうくかなった。
2 彼はあやうく一人で冒険に出かけた。
3 道路に子どもが飛び出し、あやうく事故を起こすところだった。
4 あやうく1点差で負けてしまった。

第4回 実戦模試

(解答 p254)

問題1　＿＿の言葉の読み方として最もよいものを、1・2・3・4から一つ選びなさい。

[1] 分かりにくい部分は図示するように努めた。
　　1　ずし　　　　2　ずじ　　　　3　とし　　　　4　とじ

[2] ビルの上空をヘリコプターが旋回していた。
　　1　しかい　　　2　せかい　　　3　しんかい　　4　せんかい

[3] 河口に瓦礫(がれき)が堆積している。
　　1　たいせき　　2　たいぜき　　3　すいせき　　4　すいぜき

[4] 旅行の候補地を列挙してみた。
　　1　れつきょ　　2　れっきょ　　3　れつこ　　　4　れっこ

[5] 彼に悪気がなかったことは理解している。
　　1　あっき　　　2　あっけ　　　3　わるき　　　4　わるぎ

[6] 高田氏は社長の地位を退くことを明らかにした。
　　1　ひく　　　　2　つく　　　　3　しりぞく　　4　おもむく

問題2　（　　　）に入れるのに最もよいものを、1・2・3・4から一つ選びなさい。

[7] 最近、この交差点で事故が（　　　）している。
　　1　頻出　　　　2　頻発　　　　3　噴出　　　　4　憤慨

[8] 電力不足にならないよう、電力会社は国民に（　　　）を呼びかけた。
　　1　発電　　　　2　感電　　　　3　放電　　　　4　節電

[9] あの農家は野菜の（　　　）栽培を手掛けている。
　　1　有限　　　　2　有望　　　　3　有機　　　　4　有益

[10] 眠気を（　　　）ときはコーヒーを飲むことにしている。
　　1　催した　　　2　促した　　　3　戻した　　　4　返した

[11] 面倒でも貴重品はホテルのフロントに預けておいた方が（　　　）だ。
　　1　無難　　　　2　無残　　　　3　無遠慮　　　4　無関心

[12] たとえ友人でも、夫婦げんかに（　　　）に口をはさむと、後が大変だ。
　　1　たくみ　　　2　ずさん　　　3　うつろ　　　4　うかつ

実戦模試　235

[13] 店長よりスタッフの仕事の（　　　）が発表された。
1　見積もり　　　2　取り扱い　　　3　割り当て　　　4　結びつき

問題3 ＿＿＿の言葉に意味が最も近いものを、1・2・3・4から一つ選びなさい。

[14] 彼女は部長を敬遠している。
1　うやまっている　2　大事にしている　3　避けている　4　無視している

[15] 病人を家で介抱した。
1　付き添った　2　見守った　3　起き上がらせた　4　手当てした

[16] 秋山選手は新しい技を編み出した。
1　研究した　2　実験した　3　成功した　4　考案した

[17] 女性が働くには、子どもの存在がネックになりがちだ。
1　妨げ　　　2　迷い　　　3　基本　　　4　優先

[18] 今度の選挙の本命について話し合った。
1　共通認識　2　最有力候補　3　コンセプト　4　課題

[19] 復旧工事のめどが立たない。
1　対策　　　2　プロジェクト　3　希望　　　4　見込み

問題4 次の言葉の使い方として最もよいものを、1・2・3・4から一つ選びなさい。

[20] 支障
1　この薬を飲むと車の運転に支障をきたす恐れがある。
2　彼は彼女が勉強している間もあれこれ質問して支障をした。
3　あの学生は大声で歌を歌い、授業を支障した。
4　彼女と二人きりになりたかった彼は田中さんが支障だった。

[21] 振興
1　けんかをした後、彼は振興して夜も寝られなかった。
2　彼はスポーツの振興を図る活動をしている。
3　市の郊外に振興住宅地が出来た。
4　パーティーに参加し、留学生同士の振興を深めた。

22 必死
1 もしこのまま病院に行かなかったら、彼は必死だった。
2 彼は不況に陥った業界で生き残るため必死だった。
3 このことが公になったら、混乱は必死だ。
4 彼は友人を助けるため必死を尽くした。

23 ほのめかす
1 他人の財布を拾ったので警察にほのめかした。
2 発車のベルが二人に別れの時をほのめかした。
3 彼女はそれとなく離婚の意をほのめかした。
4 彼は彼女の耳元で「愛している」とほのめかした。

24 仕切る
1 あの画家は縦2メートル横3メートルもの大作を1週間で仕切った。
2 文章を分かりやすくするため3つの段落に仕切った。
3 20代の女性監督が工事現場を仕切った。
4 部長は彼に海外出張を仕切った。

25 まめに
1 あのベテランの職人でもまめには失敗することがある。
2 年老いた両親とまめに連絡を取っている。
3 彼は彼女との結婚をまめに考えていた。
4 彼にプロポーズされて、彼女はまめに自分の気持ちを伝えた。

第5回 実戦模試

(解答 p255)

問題1 ＿＿＿の言葉の読み方として最もよいものを、1・2・3・4から一つ選びなさい。

1 この書類は極秘だと釘を刺された。
1 きょくひ　　2 きょっぴ　　3 ごくひ　　4 ごくび

2 クラスの友人たちと、合唱コンクールに出場した。
1 がっそう　　2 がっしょう　　3 がっしゅう　　4 がっぽう

3 日本は世界一の長寿の国と言われている。
1 ちょうじゅ　　2 ちょうじゅう　　3 ちょうちゅ　　4 ちょうちゅう

4 出発時刻はもう間近だ。
1 かんきん　　2 まきん　　3 あいちか　　4 まぢか

5 煙は風下へ流されていった。
1 ふうか　　2 ふうげ　　3 かぜしも　　4 かざしも

6 友人の息子は医者を志しているそうだ。
1 しして　　2 めざして　　3 こころして　　4 こころざして

問題2 （　　）に入れるのに最もよいものを、1・2・3・4から一つ選びなさい。

7 仕事熱心な彼は、日本のサラリーマンの（　　）である。
1 形式　　2 公式　　3 典型　　4 定型

8 何度説明を聞いても（　　）がいかない。
1 納得　　2 説得　　3 習得　　4 得意

9 彼は1年前に（　　）を絶ってしまった。
1 事情　　2 状況　　3 伝達　　4 消息

10 裁判で事件の（　　）が明らかになった。
1 中枢　　2 枢軸　　3 核心　　4 内心

11 人気タレントの周りにファンがサインを求めて（　　）。
1 めぐった　　2 あらそった　　3 ちらばった　　4 むらがった

12 部長は、彼がデートに間に合うように早めに仕事を終わらせる（　　）計らいをした。
1 ろくな　　2 ざらな　　3 いきな　　4 きゃしゃな

[13] 冬の厳しい寒さも和らぎ、春の（　　　）が見えてきた。
1　悟り　　　　2　証し　　　　3　占い　　　　4　兆し

問題3　＿＿の言葉に意味が最も近いものを、1・2・3・4から一つ選びなさい。

[14] 職員の電話番号の一覧を作った。
1　目次　　　　2　目盛り　　　3　リスト　　　4　データ

[15] 敵の急所をねらった。
1　患部　　　　2　傷跡　　　　3　盲点　　　　4　弱点

[16] 彼女は彼の発言を聞いて失神してしまった。
1　自信をなくして　2　うんざりして　3　絶望して　4　気絶して

[17] 今井さんは先日入社したばかりだが、飲み込みがはやい。
1　理解　　　　2　反応　　　　3　行動　　　　4　回転

[18] 彼は若くして一等地に家をかまえた。
1　借りた　　　2　移した　　　3　建てた　　　4　売った

[19] 今日はなんともうっとうしい天気だ。
1　こころよい　2　気が晴れない　3　めずらしい　4　かわりやすい

問題4　次の言葉の使い方として最もよいものを、1・2・3・4から一つ選びなさい。

[20] 還元
1　企業は余剰の利益を社会に還元すべきである。
2　開会式で去年の優勝チームから優勝旗が還元された。
3　事故現場を還元するため徹夜の作業が行われた。
4　田中選手はけがの治療を終えて還元した。

[21] 現行
1　彼は夢を現行するために生まれ故郷を後にした。
2　現行の制度では現実社会の問題に対処しきれなくなっている。
3　いよいよ計画を現行に移す時がきた。
4　有罪は確定したが刑の現行は猶予された。

22 引き締める

1 彼はネクタイをきつめに引き締めた。
2 彼はずっと部屋に引き締めた。
3 試合に勝った後も彼は気を引き締めた。
4 警察は違法駐車を引き締めた。

23 ずばり

1 彼の説明はずばり分からなかった。
2 彼は持っていたお金をずばり盗まれた。
3 予想がずばり的中した。
4 彼の声は父親の声とずばりだった。

24 心外

1 母の手術は心外に早く終わった。
2 彼は彼女に愛の心外をした。
3 この作品は作者の孤独な精神を心外している。
4 友人にまで疑われ、心外だった。

25 生い立ち

1 貧しくて、生い立ちするのがやっとだった。
2 両者がサインして契約が生い立ちした。
3 親からの生い立ちを目指している。
4 彼は自分の生い立ちを皆に話した。

解答

問題1 練習問題

回	1	2	3	4	5	6	7	8	9	10	11	12
第1回 (p11)	1	1	3	3	1	1	3	4	4	2	3	2
第2回 (p13)	3	3	2	2	2	1	1	2	1	4	4	1
第3回 (p15)	1	2	2	2	1	2	4	3	3	2	4	4
第4回 (p17)	4	1	2	1	2	1	4	3	2	2	4	2
第5回 (p19)	3	2	2	4	2	1	2	2	3	2	4	4
第6回 (p21)	4	3	4	2	3	1	2	2	2	3	4	3
第7回 (p23)	1	4	4	2	3	4	4	3	1	4	1	1
第8回 (p25)	3	3	3	4	2	1	2	4	1	2	2	4
第9回 (p27)	4	3	4	3	4	1	3	3	2	4	3	4
第10回 (p29)	4	3	1	3	3	1	1	3	1	2	4	3
第11回 (p31)	2	2	3	1	4	4	1	2	3	4	2	3
第12回 (p33)	4	3	2	3	4	1	4	2	1	1	4	3
第13回 (p35)	3	4	4	4	4	4	4	2	3	3	4	3
第14回 (p37)	3	2	1	3	4	3	4	3	2	2	4	4
第15回 (p39)	1	4	1	4	4	3	3	4	2	4	2	1
第16回 (p41)	2	4	4	3	3	4	3	4	4	3	2	1
第17回 (p43)	4	4	4	2	4	2	3	3	4	1	3	4
第18回 (p45)	3	2	3	4	3	4	4	2	1	4	2	3
第19回 (p47)	4	4	3	3	3	1	4	3	1	3	3	3
第20回 (p49)	2	3	2	1	2	4	4	1	2	2	1	4
第21回 (p51)	1	2	3	1	2	1	3	2	4	1	4	2
第22回 (p53)	4	3	1	4	1	2	2	4	3	4	2	2
第23回 (p55)	4	2	4	1	3	1	4	3	4	3	1	1
第24回 (p57)	2	4	1	3	4	1	2	4	3	2	2	1

問題1 復習問題 (p58〜62)

1	3	2	4	3	3	4	3	5	4	6	1	7	1	8	2	9	3	10	4	11	1	12	1	13	2
14	3	15	3	16	3	17	4	18	4	19	3	20	1	21	1	22	2	23	2	24	1	25	2	26	4
27	4	28	1	29	4	30	3	31	4	32	2	33	4	34	2	35	3	36	1	37	4	38	3	39	3
40	3	41	4	42	4	43	2	44	1	45	3	46	4	47	4	48	3	49	4	50	4	51	1	52	1
53	4	54	1	55	4	56	4	57	3	58	3	59	1	60	3

問題2 練習問題

第25回 (p65)　1 3　2 2　3 4　4 1　5 1　6 4　7 4　8 2　9 1　10 4　11 2　12 4

第26回 (p67)　1 3　2 2　3 3　4 2　5 3　6 3　7 1　8 3　9 1　10 4　11 1　12 1

第27回 (p69)　1 4　2 4　3 2　4 1　5 3　6 4　7 3　8 2　9 4　10 1　11 3　12 2

第28回 (p71)　1 2　2 4　3 1　4 1　5 2　6 2　7 1　8 3　9 1　10 4　11 2　12 3

第29回 (p73)　1 2　2 4　3 1　4 1　5 3　6 3　7 3　8 2　9 4　10 1　11 2　12 3

第30回 (p75)　1 3　2 4　3 2　4 1　5 2　6 3　7 3　8 2　9 3　10 1　11 3　12 4

第31回 (p77)　1 4　2 4　3 1　4 4　5 2　6 2　7 3　8 3　9 4　10 3　11 3　12 4

第32回 (p79)　1 2　2 1　3 4　4 1　5 4　6 3　7 3　8 4　9 3　10 1　11 1　12 2

第33回 (p81)　1 1　2 4　3 2　4 4　5 2　6 3　7 4　8 1　9 2　10 3　11 4　12 3

第34回 (p83)　1 4　2 2　3 3　4 1　5 3　6 4　7 2　8 1　9 2　10 3　11 1　12 4

第35回 (p85)　1 2　2 3　3 3　4 2　5 1　6 3　7 2　8 4　9 3　10 4　11 3　12 4

第36回 (p87)　1 4　2 3　3 2　4 1　5 3　6 4　7 2　8 2　9 1　10 2　11 4　12 3

第37回 (p89)　1 1　2 2　3 3　4 4　5 3　6 1　7 4　8 1　9 2　10 2　11 4　12 4

第38回 (p91)　1 2　2 1　3 2　4 4　5 2　6 3　7 4　8 1　9 3　10 4　11 4　12 4

第39回 (p93)　1 2　2 2　3 3　4 3　5 2　6 4　7 1　8 4　9 3　10 3　11 1　12 2

第40回 (p95)　1 3　2 4　3 2　4 3　5 1　6 4　7 2　8 3　9 4　10 4　11 2　12 1

	1	2	3	4	5	6	7	8	9	10	11	12
第41回 (p97)	4	3	2	1	3	4	2	3	1	4	1	3
第42回 (p99)	4	2	1	2	4	1	2	2	4	4	2	2
第43回 (p101)	4	3	2	1	3	2	4	1	4	2	3	1
第44回 (p103)	4	2	1	3	3	2	4	4	1	3	2	2
第45回 (p105)	4	2	3	3	2	2	1	2	4	1	2	3
第46回 (p107)	1	4	3	1	3	3	4	4	2	4	3	3
第47回 (p109)	3	3	2	4	4	2	2	3	4	3	4	1
第48回 (p111)	4	1	3	2	1	4	4	3	2	1	4	2
第49回 (p113)	3	2	3	1	3	2	4	1	3	3	4	2
第50回 (p115)	3	4	4	1	4	3	1	4	3	1	2	4
第51回 (p117)	3	1	1	1	2	4	3	2	2	4	4	4
第52回 (p119)	1	3	2	1	4	2	1	2	3	3	2	1
第53回 (p121)	2	1	1	3	3	3	2	4	2	1	1	3
第54回 (p123)	4	3	4	2	3	1	4	4	2	1	2	3
第55回 (p125)	1	2	3	1	4	4	3	3	2	4	1	4
第56回 (p127)	3	2	2	3	4	3	3	1	3	4	1	4
第57回 (p129)	2	3	2	1	3	2	2	1	1	3	4	4
第58回 (p131)	4	2	3	1	3	4	2	1	4	3	2	1
第59回 (p133)	2	4	3	1	4	2	3	1	4	3	3	2
第60回 (p135)	3	4	2	1	4	1	2	2	4	3	2	1
第61回 (p137)	3	2	2	4	2	3	1	3	4	2	3	3
第62回 (p139)	4	3	4	3	3	4	2	4	1	2	4	2
第63回 (p141)	3	2	3	1	2	4	3	2	4	1	3	2
第64回 (p143)	4	4	3	1	4	3	2	3	3	2	2	4
第65回 (p145)	2	3	2	1	2	2	3	4	1	3	1	2
第66回 (p147)	4	3	3	4	3	2	4	3	4	1	3	3

問題2 復習問題 (p148〜152)

1	3	2	4	3	3	4	4	5	1	6	4	7	2	8	4	9	1	10	2	11	4	12	2	13	4
14	2	15	2	16	3	17	2	18	1	19	1	20	2	21	4	22	3	23	2	24	1	25	1	26	4
27	2	28	2	29	1	30	4	31	3	32	1	33	3	34	2	35	3	36	3	37	2	38	4	39	2
40	3	41	4	42	3	43	2	44	4	45	2	46	1	47	2	48	1	49	3	50	4	51	2	52	4
53	3	54	2	55	4	56	1	57	4	58	3	59	2	60	4

問題3 練習問題

第67回 (p155) 1:3 2:4 3:2 4:4 5:2 6:4 7:3 8:1 9:2 10:3 11:1 12:2

第68回 (p157) 1:1 2:4 3:3 4:4 5:3 6:4 7:3 8:4 9:3 10:1 11:2 12:3

第69回 (p159) 1:2 2:2 3:3 4:2 5:1 6:2 7:3 8:1 9:4 10:3 11:1 12:2

第70回 (p161) 1:3 2:4 3:1 4:1 5:1 6:3 7:2 8:4 9:3 10:1 11:4 12:2

第71回 (p163) 1:4 2:2 3:4 4:2 5:1 6:2 7:2 8:3 9:1 10:2 11:4 12:3

第72回 (p165) 1:1 2:1 3:3 4:1 5:4 6:2 7:4 8:3 9:1 10:3 11:1 12:3

第73回 (p167) 1:3 2:2 3:2 4:2 5:4 6:1 7:4 8:1 9:2 10:3 11:1 12:2

第74回 (p169) 1:2 2:4 3:1 4:3 5:2 6:4 7:1 8:3 9:3 10:1 11:3 12:3

第75回 (p171) 1:1 2:3 3:4 4:3 5:2 6:4 7:3 8:1 9:2 10:1 11:3 12:3

第76回 (p173) 1:2 2:2 3:2 4:4 5:4 6:4 7:2 8:4 9:2 10:1 11:2 12:3

第77回 (p175) 1:2 2:1 3:3 4:2 5:3 6:3 7:3 8:3 9:1 10:1 11:1 12:4

第78回 (p177) 1:4 2:3 3:1 4:4 5:4 6:2 7:1 8:1 9:3 10:2 11:1 12:4

第79回 (p179) 1:2 2:4 3:4 4:4 5:4 6:3 7:4 8:4 9:3 10:4 11:4 12:3

第80回 (p181) 1:3 2:3 3:3 4:2 5:4 6:1 7:2 8:1 9:1 10:4 11:4 12:1

第81回 (p183) 1:4 2:3 3:4 4:1 5:3 6:3 7:1 8:3 9:4 10:4 11:2 12:3

第82回 (p185) 1:3 2:1 3:2 4:4 5:4 6:4 7:2 8:4 9:3 10:4 11:3 12:2

問題3 復習問題 (p186〜188)

|1| 1 |2| 3 |3| 2 |4| 4 |5| 2 |6| 4 |7| 3 |8| 3 |9| 4 |10| 2 |11| 4 |12| 3 |13| 1

|14| 4 |15| 4 |16| 3 |17| 3 |18| 1 |19| 1 |20| 2 |21| 4 |22| 1 |23| 4 |24| 3 |25| 1 |26| 3

|27| 4 |28| 2 |29| 3 |30| 3 |31| 1 |32| 1 |33| 4 |34| 3 |35| 2 |36| 3 |37| 4 |38| 2

問題4 練習問題

第83回 (p193)
- |1| 4 .... 言い換え例 1 指示 2 支援 3 志望
- |2| 4 .... 1 普遍 2 拡大 3 広まった
- |3| 2 .... 1 加えた／入れた 3 参加 4 追加
- |4| 3 .... 1 出演 2 演技 4 演説
- |5| 4 .... 1 反射 2 反応 3 反感
- |6| 4 .... 1 収集 2 収容 3 徴収／集めた

第84回 (p195)
- |1| 2 .... 言い換え例 1 回復 3 更新 4 上がった
- |2| 4 .... 1 指導 2 布教 3 差し込んだ
- |3| 1 .... 2 賛成／同意 3 同調 4 共同
- |4| 1 .... 2 征服 3 越えた 4 倒して
- |5| 3 .... 1 落として 2 落第 4 落ちた／下落
- |6| 3 .... 1 設立 2 設置 4 設営

第85回 (p197)
- |1| 2 .... 言い換え例 1 抗議 3 意見 4 反対
- |2| 4 .... 1 規定 2 指定 3 設定
- |3| 4 .... 1 性格／心根(こころね) 2 性格／価値観 3 精神
- |4| 3 .... 1 便利 2 都合 4 都合／タイミング
- |5| 3 .... 1 正当 2 正式 4 規則的
- |6| 4 .... 1 要件 2 条件 3 用事

第86回 (p199)	1 3 言い換え例	1 開戦	2 競争	4 対策
	2 3	1 プレッシャー	2 押し潰されて	4 圧倒
	3 2	1 常軌	3 方針	4 筋道(すじみち)
	4 4	1 適正	2 適当	3 適切
	5 2	1 予感	3 予定	4 予兆
	6 2	1 知識	3 教養	4 勘
第87回 (p201)	1 2 言い換え例	1 壊した	3 かわした	4 叱った
	2 2	1 助けた	3 守った	4 覆った
	3 4	1 重なって	2 混乱して	3 絡んで
	4 4	1 越えた	2 越える	3 叶った
	5 2	1 追われて／のめりこんで 3 はまって　4 耐えて		
	6 4	1 もたらした	2 与えた	2 設けた
第88回 (p203)	1 2 言い換え例	1 取り次いだ	3 続いた	4 つながった
	2 4	1 祈った	2 心配して／気にかけて 3 気にして	
	3 3	1 叩き起こした	2 引き出した	4 引きつけた
	4 4	1 邪魔しないで	2 害した	3 支えた
	5 1	2 替えた／交替させた		3 (社長の)代理にした
		4 代わりにして		
	6 1	2 (津波を)恐れていた		3 恐る恐る
		4 やめた／遠慮した		
第89回 (p205)	1 3 言い換え例	1 断った	2 告白した	4 遮った
	2 3	1 添えて	2 付きまとう	4 付きまとって
	3 1	2 守る	3 見張って	4 検知する
	4 1	2 追いついた	3 追いかけた	4 追い求めて

		5	**4**	1 落ちた	2 理解し合って	3 陥って		
		6	**2**	1 当たった	3 思い上がって	4 思いがけず		
第90回 (p207)	1	**4**	言い換え例	1 まったく	2 ことごとく	3 次々		
		2	**3**	1 うっかり	2 整理	4 ちょうど		
		3	**1**	2 かすかに	3 永遠に	4 久しく		
		4	**2**	1 がらんと	3 ぐらりと	4 からからに		
		5	**4**	1 今さら	2 なお	3 ずっと		
		6	**1**	2 絶対に	3 よほど	4 およそ		
第91回 (p209)	1	**3**	言い換え例	1 貧しい	2 貧しい			
				4 できない／(恋愛とは) 縁遠い				
		2	**2**	1 悔しい	3 恥ずかしい			
				4 うれしくなった／幸せな気持ちになった				
		3	**2**	1 便りがなく	3 頼らないように	4 頼もしい／頼れる		
		4	**4**	1 細かくて	2 細かな	3 しなやか		
		5	**4**	1 確実	2 着席	3 誠実		
		6	**2**	1 優れていて	3 充実した	4 十分		
第92回 (p211)	1	**2**	言い換え例	1 身振り	3 身寄り	4 身分		
		2	**1**	2 大目玉	3 多め	4 目を丸くした		
		3	**2**	1 大通り	3 参道	4 あらすじ		
		4	**2**	1 身振り手振り	3 準備	4 手間		
		5	**2**	1 会場	3 本拠地	4 本番		
		6	**2**	1 手がかり	3 気づいた	4 心配		

問題４ 復習問題 (p212〜224)

p212

1	1	言い換え例	2 キャンセル	3 キャンセル／すっぽかし
			4 解消／発散	

2	1		2 理由	3 故(ゆえ)	4 原因

3	4		1 弁解	2 我慢	3 許されない

4	3		1 捜査	2 調査	4 検査

5	3		1 合わなくて	2 似合わない	4 ※「矛盾的」は誤り。

6	3		1 徹して	2 一環	4 一気

p213

7	4	言い換え例	1 共同	2 合同	3 合致(がっち)

8	3		1 案内	2 処理	4 やりくり

9	4		1 宣告	2 打ち明けた	3 告示

10	3		1 受け入れた	2 習得／培った	4 受けた／被った

11	2		1 目撃	3 重視	4 眺め

12	4		1 無駄	2 無駄	3 粗末に

13	2		1 結束	3 結合	4 絆(きずな)

p214

14	4	言い換え例	1 専念	2 潜(もぐ)る	3 忙殺

15	3		1 引退	2 引用	4 率先

16	3		1 反乱	2 あふれていた	4 あふれた

17	2		1 愛情	3 愛着	4 印象

18	2		1 先に始めた	3 手先(てさき)	4 手先

19	2		1 顔	3 面会	4 面前

20	1		2 教養	3 うわさ	4 見識

p215

21	2	言い換え例	1 困難	3 反対	4 気難しい

22	2		1 スパート	3 許可を出した	4 声

23	3		1 予算	2 精算	4 清算

	24	4	1	才能	2	夢／思い	3	空気
	25	4	1	行方(ゆくえ)	2	「途方に暮れる」が正しい。		
			3	方法／手段				
	26	3	1	点滅	2	山あり谷あり／起伏に富んでいた		
			4	命運				
	27	3	1	規格	2	資質	4	価値
p216	28	2 .... 言い換え例	1	理論	3	理性	4	理想
	29	4	1	反応	2	反省	3	反撃／反論
	30	2	1	留守に	3	中流／中産	4	途中
	31	2	1	悔しかった	3	不意に	4	不意に／無意識に
	32	2	1	戻った	3	裏切った	4	裏返って
	33	1	2	上げた	3	焦った	4	急いだ
	34	1	2	あおいだ	3	覆って	4	励ました
p217	35	1 .... 言い換え例	2	困った	3	困った	4	閉口した
	36	3	1	偽って	2	汚(けが)して	4	うやむやにした
	37	1	2	見抜いた	3	公開された	4	発見された
	38	2	1	傾いた	3	傾けた	4	茂って
	39	3	1	はずした	2	はずした	4	移した
	40	3	1	取り組んで	2	設計した	4	入り組んで
	41	1	2	振り込んだ	3	割り引いて	4	割り切って
p218	42	4 .... 言い換え例	1	届いた	2	行きすぎる	3	たどり着いた／到達した
	43	1	2	受け付けて	3	引き受けた	4	引き止め
	44	4	1	落ち込んで	2	踏み込んだ	3	押し込んだ
	45	1	2	立った／たどり着いた				
			3	全面的に	4	明らかになった		

	問	答		選択肢					
	46	3		1	取り入れた	2	取り付けて	4	組み込まれて／含まれていた
	47	3		1	結んで／結って	2	取り持った	4	つないで
	48	3		1	見学した	2	提案した	4	付けた
p219	49	3	言い換え例	1	紛れて	2	巻き起こした	4	巻いて
	50	4		1	見失って	2	見間違えて	3	見違える
	51	2		1	突きつけた	3	突き止めた	4	突き出した
	52	2		1	踏みつぶして	3	踏み出した	4	踏み倒した
	53	1		2	立ち直った	3	立ち返って	4	立ち会った
	54	4		1	混み合って	2	書き上げた	3	満ちて
	55	2		1	言い表す	3	言い換えて	4	言い渡した
p220	56	1	言い換え例	2	引っ越して	3	追い越した	4	越えた
	57	3		1	反省	2	おろおろ	4	くらくら
	58	2		1	どきどき	3	ひそひそ	4	こわごわ
	59	4		1	ぴったり	2	びっしょり	3	みっちり
	60	1		2	ぐったり	3	うっとり	4	のんびり
	61	4		1	ごろごろ	2	らくらく	3	やすやすと
	62	3		1	まともに	2	ろくに	4	必ずしも
p221	63	4	言い換え例	1	そっと	2	ほっと	3	さっさと
	64	2		1	あっという間	3	直ちに	4	いちいち
	65	4		1	まるで	2	すぐに	3	はなから
	66	2		1	なんとなく	3	なんとか	4	やんわりと
	67	4		1	いまだ	2	かねてから	3	あらかじめ
	68	2		1	入り組んでいる	3	回りにくい	4	回ってきた
	69	4		1	分厚い	2	温厚な	3	心を込めて
p222	70	3	言い換え例	1	著名な	3	けばけばしい	4	はなはだしい

	71	2		1	細かい／鋭い	3	心配だった	4	怖かった
	72	4		1	美しい／きれいだ	2	予想される	3	望んだ
	73	1		2	つるつる／滑りやすくて	3	ぴかぴか
				4	すいすいと（泳ぐ）
	74	3		1	わずか	2	小さくした	4	遠回し
	75	3		1	賑やか	2	いっせい	4	得意
	76	2		1	異例	3	例外	4	意外
p223	77	2	言い換え例	1	悪かった／ひどかった	3	やたら
				4	まとも
	78	3		1	均一	2	単独	4	好調
	79	1		2	生意気（なまいき）	3	勝手	4	わがまま
	80	1		2	十分	3	暇	4	思いのまま
	81	3		1	不明	2	はずれ	4	不正
	82	1		2	悔いはなかった	3	無遠慮に	4	悔しい
	83	2		1	形式	3	方針	4	都合
p224	84	2	言い換え例	1	針穴（はりあな）	3	きっかけ	4	当初
	85	2		1	距離	3	間隔	4	関係
	86	3		1	見下して	2	下火（したび）	4	試し
	87	3		1	星印（ほしじるし）	2	注目の的（まと）	4	星
	88	2		1	段階	3	段階	4	準備
	89	2		1	取引（とりひき）	3	賭事（かけごと）	4	差し引き
	90	3		1	宣伝	2	予言	4	前評判

第1回　実戦模試　(p226〜228)

問題1	① 3 ② 4 ③ 4 ④ 2 ⑤ 2 ⑥ 4
問題2	⑦ 3 ⑧ 3 ⑨ 1 ⑩ 2 ⑪ 4 ⑫ 2 ⑬ 4
問題3	⑭ 4 ⑮ 2 ⑯ 2 ⑰ 1 ⑱ 4 ⑲ 1
問題4	⑳ 3 ……… 言い換え例　1　自慢　　　2　自覚　　　4　自尊
	㉑ 2 ……………………… 1　設置　　　3　処置　　　4　処分
	㉒ 1 ……………………… 2　重圧　　　3　押し付けた　4　勢力
	㉓ 3 ……………………… 1　じわじわ　2　あやうく　4　わずか
	㉔ 1 ……………………… 2　貧しい　　3　少なく　　4　忙しい
	㉕ 4 ……………………… 1　消えて　　2　はずれた　3　脱線して

第2回　実戦模試　(p229〜231)

問題1	① 4 ② 2 ③ 3 ④ 3 ⑤ 1 ⑥ 2
問題2	⑦ 1 ⑧ 4 ⑨ 3 ⑩ 4 ⑪ 2 ⑫ 1 ⑬ 2
問題3	⑭ 2 ⑮ 1 ⑯ 4 ⑰ 3 ⑱ 4 ⑲ 4
問題4	⑳ 4 ……… 言い換え例　1　普通　　　2　波及　　　3　拡大
	㉑ 1 ……………………… 2　業績　　　3　成績　　　4　成立
	㉒ 2 ……………………… 1　岐路　　　3　多忙　　　4　多様
	㉓ 1 ……………………… 2　見送った　3　守る　　　4　見合った
	㉔ 1 ……………………… 2　ぞんざい　3　適当　　　4　適温ではなかった
	㉕ 3 ……………………… 1　いやした　2　手当てした　4　なだめた

第3回　実戦模試　(p232〜234)

問題1　①4　②1　③1　④3　⑤4　⑥1

問題2　⑦2　⑧1　⑨3　⑩4　⑪4　⑫4　⑬2

問題3　⑭1　⑮3　⑯2　⑰3　⑱2　⑲1

問題4
- ⑳2 ……… 言い換え例　1 遠慮　　3 配布　　4 配属
- ㉑2 ……………　1 頭(とう)　　3 冒頭　　4 頭(あたま)／はな
- ㉒4 ……………　1 火の始末をきちんとしたほうがいい。
  2 成功した　　3 大枠をつかむ
  ※「大事を取る」は「念のため／用心する」の意味で使われる。
- ㉓4 ……………　1 おさまった　　2 リラックスした　　3 なじんで
- ㉔1 ……………　2 取り扱って　　3 取り込んだ　　4 取り結んだ
- ㉕3 ……………　1 ようやく　　2 あえて　　4 惜しくも

第4回　実戦模試　(p235〜237)

問題1　①1　②4　③1　④2　⑤4　⑥3

問題2　⑦2　⑧4　⑨3　⑩1　⑪1　⑫4　⑬3

問題3　⑭3　⑮4　⑯4　⑰1　⑱2　⑲4

問題4
- ⑳1 ……… 言い換え例　2 邪魔　　3 妨害　　4 邪魔
- ㉑2 ……………　1 興奮　　3 新興　　4 親交
- ㉒2 ……………　1 死んでいた　　3 必至　　4 死力
- ㉓3 ……………　1 届けた　　2 告げた　　4 ささやいた
- ㉔3 ……………　1 仕上げた　　2 区切った　　4 命じた
- ㉕2 ……………　1 たまに　　3 まじめに　　4 真剣に

第5回　実戦模試　(p238〜240)

問題1　 ①3　②2　③1　④4　⑤4　⑥4

問題2　 ⑦3　⑧1　⑨4　⑩3　⑪4　⑫3　⑬4

問題3　 ⑭3　⑮4　⑯4　⑰1　⑱3　⑲2

問題4

⑳ 1	……… 言い換え例	2 返還	3 修復	4 復帰
㉑ 2	………………	1 実現	3 実行	4 執行
㉒ 3	………………	1 締めた	2 引きこもった	4 取り締まった
㉓ 3	………………	1 さっぱり	2 すっかり	4 そっくり
㉔ 4	………………	1 意外	2 告白	3 表現
㉕ 4	………………	1 生活する	2 成立	3 自立

255

著　者	松岡 龍美
	東京日本語教育センター講師。
『絶対合格！日本語能力試験 徹底トレーニング』シリーズ（アスク出版）『日本留学試験対策 記述問題テーマ100』シリーズ（凡人社）など、日本語能力試験や日本留学試験のための著書多数。

DTP・校正	株式会社鷗来堂
印刷・製本	日経印刷株式会社

絶対合格！
日本語能力試験
徹底トレーニング N1 文字・語彙

2012年　4月20日　初版　第1刷発行
2021年　4月15日　初版　第7刷発行

本体価格　1,400円

発　　行	株式会社 アスク出版
	〒162-8558 東京都新宿区下宮比町2-6
TEL 03-3267-6864　　FAX 03-3267-6867
発 行 人	天谷 修身

乱丁、落丁本はお取り替えいたします。
許可なしに転載、複製することを禁じます。
©Tatsumi Matsuoka 2012
Printed in Japan　ISBN 978-4-87217-814-2

アンケートにご協力ください
PC https://www.ask-books.com/support/

Smartphone